Le
Livre
de
Poche
Jeunesse

Le peintre des visages

MONIKA FETH

Le peintre des visages

Traduit de l'allemand
par Sabine Wyckaert-Fetick

L'édition originale de ce roman a paru en langue allemande,
sous le titre :
Der Mädchenmaler

© cbj/cbt Verlag, München, 2005,
a division of Verlagsgruppe Random House GmbH,
München, Germany.
© Hachette Livre, 2009, pour la traduction française,
et 2011 pour la présente édition.

Je remercie :

... Inge Meyer-Dietrich pour les moustiques écossais, les oiseaux argentés et nos « expéditions » hivernales en Suisse, pour nos 1 738 465 discussions au téléphone, mais surtout pour avoir toujours répondu présent, même si tant de kilomètres nous séparaient,

... Hannelore Dierks pour ses recherches intensives à Dormagen et Langenfeld, le savon à la lavande, les nouilles chinoises et parce qu'il y a des années, elle a décidé de se rendre à une fête à laquelle elle n'avait aucune envie d'aller,

... Marliese Arold pour la promenade mémorable à Ludwigshafen, où nous nous sommes rencontrées lors d'une tournée de lecture puis avons croisé la route d'un cheval blanc,

... les peintres hommes et femmes, dont les tableaux accompagnent ma vie, pour les heures passées dans leurs ateliers,

... mon père pour nos longs débats sur l'art et la vie,

... ma mère pour mon enfance riche en histoires,

... mon mari et notre fils pour tout le reste.

Monika Feth

1

En silence et sans phare, la Mercedes grise glissa le long du trottoir et s'arrêta. Il était un peu plus de huit heures. Un fin brouillard enroulait son voile autour des lampadaires. Les voitures garées étaient couvertes d'une fine couche de glace. Du givre s'accrochait aux toits et aux branches qu'on devinait à peine, les rendant méconnaissables.

Les fenêtres des maisons faisaient l'effet d'yeux jaunes. Des yeux au regard froid et désintéressé.

Un chien aboya. Le son d'une radio s'échappait d'un portail de garage resté entrouvert malgré le froid. Une porte claqua. On entendait au loin la sirène d'une ambulance, d'une voiture de police ou d'un camion de pompier. La fumée sortant des cheminées était plaquée au sol. Ce serait une journée couverte, pesante.

Personne ne remarqua la Mercedes grise. Personne ne s'aperçut qu'un homme y était assis, observant avec attention une des maisons derrière ses vitres teintées. Calme et sombre. Immobile, comme changé en pierre. Et puisque personne ne le remarqua, ce fut comme s'il n'était pas là.

*
* *

Ilka se sentait fraîche et dispose. Les jumeaux avaient dormi d'une traite malgré leur gros rhume, contrairement aux nuits précédentes où leurs quintes de toux l'avaient réveillée à plusieurs reprises. Après un rapide coup d'œil par la fenêtre, elle se décida pour le gros pull à col roulé.

C'était le dernier cadeau de sa mère, et elle savourait chaque jour où elle le portait. Parfois, il lui semblait encore sentir le sillage du parfum que sa mère mettait. Puis elle se disait que c'était impossible. Tante Marei avait peut-être raison d'affirmer qu'elle possédait une imagination débordante.

Le pull-over rouille était en parfaite harmonie avec ses cheveux roux foncé. Sa mère l'avait toujours appelée sa *fille de l'automne*. Ilka trouvait l'expression jolie. Et se trouvait elle-même jolie. De temps en temps. Mais la *fille de l'automne* n'était plus qu'un souvenir, désormais. Et Ilka ne laissait plus les souvenirs l'approcher depuis longtemps.

Avant d'éteindre, elle regarda attentivement autour d'elle. Tout était en ordre. Rien d'important ne traînait. Son journal intime était soigneusement caché. Elle dévala l'escalier. Assise devant les restes du petit déjeuner, tante Marei lisait le journal. Les jumeaux étaient partis à l'école. Tante Marei se montrait intraitable : deux jours de repos devaient suffire pour un refroidissement. Tant qu'on ne se baladait pas la tête sous le bras, il fallait remplir son devoir. Un point, c'est tout.

— Bon, j'y vais !

Ilka enfila sa veste en agneau retourné. Elle l'avait dénichée dans une friperie pour trois fois rien et elle l'adorait.

— Tu ne comptes pas petit-déjeuner ?

La voix de tante Marei prenait parfois un ton plaintif. Comme si tout ce qu'on faisait, ou ne faisait pas, était dirigé contre elle. C'était pourtant une femme à poigne. Ces accents larmoyants ne lui allaient pas du tout.

— Je suis en retard. J'emporte quelque chose.

Ilka inspecta la coupe à fruits, piocha deux bananes, les casa dans son sac à dos et embrassa tante Marei sur la joue.

— Fillette ! Ce que tu as minci !

Tante Marei avait passé les bras autour des hanches d'Ilka et la regardait, l'air préoccupé. Les questions se pressaient dans ses yeux.

— Je ne rentre pas tard, promit Ilka.

Tante Marei lui adressa un petit sourire. Ilka en eut un pincement au cœur. Pour un peu, c'est sa mère qu'elle voyait assise à table.

Arrête de voir des fantômes partout ! pensa-t-elle en enroulant son écharpe. *Tu ferais mieux de garder les pieds sur terre.*

Elle traversa le couloir en désordre et sentit à nouveau combien elle aimait cette maison. Elle n'avait rien de particulier, rien d'extraordinaire ; elle n'était ni moderne, ni suffisamment ancienne pour renfermer quantité d'histoires. C'était une maison comme tant d'autres dans le lotissement, mais Ilka s'y sentait la bienvenue. Ce qui en faisait quelque chose d'unique. Son chez-soi, toujours prêt à l'accueillir et à la protéger. N'était-ce pas ce qu'elle désirait ? Tranquillité, protection et sécurité. La maison lui offrait cette sécurité… Pour la première fois depuis longtemps.

Ilka tira la porte d'entrée derrière elle. Le froid vint envelopper son visage et elle inspira profondément. Un chien aboya quelque part et son cri résonna comme une promesse. La vie était belle. Elle était presque disposée à y croire.

*
* *

Les vitres étaient embuées. Tant mieux. Cela tiendrait les curieux à l'écart. Prudemment, Ruben essuya le pare-brise. C'est alors qu'il la vit. Le souffle coupé, il se pencha en avant.

Elle était magnifique. Même à cette distance, cela crevait les yeux. Son visage resplendissait sous l'éclairage du lampadaire. Elle avait négligemment remonté ses cheveux sous un bonnet en laine. Il préférait qu'elle les laisse tomber sur les épaules. Elle avait une chevelure superbe qui ne supportait pas d'être domptée.

Ruben ne comprenait pas pourquoi elle avait choisi cette vie. Une maison petite-bourgeoise, insignifiante, entourée d'autres maisons petites-bourgeoises. Enfilées comme autant de perles de verre sans valeur sur une ficelle, elles se succédaient le long de la rue, nichées dans des jardinets où la lumière froide de lampes solaires chromées éclairait des arbustes étayés. Pourquoi venir se perdre dans un quartier où des rideaux de tulle froncés pendaient aux fenêtres ? Où les poubelles s'alignaient soigneusement ? Où rien ni personne ne détonnait ? Pourquoi venir se perdre ici, au lieu de chercher ailleurs un foyer plus accueillant ?

12

Son portable sonna. Il regarda l'affichage. L'architecte. Il ne voulait pas être dérangé. Pas maintenant. Il l'éteignit. Le moindre bruit était source de dérangement quand il se trouvait dans cet état d'esprit, quand il pensait à hier, à aujourd'hui et à demain.

Ilka sortit son vélo du garage. Elle semblait petite et perdue dans la lueur grise qui rampait par-dessus les toits, s'enchevêtrait dans les branches nues. Lorsqu'elle passa près de lui sur sa bicyclette, il tourna la tête. Son cœur cognait à éclater.

Il ferma les yeux. S'apaisa peu à peu. Il ne la suivrait pas. Il ne le faisait jamais. Il avait perdu l'habitude de céder à ses sentiments. S'il restait froid et maître de soi, tout se passerait bien.

Il fixa un moment encore la maison dans laquelle elle habitait. Numéro dix-sept. Le nombre préféré d'Ilka. Le hasard, bien entendu. Mais elle y avait sans doute vu un signe du destin. Elle faisait volontiers confiance au destin, aux étoiles ou aux puissances supérieures.

Une ombre se déplaçait derrière la fenêtre de la cuisine. Ruben serra les dents. Ses mains se crispèrent autour du volant. Non. Il ne devait pas se laisser aller. Il était important qu'il garde les idées claires. Ses émotions lui avaient trop souvent joué de mauvais tours.

Ilka. Il ne devait penser qu'à elle. À rien d'autre.

Un sourire éclaira fugitivement son maigre visage. Il chaussa les lunettes dont il avait besoin pour conduire. Ilka… Il aimait son prénom. Et il se réjouissait qu'elle ait gardé au moins cela. Elle lui avait pris tout le reste, en disparaissant du jour au lendemain pour venir se retrancher dans ce cauchemar petit-bourgeois.

Quelle vie menait-elle ici ? Fausse et mensongère. Une

vie qui ne comptait pas, parce que ce n'était pas sa vraie vie. Elle ne pouvait pas être heureuse. Impossible. Elle se contentait de jouer la comédie devant les autres.

Quelqu'un avait-il remarqué son imposture ? La percevait-on quand on se tenait devant elle et qu'on la regardait dans les yeux ? À moins que ceux qui la connaissaient ne la croient ?

Tout le monde avait toujours cru Ilka. Toujours. Même lui. Sauf lorsque les doutes étaient devenus impérieux. Mais il avait réagi trop tard et n'avait rien pu y changer.

Il prit l'éponge dans le vide-poches de la portière et essuya le pare-brise. Puis il démarra. Il roula lentement jusqu'au coin de la rue. Sans phare. Il allait corriger ses erreurs. Et veiller à ne plus en commettre.

*
* *

Je fourrai les livres dans mon sac à dos et jetai un nouveau coup d'œil circulaire dans la cuisine. Tous les appareils électriques étaient éteints, la fenêtre fermée, alors pourquoi n'étais-je pas dehors depuis longtemps ?

Je n'étais pas loin d'être paralysée, cet hiver. J'avais la sensation de fonctionner au ralenti. Le moindre mouvement me fatiguait. Je devais me forcer pour ne pas traîner les pieds.

J'avais eu une panne d'oreiller. Après m'être levée, j'avais eu la nausée. Et le vertige. En prenant ma douche, j'avais dû me retenir au mur pour ne pas tomber.

Probablement une chute de tension. Mais mes ennuis de santé venaient peut-être du simple fait que j'étais malheureuse. J'avais trouvé l'amour, je l'avais perdu, et je me sentais plus seule que jamais.

Non... Non ! Je ne voulais pas y penser. Je n'en avais pas le droit non plus. J'avais été malade pendant des semaines et je ne m'étais rétablie que péniblement, pas à pas. Je n'avais pas le droit de rechuter, de redevenir cette chose sans volonté qui n'avait survécu que grâce à la patience et au dévouement de sa famille et de ses amis.

Ma mère et Merle avaient été là pour moi. Elles m'avaient protégée. Grand-mère aussi m'avait beaucoup aidée. Elle m'avait apporté des livres et des C.D., avait lu à voix haute et écouté de la musique avec moi. Et parfois, elle s'était contentée de rester assise et de se taire avec moi.

Tilo, l'ami de ma mère, m'était devenu plus proche pendant cette période.

— Parce que tu as changé, d'une certaine manière, lui avais-je confié.

Il avait secoué la tête et m'avait souri, les yeux plissés, les lèvres esquissant un mouvement presque railleur. Typique des psychologues, d'après ma mère.

— Non. C'est toi qui as changé.

Nous avions sans doute tous changé. À cause des terribles expériences que nous avions vécues.

Mon amie Caro avait été assassinée et j'étais tombée amoureuse de son meurtrier. Merle et sa ténacité m'avaient sauvé la vie.

Les faits s'étalaient dans tous les journaux. Les commérages allaient bon train. Ce n'était plus l'histoire de Caro, de Merle. Ni la mienne. Brusquement, elle appartenait à tout le monde. Les gens en parlaient même dans la rue. Ils continuaient, d'ailleurs.

Stop ! Ne plus y penser.

Certains jours, je ne survivais qu'en repoussant tout souvenir de cette époque. En me vidant la tête et en ne laissant y pénétrer aucune pensée capable de me perturber.

Je ne devais pas m'appesantir. Il y avait juste des journées où tout allait de travers, où tout débutait mal dès le matin. C'était une de ces journées.

Dehors, le froid me cingla le visage. Je décidai de prendre la voiture. On aurait dit qu'on venait de la sortir d'un congélateur. Ce qui impliquait cinq bonnes minutes à gratter vitres et pare-brise…

Les mitaines que grand-mère m'avait offertes à Noël étaient trempées, et le pare-brise était encore à moitié givré. Je n'avais presque plus de force dans les doigts, et j'aurais rebroussé chemin avec plaisir.

Chiffe molle ! grinça la voix qui se manifestait dans ma tête quand j'avais tendance à me plaindre. *Tu ne t'es pas terrée assez longtemps dans ton lit ?*

Si, des semaines. Et je ne recommençais à mettre le nez dehors que petit à petit.

Ma faiblesse n'était pas forcément le signe d'une rechute… Je couvais peut-être un mauvais rhume, pour vaciller autant sur mes jambes. Et puis, je n'avais pas petit-déjeuné. Je n'étais pas du genre à descendre une tasse de café, l'estomac vide, à quitter la maison en trombe et à affronter vaillamment les embûches du quotidien. J'avais besoin de ma galette suédoise, de mon fromage et de mon thé pour tenir tête aux autres et à moi-même. Surtout à moi-même.

Il faisait aussi froid dans l'auto que dehors, c'est en tout cas la sensation que j'eus. Le volant donnait l'impression d'être de glace.

— S'il te plaît ! Démarre ! implorai-je le moteur.

Je parvins à le mettre en route à la cinquième tentative. J'attachai ma ceinture et partis.

J'allumai la radio et poussai le chauffage au maximum. Mes épaules étaient si crispées que j'avais du mal à changer de vitesse. Une douleur lancinante rampa le long de ma nuque et gagna mon crâne.

Le jour se levait. Les arbres nus se dressaient, noirs, dans un ciel qui s'éclaircissait imperceptiblement. Leurs branches et leurs rameaux ressemblaient à des silhouettes qu'on aurait tenues face à la lumière. C'était beau. Magnifique.

Mourait-on rapidement lorsqu'on venait percuter un arbre à cent à l'heure ? Souffrait-on un moment, ou tout s'arrêtait-il instantanément ? Un être de lumière viendrait-il me chercher ?

Caro…

Je n'avais pas le droit de penser à ce genre de chose. Je devais me changer les idées. J'avais passé trop de temps avec la mort.

Caro… Où était-elle à présent ? Allait-elle bien ?

Au rond-point, je fis demi-tour. Je n'avais pas la force de passer une matinée entière au lycée. J'avais besoin de calme. De sommeil. Pour faire cesser ces pensées qui me tourmentaient depuis…

Depuis ce jour où tout s'était arrêté.

*
* *

Ruben allait à son rendez-vous. L'architecte ne prenait aucune décision importante sans le consulter. L'éduquer n'avait pas été tâche facile. Au début, elle avait affiché l'attitude de la femme d'affaires qui a réussi et ne discute pas ses démarches. Mais il lui avait fait comprendre qui payait. Elle avait fini par l'admettre. L'argent était un argument imparable. Que ferait-il s'il n'en avait pas ? Il frissonna et monta le chauffage. Sans sa voiture, sans sa maison, il n'aurait pas pu se lancer dans un projet aussi ambitieux. Il lui prenait parfois l'envie de tomber à genoux et de remercier les dieux. Pour son talent. Et pour la chance, qui lui avait ouvert la voie.

Mais il était surtout reconnaissant aux riches snobinards qui craquaient pour ses tableaux, au point de les acheter avant même qu'ils aient le temps de sécher. Ruben Helmbach était un artiste culte. Et le milieu branché se chamaillait pour attraper les miettes qu'il lui jetait.

On ne lui en voulait pas de peu se montrer. Bien au contraire. Cela le rendait d'autant plus intéressant. Un minimum de sauvagerie nourrissait la légende qui se formait autour de lui.

Son succès prenait des proportions grotesques. Dernièrement, la femme d'un fabricant lui avait offert de l'argent pour sa palette barbouillée de peinture. Bientôt, on lui arracherait ses pinceaux usagés des mains pour les exposer dans un salon, telles des sculptures.

Ruben songea à ses pairs, qui travaillaient presque tous pour financer leur art. Qui faisaient des pieds et des mains pour trouver une galerie qui expose leurs toiles. Qui avaient suivi pendant des années les cours des Beaux-Arts.

Lui était autodidacte. Certes, il avait étudié auprès d'Emil Grossack et d'Elisabeth Schwanau, mais c'étaient des cours privés. Ruben ne pouvait produire ni document officiel, ni diplôme, ni résultat de concours. Il n'avait que son don.

Pourtant, il ne s'était jamais cassé la tête à ce sujet. Les choses s'étaient présentées ainsi. Il était déjà un peintre demandé avant que ne se pose la question des études.

La peinture était tout pour lui. Non... presque tout. Pour être vraiment heureux, il lui manquait Ilka, la jeune femme qu'il aimait. *Sa* jeune femme.

*
* *

Mike la vit ranger son vélo et son cœur s'emballa. Il était amoureux d'Ilka depuis leur première rencontre. Elle sortait du bureau de la directrice et lui avait demandé le chemin de la salle de musique.

Sa voix... Elle était entrée dans son crâne comme un éclair et s'y était nichée. Il n'avait plus été capable de s'en défaire. Il ne l'avait pas cherché non plus.

Mais il n'aimait pas que sa voix. Il aimait aussi son sourire, si timide qu'il aurait fait n'importe quoi pour la protéger. Il aimait tout en elle. Les fossettes qui se formaient près des commissures de ses lèvres quand elle riait. Ses yeux bruns pailletés d'ambre. Ses mains effilées. Et naturellement, ses cheveux. Il n'en avait jamais vu d'aussi beaux.

— Salut ! fit Ilka en se dressant sur la pointe des pieds et en l'embrassant sur la joue.

Mike l'attira contre lui.

— Salut.

— Comment ça s'est passé ? s'enquit-elle en ôtant son bonnet et en secouant ses cheveux.

— J'ai rendez-vous pour une visite cet après-midi.

— Génial !

Elle lui adressa un grand sourire et lui pressa le bras.

— Ça ne veut rien dire…

Mike n'aimait pas bâtir des projets sur un élément aussi incertain que l'espoir.

— Je ne suis sûrement pas le seul qu'elles aient retenu. Et puis, je n'arrête pas de me demander pourquoi deux filles voudraient prendre un mec dans leur appartement. Tu ne trouves pas ça bizarre ?

— Pourquoi ? s'étonna Ilka. Elles ne veulent pas fonder un ordre, juste sous-louer une chambre.

Avec Ilka à son bras, Mike se sentait observé. Il savait que les autres garçons le jalousaient. Tous auraient aimé se retrouver à sa place. Lui-même ne comprenait pas comment il avait pu plaire à Ilka. Il se sentait si quelconque…

— Tu m'emmènes faire la visite avec toi ?

Pourquoi pas ? Ilka dégageait une présence incroyable. Il se pourrait qu'un peu de son aura déteigne sur lui.

— Je ne mettrai pas mon grain de sel dans la conversation.

Mike éclata de rire et la serra contre lui.

— Bien sûr que tu peux venir ! Et n'hésite pas à intervenir. Tu me porteras peut-être bonheur. Elles pourraient préférer louer leur chambre à un type qui a une petite amie.

— Et peut-être pas.

— J'en prends le risque.

Ils étaient arrivés devant la salle de classe. Maths. Ilka accrocha son bonnet, sa veste et sa vivacité à l'une des patères alignées dehors. Une expression de profonde concentration s'installa sur son visage. Elle prenait le lycée très au sérieux. Mike sentait qu'il y avait une bonne raison à cela, mais laquelle ?

Au fond, il savait très peu de chose sur Ilka. Elle avait intégré l'école trois ans plus tôt. Comme surgie du néant. Ses parents avaient péri dans un accident de voiture. Depuis, Ilka vivait chez sa tante. Tout ce qu'il avait appris d'elle se résumait à cela.

Elle ne parlait pas de son passé. Mike ne lui arrachait que très rarement une réflexion. Comme si Ilka tirait le rideau chaque fois qu'il faisait un pas dans la direction interdite.

Mike sortit nerveusement son livre de maths. La visite de l'après-midi le rendait fébrile. Anxieux, aussi. Les colocations de lycéens n'étaient pas légion à Bröhl. Il espérait que l'appartement lui plairait. Il espérait qu'il s'entendrait avec les filles. Et qu'elles n'auraient pas de problème avec lui.

L'annonce était rédigée sur un ton laconique. *Recherchons colocataire lycéen.* Rien de plus. Au téléphone, il s'était entretenu avec une certaine Merle. Elle ne s'était pas montrée très bavarde. Il avait simplement appris que l'appartement accueillait actuellement deux élèves du lycée Erich Kästner, qui voulaient absolument un colocataire masculin.

Ce critère le dérangeait. D'un autre côté, il ne pouvait pas se montrer chatouilleux et risquer de gâcher ses chances. Cela faisait trop longtemps qu'il cherchait une chambre abordable.

Il se pencha vers Ilka pour convenir d'une heure de rendez-vous. C'est alors qu'il remarqua qu'elle fixait le vide. Avec ce regard qu'il craignait tant. Dans ces moments-là, elle était inaccessible. Même pour lui.

Prudemment, il lui toucha le bras. Ce fut comme si elle se réveillait. Comme si ses pensées revenaient de loin. Elle le regarda, sembla peu à peu se souvenir de lui. Sourit.

Mike s'efforça de sourire, lui aussi. En réalité, il avait envie de pleurer. Il ne voulait pas se montrer jaloux. Se prendre la tête au sujet des pensées d'Ilka. Mais ce qui le remuait n'était rien d'autre qu'une jalousie sourde et laide, et il n'y pouvait rien.

2

Imke Thalheim plia un pull et le rangea dans sa valise. Elle
détestait faire ses bagages. Elle détestait prendre des
congés. Elle détestait partir. Et surtout, elle détestait se
retrouver ailleurs que chez elle. Cette fois, les choses
lui apparaissaient particulièrement difficiles. Jette n'était
pas encore tirée d'affaire. Elle ne se débrouillerait pas
seule.

— Tu déraisonnes ! avait rétorqué Tilo, lorsqu'elle lui
avait exposé ses doutes. Tu devrais davantage faire
confiance à ta fille. Elle est forte. Elle te l'a prouvé, elle
l'a prouvé au monde entier.

— Elle a failli être assassinée, Tilo !

Il l'avait saisie par les épaules et regardée avec insistance.

— Il y a quantité de gens ici qui veillent sur elle. Personne ne lui fera de mal.

— C'est ma première tournée de lecture depuis…
depuis…

Elle s'était accrochée au cou de Tilo.

— Je sais. Et je te promets de m'occuper de Jette. Tu

peux t'en aller rassurée. Il ne se passera rien, tu m'entends ?
Rien du tout.

Il lui avait caressé le dos, et elle avait su que c'était aussi
à cause de lui qu'elle ne voulait pas partir. En tournée de
lecture, elle était seule au monde.

Elle prit dans l'armoire le compte juste de culottes, de
chaussettes, et quelques écharpes en laine. Le temps s'était
nettement refroidi. Elle emporterait principalement des
vêtements chauds.

Edgar et Molly se terraient dans un coin. Ils associaient
les valises aux trajets en voiture, et les trajets en voiture
aux passages chez le vétérinaire ou aux séjours dans des
lieux qui leur faisaient horreur. Pourtant, voilà une éternité
qu'Imke ne les avait pas laissés dans une pension pour
chats. Depuis le jour où elle avait appris qu'en plus d'être
une femme de ménage hors pair, Mme Bergerhausen
aimait passionnément les animaux.

Imke bénissait l'heureux concours de circonstances qui
l'avait mise sur sa route, quelques années plus tôt. L'ancien
moulin, devenu un vrai petit paradis, était trop à l'écart
pour le laisser inhabité longtemps. Quand Imke était en
déplacement, Mme Bergerhausen venait deux fois par jour,
montait et descendait les volets roulants, donnait à manger
aux chats et arrosait les plantes. Elle triait le courrier et
prenait aussi les communications téléphoniques. Mme Bergerhausen était ce que la mère d'Imke appelait une *perle*.

Jette et Tilo, qui possédaient chacun la clé du Moulin,
avaient promis de passer de temps à autre. Imke n'avait
vraiment aucune raison de se faire du souci. Tout au plus
pouvait-elle regretter de devoir interrompre son nouveau
roman, commencé quelques jours plus tôt. Alors, pourquoi
éprouvait-elle ce malaise intense et lancinant ?

Elle avait depuis longtemps cessé d'ignorer les signaux que lui envoyait son corps. Voilà plusieurs années qu'elle cohabitait avec des voix l'avertissant de catastrophes imminentes. Des voix ? Plutôt une sensation de peur, des maux de tête, une vague inquiétude. Elle était souvent incapable d'interpréter ces signes et ne les identifiait qu'avec le recul. Mais quand il s'agissait de Jette, elle se trompait rarement.

Son enfant était malheureuse. Les gens malheureux n'attiraient-ils pas les événements funestes de façon quasi surnaturelle ? Comment abandonner Jette alors qu'elle n'avait pas le moral ?

Elle plia un jean, s'interrompit et s'empara du téléphone. Priant secrètement pour que personne ne décroche. Alors, tout serait en ordre. Compte tenu de l'heure, les filles devaient être au lycée. Le nez dans les préparatifs du baccalauréat.

— Allô ? Jette Weingärtner à l'appareil.

Dès le début, Imke avait publié ses livres sous son nom de jeune fille, repris officiellement après son divorce. Cela ne la dérangeait pas que Jette porte toujours le nom de son père. Mais parfois, elle éprouvait un sentiment d'étrangeté en l'entendant.

— Tu es à la maison ?

Ce n'est pas ce qu'elle voulait dire… Cela sonnait comme un reproche.

— Je ne me sentais pas bien.

Jette n'était pas du genre à se lamenter. Elle était capable d'endurer beaucoup. Si elle n'allait pas à l'école, c'est qu'elle avait ses raisons.

— Et maintenant ? Tu te sens mieux ?

— Je me suis roulée en boule dans mon lit et j'ai un peu dormi.

— Je suis désolée. Je ne voulais pas te déranger.

— Je venais justement de me réveiller. Et puis, je ne vais pas passer toute la journée au lit.

Elle marqua une courte pause.

— Pourquoi tu m'appelles ? Tu ne dois pas partir aujourd'hui ?

— C'est prévu, mais je me demande si je ne ferais pas mieux de rester à la maison. Au cas où.

— Autrement dit… à cause de moi ?

— Jette, tu n'es pas encore assez solide. Tu as besoin…

— Maman ! Arrête de vouloir me faire vivre dans de la ouate !

— Mais, fillette ! Je ne cherche pas à te faire vivre dans…

— Je suis en train de m'en sortir, maman. J'ai juste une petite baisse de régime de temps en temps. Trois fois rien. Je ne veux pas que tu passes ton temps à me ménager.

— Te ménager ? Je ne te…

— Si, maman ! Et je trouve ça adorable. Mais tu as fait ce que tu pouvais. Maintenant, je dois poursuivre ma route. Seule.

Poursuivre sa route ? Pour aller où ? Imke déglutit avec difficulté.

— Tu es sûre d'avoir bien réfléchi, Jette ?

— J'ai ton numéro de portable, une liste longue comme le bras, avec les adresses et les numéros de téléphone des hôtels et de tous les organisateurs par ordre chronologique, qu'est-ce que tu veux qu'il m'arrive ?

— C'est sûr, tu m'appelles si tu as besoin de moi ?

— Oui, maman. Promis. Croix de bois, croix de fer, si je mens, je vais en enfer.

Jette et ses serments enfantins… Imke ne put s'empêcher de sourire.

— Bon. Alors, je continue mes valises. Je t'appellerai en chemin.

Jette poussa un soupir soulagé.

— O.K. Je te souhaite bon voyage.

Pensive, Imke reposa le combiné sur son lit. Elle prit une veste dans l'armoire, alla à la fenêtre et regarda dehors. L'hiver avait bel et bien pris possession du paysage. La buse se tenait perchée sur un poteau, l'air frigorifiée. Elle était venue s'établir un jour sur sa propriété et Imke trouvait sa présence réconfortante.

C'était sa gardienne. Tant qu'elle resterait là, il n'arriverait rien à Imke et à ceux qu'elle aimait. Elle y croyait dur comme fer.

La buse tourna la tête dans sa direction. Comme si elle avait entendu ses pensées.

— Veille sur ma fille, la pria-t-elle à voix basse, puis elle retourna à ses bagages.

*
* *

Ruben s'arrêta dans un restoroute. Il n'avait pas petit-déjeuné et la faim le tenaillait. Ce n'était pas un bâtiment particulièrement agréable à l'œil. Beaucoup de bois et de verre, mais aucun style. Moderne, avec de larges et hautes fenêtres, c'était déjà ça.

Il se décida pour un petit pain au fromage, se fit couler un café et se dirigea vers la caisse avec son plateau. Il choisit une table près d'une fenêtre. Le petit pain était étonnamment frais et craquant. Ruben mordit dedans, projetant des miettes dans toutes les directions. Il but la première gorgée de café et se sentit heureux, de façon totalement absurde. Il avait envie de serrer le monde entier dans ses bras, de la caissière qui flirtait avec un client aux hommes d'affaires juste à côté, des clones dont il trouvait brusquement les voix franchement irrésistibles.

— C'est exactement ce que tu es en train de faire… chuchota-t-il. Tu serres le monde entier dans tes bras.

Et il sourit.

Après de longues et pénibles recherches, il avait enfin trouvé. Il était en contact avec cinq agents immobiliers. Lors de leur première rencontre, chacun avait examiné la photo qu'il leur avait présentée, puis relevé la tête.

— À quel point le bien que vous recherchez doit-il ressembler à celui-ci ?

— Le plus possible, avait répondu Ruben.

Ils lui avaient laissé peu d'espoir. Certains lui avaient conseillé de faire construire une copie conforme de l'original. Cela aurait été plus simple et sans doute plus abordable.

Mais une maison neuve aurait présenté une tare flagrante. Ruben ne voulait pas un décor, mais de l'authenticité. Il fallait que ce soit une maison ancienne. Une maison dans laquelle des gens auraient vécu. Qui porte leurs traces, comme le visage d'une vieille personne.

— Non, avait-il dit avec une pointe de mépris. Je n'ai jamais aimé les jeux de construction.

— Et pourquoi ne pas en faire l'acquisition ? avait demandé l'un des agents en indiquant la photo.

— Elle n'existe plus.

Ruben s'était exprimé avec détachement. Il ne devait

pas en révéler trop. Chaque mot pouvait laisser une trace qui mènerait à lui.

— Pour être honnête, avait-il ajouté, j'agis par pure sentimentalité. J'aimerais retrouver ce que j'ai perdu, vous comprenez ?

Ruben ne cherchait pas la réplique exacte de la maison de ses parents. La construction devait seulement lui ressembler le plus possible. Elle devait posséder le même esprit, le même rayonnement. Sans les fantômes du passé, toutefois.

C'est alors qu'il l'avait vue. Presque tout concordait avec l'image de ses souvenirs. Un sentiment si étourdissant qu'il en avait suffoqué.

Il était arrivé à destination. Enfin.

Ruben émergea de ses pensées et observa les gens installés aux autres tables. Tous de passage, la plupart avaient un but. Telles des fourmis, ils se déplaçaient de lieu en lieu, traînant leur charge et construisant leur nid. Inlassablement.

Il sortit, sans débarrasser son plateau. Il roula encore un moment sur l'autoroute avant de la quitter.

Les voies rapides étaient encombrées. Les gaz d'échappement formaient une nappe au-dessus du sol. Ruben alluma la radio. Il écouta des bribes d'émissions, puis éteignit. Il y avait des jours où il aimait rouler en musique, pour supporter de devoir s'arrêter à chaque feu rouge et avancer au pas. Mais il y avait aussi des jours où conduire s'apparentait à l'enfer.

C'était un de ces jours. Cet embouteillage lui tapait sur les nerfs. Ses paumes devinrent moites. À la première occasion, il se rabattit sur une route secondaire. Au bout de quelques kilomètres, il se sentit libéré d'un poids.

Ruben aimait réfléchir au volant. C'était une forme de pensée agréable, légère, ludique et sans conséquences. Il ne fallait censurer aucune trouvaille, éprouver ni honte ni scrupule. Les idées étaient libres.

Il devait à peine prêter attention au trajet. Sa voiture était équipée d'un système de navigation. Son itinéraire s'affichait sur un écran et une voix de femme le commentait. Il la trouvait quelque peu glaciale mais elle n'était pas censée lui plaire, juste l'amener à destination, sûrement et confortablement.

Ruben s'arrêta au bord d'un chemin de campagne. Il descendit et fit quelques mouvements. Regarda autour de lui. Il était seul. Une odeur de neige flottait dans l'air. L'espace d'un instant, le soleil sembla vouloir percer, puis les nuages s'assombrirent un peu plus encore.

C'était un paysage au goût de Ruben, vallonné tout en restant ouvert. Pas une de ces vallées encaissées, oppressantes, où l'on ne pouvait pas respirer et qui lui évoquaient toujours *Via Mala*. Gamin, il avait trouvé le livre dans la bibliothèque de ses parents et l'avait lu en secret.

Cette bibliothèque était interdite aux enfants, mais Ruben en avait dévoré tous les volumes, sans exception. Celui-là lui avait donné l'impression de découvrir quelque chose d'inouï. Il avait plongé dans un tourbillon de sensations contradictoires qu'il n'avait pu contrôler, qui lui étaient étrangères, l'effrayaient tout en l'excitant.

Aujourd'hui encore, il se souvenait d'avoir lu le livre en hiver. Les journées étaient longues et sombres. Il bruinait du matin jusqu'au soir et la neige tassée sur les chemins avait fondu. Cet hiver-là avait fini par faire partie intégrante du roman.

Ce n'était qu'un des nombreux livres interdits lus par

Ruben, mais le seul à l'avoir durablement marqué. Il avait commencé à se pencher sur certains sentiments défendus. À écouter sa voix intérieure. À se poser des questions. Un jour, *Via Mala* était devenu la représentation de sa propre existence. Étriquée. Sinistre. Froide.

Voilà probablement la raison pour laquelle, aujourd'hui, il ne supportait plus que les paysages vastes et dégagés. Comme celui-ci. Un sourire apparut sur son visage. Il avait une raison de regarder droit devant lui. Et de se réjouir. Il apercevait enfin une lumière à l'horizon.

*
* *

Je m'étais rendormie juste après la conversation avec ma mère. Je m'étonnais parfois de la quantité de sommeil dont j'avais besoin. Même si je savais que mon lit était devenu un refuge. Il n'y avait que là que je me sentais protégée. Qu'il m'était possible d'oublier, pour quelques heures.

À moins que les cauchemars ne me rattrapent. Alors, je me réveillais trempée de sueur, le cœur battant à tout rompre, mon propre cri dans les oreilles. Je redoutais ces rêves qui me poursuivaient, de jour comme de nuit.

Ils se tenaient à l'affût et m'assaillaient quand je m'y attendais le moins. Ils pouvaient s'embusquer dans l'ombre d'une pièce, à l'angle d'une maison ou au bout d'une ruelle. Ils se dissimulaient dans un livre, un rire ou un mot. Pendant plusieurs secondes, je ne percevais plus la réalité. Jusqu'à ce qu'un bruit ou un contact me fasse sursauter.

Mais le pire, c'était le vide que je sentais en moi. Je m'efforçais vraiment de ne pas me laisser aller. Je cédais à Merle qui tentait sans arrêt de me distraire, je l'accompagnais aux réunions de son groupe de protection des animaux, au cinéma, je courais même de temps en temps avec elle dans les champs. Mais je ne me sentais pas moins vide pour autant. Là où j'avais nourri amour, tendresse et désir, je n'étais plus capable d'éprouver quoi que ce soit.

J'enfilai mon jogging et me rendis dans la cuisine. Un café me ferait peut-être du bien. Les chats s'enroulèrent autour de mes jambes en miaulant. Ils avaient constamment faim. Depuis que le groupe, dont Merle faisait partie, les avait libérés d'un laboratoire d'expérimentation, les petits êtres tremblants, maigres et laids s'étaient transformés en de superbes créatures pleines d'assurance. Leur fourrure luisait, leurs yeux étaient vifs et brillants.

Nous nous étions tellement habituées à leur compagnie que je n'imaginais plus vivre sans eux. J'ouvris une boîte de pâtée et remplis deux écuelles. Donna mangeait si vite qu'il n'en restait jamais assez pour Julchen.

Le parfum du café me monta aux narines et me réveilla définitivement. Je tirai une des chaises de la cuisine devant la fenêtre et le bus lentement, tout en regardant la rue en contrebas.

Les gens se hâtaient, comme pour fuir le froid. Pourtant, je sentais encore la chaleur de l'été en moi. Je n'avais pas la perception du temps qui s'était écoulé. J'avais l'impression d'avoir passé des mois à ramper dans un couloir sombre et interminable, jalonné de chaque côté par des portes closes.

Je devrais peut-être me changer et ranger un peu. Nous allions recevoir cet après-midi la visite de ce Mike Je-ne-sais-plus-quoi, qui voulait voir l'appartement. Il me répugnait de lui présenter notre chaos habituel.

Nous n'avions pas l'intention de toucher à la chambre

de Caro. Et finalement, ses parents étaient venus la vider. Alors que Caro et eux n'avaient plus aucun contact. Sa mort n'y avait rien changé. Ils avaient fini par détruire le peu qu'il restait d'elle.

La chambre vide nous rappelait chaque jour que Caro n'était plus là. Nous gardions la porte fermée, mais cela rendait les choses pires encore. Savoir que, derrière cette porte, il n'y avait rien. C'était presque comme si Caro n'avait jamais vécu.

C'est alors que ma mère avait déclaré :

— Je crois que Caro aurait voulu que quelqu'un d'autre occupe sa chambre. Elle aurait voulu que vous pensiez à elle avec joie, pas avec douleur.

Merle et moi nous étions regardées en sachant qu'elle avait raison. Mais nous ne pouvions pas nous résoudre à chercher une nouvelle colocataire.

— Parce que vous compareriez chaque fille à Caro, avança ma mère.

Là encore, elle avait raison. Et c'est ainsi qu'était née l'idée de ne pas donner la chambre à une fille, mais à un garçon. Un garçon qui soit spécial. Qui nous convienne. Même si nous ne savions pas le moins du monde à quoi cet oiseau rare devait ressembler.

— Laissez-vous surprendre, avait suggéré ma mère. Écoutez votre instinct. Et tout ira bien.

Quoi qu'il en soit, nous avions passé une annonce, le téléphone n'avait pas cessé de sonner et nous avions pris rendez-vous avec trois garçons. Ce Mike était le premier et devait venir à seize heures. Ce qui me laissait juste assez de temps pour mettre un peu d'ordre.

— Allez, c'est parti ! lançai-je à voix haute.

Le son de ma voix effraya les chats, qui s'étaient installés dans le silence et faisaient paisiblement leur toilette.

— Fini de mener une vie dissolue.

Tout au fond de ma tête, un vague intérêt fit surface, et j'essayai de me représenter ce Mike. Peut-être ne serait-ce pas si mal, après tout, de faire souffler un vent nouveau sur nos vies. Mais n'attendais-je pas trop d'un parfait inconnu ?

3

Lorsque l'architecte avait monté les volets roulants, une lumière poussiéreuse avait traversé les fenêtres. Des objets traînaient ici et là sur le sol, quelques meubles se dressaient encore contre les murs, comme si les précédents propriétaires avaient dû quitter la maison précipitamment.

Le bois des planchers était sans éclat, griffé et dégradé, fissuré par endroits. Ruben espérait qu'on pourrait le sauver, car le vieux parquet contribuait en grande partie à l'atmosphère de la maison. Les fenêtres, du pur Art nouveau, faisaient battre son cœur plus vite à chaque visite. Certains carreaux étaient malheureusement ternis, mais il avait déjà trouvé un artisan verrier prêt à les restaurer. Quelques-uns avaient été remplacés par du simple verre. Ruben avait également noué des contacts afin de se procurer des panneaux d'époque. L'argent n'était pas un problème. Ce qui simplifiait les choses.

— Il faudra changer les volets, annonça l'architecte d'une voix rendue rauque par le tabac, quelque part derrière lui. Le mécanisme est complètement vétuste.

Ruben n'appréciait pas particulièrement ce type de femme. Tailleur-pantalon, talons aiguilles, les cheveux strictement tirés en arrière, les lèvres d'un brun tirant sur le violet, le visage fardé au point de composer un masque blafard, les sourcils épilés, un sac à main à l'épaule, le portable toujours disponible dans une poche extérieure. Mais elle était professionnelle. Et discrète. Il avait recueilli des renseignements sur elle.

Il entra dans la cuisine. Le damier noir et blanc des carreaux sur le sol… La porte menant au jardin… Le carrelage gris au mur… Tout cela le heurtait de plein fouet. Chaque fois. Il s'adossa au mur et ferma les yeux.

C'est l'été. Ils sont en train de dîner. Dehors, dans le jardin, le soleil brûle encore. La porte est grande ouverte. Le gazouillement des oiseaux s'invite à l'intérieur. Ilka porte la robe bleue qu'il aime tant. Elle moule son corps. La chaîne en argent qu'il lui a offerte pour son anniversaire brille sur sa peau brunie. Ilka vient d'avoir quatorze ans. Elle est si belle que Ruben pourrait passer son temps à la peindre.

Leur père lit le journal. Une mouche bourdonne paresseusement le long de la fenêtre. Leur mère raconte quelque chose. Personne ne l'écoute, mais cela ne semble pas la déranger.

Ilka écarte une mèche de cheveux de son front. Son visage est légèrement rougi par la chaleur. Ruben éprouve l'envie féroce de l'embrasser. Il prend son verre et le porte à ses lèvres. À cet instant, les yeux d'Ilka se posent sur lui.

Son regard est indifférent. Si indifférent que cela fait mal. Ruben repose son verre sans avoir bu. Il attrape le couteau posé sur l'assiette à côté des tomates, en presse le tranchant contre sa paume gauche.

Les yeux d'Ilka s'écarquillent d'effroi. Leur mère continue de parler. Elle ne s'est aperçue de rien. Ruben entoure l'entaille de ses lèvres et lèche le sang, sans quitter Ilka des yeux.

Elle le fixe. L'atroce indifférence a disparu de son regard. Ruben remarque que ses mains tremblent. Elle les cache sous la table.

— Vous ne vous sentez pas bien ?

Ruben vit l'expression préoccupée de l'architecte, sentit sa main sur son bras. Il parvint à sourire, bien que difficilement.

— Tout va bien. Je subis pas mal de stress en ce moment.

Elle ôta la main de son bras comme si elle venait de se brûler. Son ton avait peut-être été sec. Il détestait qu'on l'approche de trop près. Avait en horreur les filles qui l'abordaient dans la rue, en adoration. Les femmes, aux vernissages, qui lui donnaient à comprendre qu'il les intéressait. Il ne voulait rien d'elles. Pourquoi ne saisissaient-elles pas ?

— Cette pièce doit rester telle qu'elle est, déclara-t-il en faisant lentement un tour sur lui-même au milieu de la cuisine.

— Oui. Je le pense aussi.

Ils évoluaient de nouveau en terrain sûr, pouvaient plaisanter, rire et s'en tenir aux faits. C'était une pro. Il n'attendait rien d'autre d'elle.

Il poursuivit son inspection. Il le faisait chaque fois et chaque fois, son excitation grandissait de pièce en pièce. C'était bien la maison qu'il avait si longtemps recherchée.

Elle ressemblait à s'y méprendre à celle de ses souvenirs. Il monta l'escalier. Jusqu'à la pièce sous le toit. Son cœur battait douloureusement. Il pouvait presque l'entendre.

*
* *

Imke Thalheim tomba sur un troisième bouchon et pesta. Au bout de deux kilomètres de circulation en accordéon, elle décida de cesser de s'énerver. On trouvait toujours quelque chose à faire dans un embouteillage. Observer les gens. Étudier les marques des voitures et les plaques minéralogiques. Écouter la radio. Ou simplement penser.

Elle avait déjà conçu le plan de romans entiers en progressant mètre après mètre sur une autoroute. Dans un train, cela ne fonctionnait pas aussi bien. Elle était assaillie de tous côtés par des bruits et des voix qui la dérangeaient. Dans sa voiture, elle avait sa tranquillité. Aucune sonnerie de portable, aucun bip d'ordinateur, personne pour se donner de grands airs en transformant sa place en bureau.

Et puis, elle n'était pas pressée, au fond. C'était le premier jour. Elle allait prendre possession de sa chambre d'hôtel, dîner, s'entretenir une dernière fois au téléphone avec l'organisateur local avant de se pelotonner dans son lit avec un livre. Le meilleur des remèdes contre le mal du pays.

Peut-être appellerait-elle Jette. À moins qu'elle y renonce. Jette avait peut-être raison de prétendre qu'elle se comportait comme une mère poule. Quand se débarrasserait-elle enfin de sa mauvaise conscience de mère active ? Quand sa fille fêterait ses cinquante ans ? Elle ne partait pas pour un tour du monde. Elle restait joignable à tout moment. Pouvait rentrer rapidement, où qu'elle se trouve. Pour quel motif était-elle si inquiète ? Sa raison lui disait qu'elle se conduisait de manière puérile. Son instinct lui affirmait le contraire.

— Si tu ne veux pas partir, reste à la maison ! avait suggéré sa propre mère.

Elle n'avait pas pour habitude d'y aller par quatre chemins.

— Tu as suffisamment d'argent, personne ne te force à te lancer dans cette tournée de lecture.

Alors, pourquoi n'avait-elle pas voulu y renoncer ?

Parce que ces tournées revêtaient deux visages. Il y avait d'un côté les efforts énormes, la solitude dans la monotonie des chambres d'hôtel, les milliers de localités qu'elle découvrait et oubliait aussitôt, l'interchangeabilité des hommes et des situations. Mais il y avait d'un autre côté les lectures elles-mêmes, les entrées en scène qu'elle savourait, les dialogues qui stimulaient son imagination, les gens qu'elle approchait quelques heures durant.

Le pire, c'était la solitude. Pourtant, elle aussi était fascinante. Imke la redoutait et en avait besoin. Elle était différente de l'isolement du Moulin. La solitude des tournées de lecture était parfaite. Rien ni personne ne l'interrompait réellement. Les discussions ne constituaient que des épisodes. Ensuite, le silence de la solitude se refermait à nouveau sur vous.

Au beau milieu de cette solitude, Imke accéda en elle à un sentiment trouble qu'elle ne touchait pas volontiers du doigt. Qu'elle ne voulait pas toucher du doigt maintenant. Vite, elle alluma la radio, chercha une station passant de la musique et se mit à battre le rythme. Tout allait bien. Elle n'avait aucune raison de se faire du souci.

*
* *

Mike avait passé le bras autour d'elle. Ilka sentait presque la chaleur de son corps à travers l'épaisseur de leurs manteaux d'hiver. Elle appréciait cette chaleur. Elle aimait son corps et l'odeur de sa peau. Mike était le seul pour qui elle ait ouvert quelques portes menant à son intimité. Prudente, elle s'était contentée de les entrebâiller, prête à les refermer à la moindre irritation. Elle connaissait Mike depuis trois ans mais se comportait toujours comme si elle avançait en terrain glissant.

Cela ne signifiait pas qu'elle ne lui faisait pas confiance. Au contraire. Il n'existait personne en qui elle ait plus confiance. Simplement, elle n'avait pas l'habitude d'éprouver ce qu'elle ressentait pour lui. La panique la talonnait à chaque contact, à chaque mot.

Mike respectait sa réserve et sa réticence à parler d'elle-même, et s'il lui arrivait de trouver son comportement étrange, il n'en disait rien. Il répondait toujours présent quand elle avait besoin de lui, et il la protégeait. Personne ne l'approcherait de trop près, tant que Mike et elle seraient un couple.

Un couple… Elle chuchotait parfois ces deux mots. Pleine d'envie. Peut-être viendrait-il un jour où ils formeraient véritablement un couple. Avec tout ce que cela supposait. Peut-être. Elle avait du mal à y croire.

Elle eut brusquement froid. Un frisson la parcourut. Mike lui donna son écharpe. Elle le regarda. Voulut sourire. C'est alors qu'elle remarqua l'ardeur dans ses yeux.

Son sourire s'enlisa. Elle baissa la tête. Et si elle le rendait malheureux ?

*
* *

C'étaient bien sûr d'autres pièces, et d'autres que lui les avaient habitées, mais si Ruben ne prêtait pas attention aux détails, il pouvait se persuader qu'il avait passé son enfance et sa jeunesse dans cette maison. Il lui semblait que les sentiments d'autrefois collaient encore aux murs : insécurité, désolation, bonheur, amour, dégoût, haine.

Peur, aussi. Il pouvait presque entendre son père tempêter et sa mère pleurer. Presque sentir les coups censés le rendre docile. Quant au bavardage des voisins qui se frayait un chemin jusqu'aux chambres, la sienne et celle d'à côté, impossible d'y échapper. Même en se bouchant les oreilles.

Ces chambres étaient reliées par une porte tapissée des deux côtés. Elle n'avait jamais plu à Ruben. Ce genre de porte dérobée apparaissait dans les romans du XVIIIᵉ siècle. Elle aurait trouvé sa place dans la chambre d'une noble dame recevant son amant en secret. Elle avait quelque chose de licencieux, de méprisable. Alors que ses sentiments n'étaient ni licencieux, ni méprisables. Ils étaient…

Du coin de l'œil, Ruben s'aperçut que l'architecte l'observait. Il se passa la main sur le visage, comme pour effacer toute émotion, et se tourna vers l'escalier.

— J'aimerais encore faire un tour dans le jardin.

Trois mille mètres carrés. Et pas un seul voisin à la ronde. C'était essentiel, une grande partie de son plan en dépendait. Il y avait un vaste étang, de hauts arbres, des arbustes à l'abandon, une table ronde en pierre et son banc. De la mousse et du vert-de-gris s'étaient nichés dans les fentes. Des feuilles mortes enroulées sur elles-mêmes s'y étaient entassées.

— On se croirait dans un conte, déclara l'architecte. La seule chose qui manque encore à ce jardin enchanté, c'est une fée. Ou un magicien ! ajouta-t-elle vivement en se rendant compte de ce qu'elle venait de dire.

Ruben sourit et la vit rougir.

— Exact, approuva-t-il en ôtant un copeau de bois de l'épaule de la jeune femme. Et tout ici serait parfait.

Elle réagit à son contact avec un petit sourire nerveux. Puis ils reprirent en flânant le chemin de la maison.

Il la suivit dans l'escalier menant à la cave et fut très satisfait de ce qui l'attendait. Tout était prêt, même les murs et les plafonds avaient été crépis. Le prochain à intervenir serait le carreleur. Le carrelage mural s'entassait dans le vestibule, blanc pour la salle de bains, gris clair pour la cuisine. Pour animer ces surfaces, Ruben avait prévu des mosaïques multicolores.

Dès le début, l'architecte avait mis le doigt sur une question épineuse : pourquoi insonoriser la cave ?

— Je joue de la batterie, avait répondu Ruben.

Elle avait gobé son explication.

Ils n'avaient plus jamais abordé le sujet. Ruben avait aussi justifié la nécessité de faire installer dans la cave une salle de bains et une cuisine, par le fait qu'il accueillerait de temps en temps des invités pour d'assez longues périodes.

— Cela nous évitera de nous marcher sur les pieds.

Heureusement, l'architecte était une femme qui posait peu de questions. S'il en avait été autrement, il lui aurait retiré le projet dès les premières semaines. Mais elle se montrait professionnelle, connaissait son affaire, avait les ouvriers bien en main et contrôlait rigoureusement leur travail.

En haut, le chantier avait également avancé. L'installation électrique avait été refaite et les conduites d'eau changées, quelques murs démolis, d'autres déplacés. On avait remplacé les vieilles portes, recouvertes de nombreuses couches de peinture. La salle de bains, dans un état déplorable, s'était transformée en une véritable œuvre d'art, lumineuse et colorée. Il ne restait plus qu'à remettre à neuf les fenêtres et les sols.

On n'avait pas touché à l'extérieur de la maison, à l'exception du toit dont il avait fallu changer la couverture, et du jardin d'hiver qui n'existait pas auparavant. Tout de bois et de verre, conformément aux attentes de Ruben, il communiquait avec la salle à manger.

Ruben hocha la tête d'un air appréciateur et remarqua que l'architecte avait du mal à cacher sa joie.

Elle avait trois, quatre ans de plus que lui. Sans attaches par conviction, comme elle le lui avait confié. Son métier était tout pour elle. Elle n'avait jamais rien voulu faire d'autre. Ruben connaissait à présent une partie de sa vie. Il savait écouter, quand il le voulait. Il collectionnait les histoires depuis toujours. Tout comme les visages. Parce qu'une histoire se cachait derrière chaque visage. Chaque ride et chaque pli de la peau, aussi fin soit-il, témoignaient de sentiments éprouvés.

Enfant déjà, Ruben ressentait le besoin de dessiner les gens. Il devinait aussi leur histoire. Et quand ce n'était pas le cas, il leur en inventait une.

Il regarda l'architecte. Étrange qu'il n'ait aucune envie de la peindre. Elle ne le touchait absolument pas. Peut-être aurait-il pu faire son portrait comme Picasso avait représenté Dora Maar, de façon froide et abstraite, mais même cette idée ne le séduisait pas.

Ses yeux trahissaient le fait qu'il lui plaisait. Cela le contrariait, car cela compliquait leurs rapports. Ils avaient conclu un contrat dont chacun devait remplir sa part. Ce qui ne laissait pas de place pour le désir.

Peu importe. Ils en auraient bientôt terminé ici, et le problème se résoudrait de lui-même. Il consulta sa montre de manière ostentatoire. Haussa les épaules. Marmonna quelque chose à propos d'un rendez-vous. Et monta dans sa voiture, soulagé. Il n'avait vraiment pas besoin de complications en ce moment.

*
* *

Mike regarda Ilka s'en aller sur son vélo. Elle ne se retourna pas mais il leva quand même le bras et lui fit signe de la main. Si seulement il pouvait décrocher cette chambre ! Un endroit tranquille, pour Ilka et lui. Cela pourrait tout changer.

Il avait attendu fiévreusement le jour de sa majorité. Celui où il pourrait enfin décider seul de sa vie. Plus de tensions à la maison, plus de conflits, plus de mensonges ni de cachotteries.

Ses parents étaient séparés depuis longtemps. Mike avait choisi de rester avec sa mère parce que cette femme trompée et abandonnée, qui n'avait plus personne à part son fils, lui faisait de la peine. Il avait tenté de combler le vide, sans y parvenir. Elle lui en demandait toujours plus, lui pompait toute énergie.

Elle avait connu d'autres hommes, bien sûr. Il n'était

pas rare que Mike petit-déjeune face à un inconnu mal rasé. Mais cela ne débouchait jamais sur une relation sérieuse.

L'un était trop inculte, l'autre pas assez séduisant. Il leur manquait toujours quelque chose. Et quand elle ne découvrait aucun défaut, elle cherchait jusqu'à en trouver un. Elle ne voulait pas être heureuse, tomber amoureuse. Peut-être craignait-elle d'être déçue à nouveau.

— La seule chose qui vous reste, ce sont les enfants, déclarait-elle à ses amies avec qui elle prenait régulièrement le café.

Et tant pis si Mike était dans les parages et les entendait.

— Ton Mike est vraiment adorable, approuvaient ses amies. On ne peut que te l'envier.

Et Mike voyait sa mère hocher la tête. Une larme roulait parfois sur sa joue. Tout dépendait de la quantité de liqueur ingérée. Son affection pour lui et son apitoiement sur elle-même croissaient parallèlement à son taux d'alcool dans le sang.

Ses amies avaient à peine quitté la maison que toute la misère du monde s'abattait sur elle, et Mike n'avait d'autre choix que de consoler sa mère en pleurs.

Mais tout cela était derrière lui, à présent. Il allait visiter cet appartement, et si les filles voulaient bien de lui, il prendrait la chambre, quel que soit son état. Peu lui importait que la tapisserie se décolle ou que le lino soit gondolé. Que la pièce soit humide et envahie par la moisissure. Pourvu qu'on puisse fermer la porte à clé et que personne ne laisse entrer sa mère sans son autorisation.

Mike pressa le pas. Il avait hâte d'y être.

4

Ilka posa sa bicyclette contre un réverbère, mit le cadenas et poussa le portail, hésitante. Elle pouvait toujours changer d'avis. Elle pouvait toujours attraper son vélo et s'en aller. Il ne s'était encore rien passé d'irréversible.

Elle s'était décidée pour Lara Engler parce que la maison lui plaisait. La petite chaumière jaune derrière sa clôture en bois peinte en blanc n'aurait pas juré dans le sud de la France. Pour l'instant, on ne pouvait que deviner son charme, mais l'étroit chemin serait bientôt bordé de narcisses, de muscaris et de myosotis, et le forsythia serait en fleur. Puis viendrait le tour des roses, des campanules, des mauves et des buddleias. Ilka s'était souvent arrêtée pour regarder les papillons voleter de fleur en fleur. Elle avait respiré le parfum des plantes et rêvé de posséder un jour une maison de ce genre.

Tandis qu'elle se souvenait de la chaleur de l'été, du chant des oiseaux et du bourdonnement animé des insectes dans l'herbe, elle sentait sur ses joues le froid mordant de l'hiver. Elle se rappela à l'ordre : *Arrête de rêver !* Puis elle rassembla son courage et pressa la sonnette.

Lara Engler vint elle-même lui ouvrir. Son sourire creusa d'innombrables petites rides au coin de ses yeux. Elle accrocha la veste d'Ilka dans une armoire paysanne aux couleurs vives et la précéda dans une pièce où deux fenêtres hautes et étroites laissaient passer la lumière chiche de janvier.

Ilka regarda autour d'elle. Une bibliothèque claire, surchargée, montant jusqu'au plafond. Une belle armoire ancienne en bois tendre. Entre les deux fenêtres, un bureau encadré de deux fauteuils en cuir bleu. Un tapis jaune tournesol sur les lattes du plancher. Des toiles abstraites aux murs. Et, planant au-dessus de tout, la senteur délicate de la lavande, une huile qu'Ilka utilisait parfois.

— Asseyez-vous, je vous en prie, l'invita Lara Engler.

Elle indiqua un des fauteuils en cuir et prit place dans l'autre.

Ilka s'installa en serrant son sac à dos contre elle. Elle était soulagée que le bureau se dresse entre elles. Il lui assurait la distance dont elle avait besoin. La proximité physique l'effrayait, à plus forte raison celle d'étrangers.

— Que puis-je pour vous ? s'enquit Lara Engler.

Ilka s'étonna une nouvelle fois que le magnifique prénom de *Lara* soit associé à ce nom, Engler, dont la seule sonorité lui nouait la gorge. Elle s'étonnait également qu'on puisse correspondre aussi peu à son nom de famille. Il désignait en allemand quelqu'un d'étroit, or Lara Engler était grande et lourde. La masse de ses cheveux noirs était disciplinée par une coupe courte, stricte et asymétrique.

Elle portait au bras droit plusieurs bracelets fins en bois, cliquetant à chacun de ses mouvements. Elle avait les ongles longs, recouverts d'un vernis nacré. Une bague en argent voyante ornait son majeur gauche et un collier de corail saumon pendait à son cou.

Ilka ne connaissait Lara que de vue. De près non plus, elle n'avait rien en commun avec la douce et resplendissante Julie Christie du *Docteur Jivago*.

— Je ne suis pas ici de mon plein gré, répondit finalement Ilka.

Lara Engler fronça les sourcils et réajusta son décolleté. Sa robe noire épousait étroitement ses formes généreuses. Elle dévoilait un quart de ses seins qui étaient très blancs, comme s'ils ne voyaient jamais la lumière du jour.

Avait-elle le droit de porter ce genre de robe dans le cadre de son travail ? De mettre autant son corps en avant ? Ne devait-elle pas afficher une apparence neutre et se faire oublier dès les premiers mots de ses patients, comme les meubles de son cabinet ?

— Ma tante est persuadée que je dois suivre une thérapie, expliqua Ilka.

Elle avait du mal à ne pas fixer sans arrêt cette poitrine. Elle semblait si douce et réconfortante.

— Ce n'est pas une bonne base pour démarrer une thérapie, fit remarquer Lara Engler en nouant un large châle rouge coquelicot autour de ses épaules. Je ne peux pas vous aider si vous ne me laissez pas vous aider.

Ilka doutait qu'une thérapie puisse l'aider. Elle doutait encore plus que Lara Engler soit en mesure de le faire. Les femmes attachant une telle importance à leur apparence ne s'intéressaient-elles pas essentiellement à elles-mêmes ?

Le châle, de la couleur éclatante d'une fleur géante éclose prématurément, réchauffait un peu cette journée voilée. Ilka en éprouva un certain bien-être et eut honte de ses préjugés. En dépit de tous ses doutes, elle eut le sentiment d'être redevable de quelque chose à Lara Engler. Sans compter que cela la contrariait de rentrer bredouille.

— On peut faire un essai, déclara-t-elle.

— Bien. Faisons un essai.

Les doigts de Lara Engler jouaient avec une boule de verre de la taille d'un pamplemousse.

— Dans ce cas, je propose que nous nous appelions par nos prénoms. J'apprécie ce principe américain et j'ai pu constater qu'il favorisait considérablement la communication spontanée. Cela vous convient-il ?

Ilka n'avait aucune idée de ce qu'on entendait par « communication spontanée ». Elle éprouva même une méfiance instinctive vis-à-vis de ces termes, pourtant, elle hocha la tête.

— Je m'appelle Lara.

Ilka lui sourit. Elle avait promis à tante Marei de tenter sérieusement l'expérience de la thérapie, et elle entendait tenir sa promesse.

— Et moi, Ilka.

— Parfait, Ilka, sourit à son tour Lara. Commençons, alors.

*
* *

Ilka devait encore avoir laissé traîner son portable quelque part… Il sonnait dans le vide. Elle se montrait assez peu soucieuse de ces choses-là. Une raison de plus pour que Mike tombe amoureux d'elle. Elle vivait au jour le jour, ne pensant ni au passé, ni à l'avenir. Il avait été impressionné par sa faculté à placer l'instant présent au centre de tout, sans se préoccuper de rien d'autre. Quand elle riait, elle riait, quand elle mangeait, elle mangeait, quand elle était d'humeur mélancolique, elle était d'humeur mélancolique. Elle suivait son chemin, toujours droit devant, et il émanait d'elle une assurance qui rendait Mike plus sûr de lui.

Il en avait bien besoin. Car son amour pour Ilka lui avait fait perdre toute certitude. Un millier de questions étaient venues s'entasser devant lui et aucune ne trouvait de réponse. Il savait terriblement peu de chose sur sa petite amie. Elle gardait le silence sur son passé, comme si elle n'avait jamais eu d'enfance.

La jalousie qui le tourmentait portait avant tout sur une vie dont il était exclu, dont il n'avait jamais fait partie et ne ferait peut-être jamais partie. Il n'était même pas au courant de ce qu'elle fabriquait en ce moment. Où était-elle ? Dans sa chambre ? Dehors ? Seule ? Chez un autre ? Ne devrait-il pas le savoir, puisqu'ils sortaient ensemble ?

Ensuite, elle avait toujours une explication innocente sous le coude. Elle était partie faire des courses. Avait bavardé avec sa tante dans la cuisine, sans voir filer le temps. Avait rendu visite à son amie Charlie. Était allée restituer des livres à la bibliothèque municipale. Ou à la piscine avec les jumeaux.

Elle oubliait chaque fois son portable. Quand elle lisait le reproche dans ses yeux, elle lui donnait un baiser.

— Je n'ai pas envie d'être joignable n'importe où et n'importe quand. Tu ne peux pas comprendre ça ?

Non ! Voilà ce qu'il aurait aimé crier en la secouant. *Non ! Parce que je veux pouvoir te joindre partout et tout le temps ! Tu es celle que je cherchais, je t'aime, et j'ai parfois l'impression que mon amour ne suffit pas, qu'il n'est pas assez grand pour toi !* Mais il ne prononçait pas ces mots, parce qu'ils avaient quelque chose de pathétique qui le gênait. Peut-être aussi parce qu'au plus profond de lui-même il avait peur de provoquer une catastrophe. Peur qu'un seul mot de travers chasse Ilka de sa vie.

Il se demandait à présent pourquoi au juste il avait tenté de la joindre. Ils étaient déjà convenus qu'il viendrait la chercher chez elle à quinze heures trente.

Il composa une nouvelle fois son numéro, puis abandonna, frustré. Mais il n'était pas seulement frustré. Il était également préoccupé. Depuis qu'il connaissait Ilka, il avait peur pour elle, sans raison.

*
* *

Elle court dans la forêt qui borde le jardin. Une heure chaque matin. C'est comme une drogue. La forêt est pleine de bruits. De craquements et de bruissements. Des oiseaux battent des ailes. Des animaux invisibles traversent à la hâte le sous-bois.

Et parfois, il y règne le silence le plus complet.

Ilka entend sa respiration, sent la sueur couler sur sa peau. Au bout d'une demi-heure, toute sensation d'effort a disparu, elle court d'un pied léger et agile. Elle est si heureuse qu'elle pourrait pleurer.

Elle prend toujours le même chemin. Elle trouve rassurant que les choses ne changent pas. Le chien qui l'accompagne chaque fois reste à son côté jusqu'à un endroit précis, puis il la pousse de sa truffe froide et rentre à la maison en longues foulées.

Ilka continue à courir seule. Une fois dans la petite clairière, elle cherche un coin agréable, s'allonge dans l'herbe tiède et ferme les yeux.

Une ombre vient obscurcir son visage. Sans même regarder, elle sait que Ruben se tient au-dessus d'elle. Elle garde les yeux clos et tend les bras dans sa direction.

— Ilka ?

Ilka réintégra péniblement le présent. Elle murmura quelques mots d'excuse que Lara repoussa d'un sourire. Elle semblait habituée à ce que ses patients s'évadent parfois. Elle ne semblait pas inquiète, pas même surprise.

— Souhaitez-vous parler de cette… absence ?

Ilka secoua la tête. Jamais, au grand jamais elle ne pourrait en parler. Personne n'en savait rien et personne ne devait l'apprendre. Mais combien de temps parviendrait-elle à tourner autour du pot dans cette pièce ? À soutenir ce regard attentif, sans révéler ce qu'elle voulait garder pour elle ?

— Bien. Ce sera tout pour aujourd'hui, alors.

Lara se leva et l'accompagna jusqu'à l'entrée.

— Je vous revois vendredi ?

Ilka hocha la tête. Elle avait survécu à cette heure sans se transformer en une petite chose tremblante et larmoyante. Le soulagement l'envahit telle une vague immense.

Lara lui tendit sa veste et prit congé. Sa main était chaude et sèche au toucher. Celles d'Ilka étaient moites et engourdies. Sans plus attendre, elle se glissa hors de la maison.

Un air froid vint aussitôt envelopper son visage. Ilka resta un moment sans bouger pour savourer cette sensation rafraîchissante, puis elle décadenassa son vélo et l'enfourcha. Elle avait bel et bien surmonté cette séance. Tante Marei serait satisfaite.

Mais ce n'était que le début. Et cela continuerait, semaine après semaine. Elle repoussa cette idée. Aujourd'hui était aujourd'hui, vendredi était encore loin. Elle n'y penserait plus, voilà tout. Elle se mit à siffloter.

*
* *

Merle allait et venait sans répit dans la cuisine. Entre deux, elle détachait une feuille flétrie de notre tilleul d'appartement, essuyait l'appui de fenêtre avec un chiffon humide, nettoyait les écuelles des chats.

— Assieds-toi, Merle ! Tu me rends nerveuse.

— Je ne peux pas.

— Bien sûr que si. Allez, viens !

Je poussai une chaise vers elle. Merle s'assit et se releva aussitôt.

— Ça ne marche pas. Je vais devenir dingue. Pour qui il se prend, ce type, à nous faire poireauter aussi longtemps ?

— Il reste dix minutes, Merle. Il ne nous fait pas poireauter.

— Sérieux ?

Elle se laissa tomber sur son siège et me regarda.

— Je ne vais pas y arriver, Jette. C'est encore la chambre de Caro, c'est toujours la sienne, quoi qu'il...

Les larmes lui montèrent aux yeux.

Je me levai, m'accroupis près d'elle et l'attirai dans mes bras. Elle laissa tomber sa tête sur mon épaule et je me mis à caresser ses cheveux. Cela me fit du bien de la tenir contre moi. Elle avait été là pour moi si souvent qu'un siècle ne me suffirait pas à lui rendre la pareille.

Ses larmes mouillaient mon cou et mon pull. Nous allions produire une forte impression sur ce Mike, Merle avec ses yeux rougis et son visage bouffi, moi avec ma figure d'enterrement et mon épaule trempée.

— Elle n'aurait pas voulu que nous vivions avec son fantôme, déclarai-je. Elle aurait voulu rester vivante dans nos pensées, que nous fassions tout pour être heureuses, parce qu'elle est heureuse à travers nous, tu comprends ?

Merle hocha la tête, eut un dernier sanglot et attrapa un mouchoir. Elle se moucha bruyamment et me sourit d'un air hésitant.

— C'est beau, ce que tu viens de dire, Jette. Même si je n'ai pas tout compris. J'ai besoin d'un café, pas toi ?

Soulagée, je m'affairai autour de la machine à espresso. Ma mère n'aurait pas pu nous faire meilleur cadeau pour notre crémaillère. Elle permettait de préparer des espressos et des cappuccinos, et un café avec une couche de crème à tomber par terre.

— Il est peut-être gentil, avança Merle. Sa voix en donnait l'impression, en tout cas.

— Caro nous enverra le bon, affirmai-je en lui tendant la première tasse.

— Sûrement, approuva Merle qui en avala aussitôt une gorgée. Merde ! Mais il est brûlant !

L'une comme l'autre, nous ne croyions pas au ciel (ni à l'enfer), mais nous sentions parfois la présence de Caro. Merle, qui s'était beaucoup penchée sur le thème de la *mort* et avait dévoré des tas de livres sur le sujet, était convaincue que les défunts traversaient différentes étapes avant de devenir des esprits purs. La première de ces étapes les associait encore étroitement à la terre et aux personnes les ayant accompagnés dans leur vie.

Je m'installai à table avec ma tasse, à côté de Merle. Nous nous taisions, plongées dans nos pensées. Lorsque la sonnette retentit, je renversai mon café et Merle s'étrangla.

— Et puis zut ! lança-t-elle. S'il ne nous accepte pas comme nous sommes, qu'il aille au diable ! Après tout, il n'est pas le seul à vouloir la chambre.

Et elle se leva pour aller ouvrir.

*
* *

La fille qui vint lui ouvrir avait des cheveux teints, rouge vif, qu'elle avait manifestement coupés elle-même car ils se dressaient sur sa tête en touffes irrégulières. Son sourire forcé ne dissimulait pas l'attention avec laquelle elle l'observait.

— Entre. Je m'appelle Merle.

Mike se sentait gauche et bien trop grand. S'il avait porté un chapeau, il l'aurait ôté et trituré nerveusement dans ses mains, comme les suspects de ces navets américains noir et blanc. Mais dans le cas présent, il pouvait seulement se réfugier dans son for intérieur et espérer se sortir honorablement de cette situation.

— Bonjour, Merle.

Elle avait une poignée de main ferme, comme il s'y attendait. Rien qu'en entendant sa voix au téléphone, il avait deviné qu'elle savait ce qu'elle voulait.

— Et voici mon amie, Jette.

La fille qui venait d'apparaître derrière elle lui adressa un sourire prudent et réservé. À l'image des chiens qui se flairent et se tournent autour en gardant leurs distances, le temps de savoir à qui ils ont affaire.

Mike éprouva spontanément de la sympathie pour Jette. Ses yeux semblaient beaucoup trop grands pour son visage étroit, pâle et sérieux. Elle avait un corps mince et fragile. Pourtant, elle ne semblait pas malade. Peut-être était-elle simplement épuisée.

— Je m'appelle Mike, annonça-t-il.

Juste pour dire quelque chose.

En accrochant son blouson dans la penderie, il découvrit deux chats qui passaient le museau par une des portes.

— Donna et Julchen, expliqua Merle. J'espère que tu n'es pas allergique… Nous accueillons régulièrement des animaux que nous soignons. Vivre ici serait un véritable enfer pour une personne allergique.

— Protection des animaux ? demanda Mike.

Merle hocha la tête. Visiblement, elle ne voulait pas en dévoiler trop pour l'instant.

Elles le conduisirent dans une cuisine accueillante mais un peu désordonnée, avec des plantes sur les appuis de fenêtre, des images, des cartes postales et des poèmes aux murs, et tout un bric-à-brac de vaisselle, de pots à épices et de boîtes de thé sur des étagères occupant tout le mur au-dessus du plan de travail.

Mike s'y sentit aussitôt bien. Tout était si différent de la cuisine reluisante de sa mère où rien ne devait jamais traîner, où la moindre porte d'armoire et la moindre poignée de tiroir étaient astiquées chaque jour, où l'on ne restait jamais assis plus longtemps que nécessaire.

Dans le second couloir partant de l'entrée, il remarqua des collages photos. Il reconnut Jette et Merle, mais il y avait aussi une fille aux cheveux noirs et courts, petite et gracile comme un enfant. Son sourire franc, enjoué, plein de vie, lui sauta littéralement au visage.

— C'est Caro, expliqua Jette derrière lui. Elle est… Elle est…

Elle s'éclaircit la gorge.

— Morte, dit Merle.

Mike se retourna. Merle avait passé le bras autour des épaules de Jette. Il y avait des larmes dans les yeux de Jette. La bouche de Merle n'était plus qu'un trait pâle.

— Il faut que tu le saches, poursuivit-elle. Parce que c'est la chambre de Caro que…

Maintenant, c'était elle qui n'arrivait pas à finir sa phrase. Où était-il tombé ? Mike aurait aimé qu'Ilka soit là. Il n'aurait pas été contre un peu de soutien. Mais Ilka ne se trouvait pas chez elle lorsqu'il était passé la chercher. Il s'était fait l'effet d'un imbécile à qui on aurait posé un lapin.

— La salle de bains, déclara Merle en ouvrant la porte au bout du couloir.

Le regard de Mike tomba sur un méli-mélo de flacons et de tubes. Il vit des huiles de bain et des parfums dans des bouteilles fuselées et ventrues. Une coupelle accueillait des rouges à lèvres, des eye-liners et des mascaras poussiéreux. L'appui de fenêtre était encombré de bougies. Une petite radio était posée sur un tabouret.

De l'autre côté de la porte étaient affichés des bouts de papier couverts de messages, de citations, de questions. *Depuis quand Dieu est-il muet ?* lut Mike. *Les contes de fées sont pervers.* Et aussi : *Tu dois respecter père et mère, et s'ils te frappent, tu dois te faire respecter.*

— Tu pourrais écrire ce que tu veux, bien sûr. On te libérerait toute la place qu'il faut, ajouta Merle en faisant un mouvement des bras englobant toute la pièce. C'est évident.

Mike se vit allongé dans la baignoire avec Ilka, la mousse crépitant au contact de l'eau. Toutes les bougies seraient allumées, l'ombre et la lumière danseraient aux murs et les cheveux mouillés d'Ilka viendraient se coller à sa peau comme des algues.

— Et maintenant, la chambre en question.

Les mots de Merle l'arrachèrent à son rêve. Mais ce n'était pas la peine de visiter la chambre. Il savait déjà qu'il voulait habiter dans cet appartement. C'était une pièce toute simple, vide et exiguë... La fenêtre donnait sur une cour avec vue sur l'arrière d'autres immeubles. Les murs étaient tapissés d'un papier peint texturé, de couleur blanche, le sol recouvert d'un parquet salement usé. Mike n'était pas vraiment doué de ses mains. Pourtant, l'envie de poncer le bois, de le huiler et de marcher dessus pieds nus le démangeait. Il se tourna vers les deux filles.

— J'aimerais bien emménager ici.

Ce fut comme si un poids tombait de leurs épaules. Leurs corps se détendirent, un sourire hésitant apparut sur leurs visages. Elles se regardèrent.

— Allons dans la cuisine, alors, proposa Jette. Il y a beaucoup de choses dont il faut qu'on discute.

5

Ilka n'avait pas la moindre idée de l'endroit où elle se trouvait. Elle connaissait assez bien Bröhl et les proches environs, mais dès qu'elle s'aventurait au-delà, tout lui apparaissait étranger. Elle avait enfourché son vélo et elle était partie sans prêter attention à la direction.

Elle avait laissé divaguer ses pensées, sans en retenir ni en chasser aucune. Avant de faire face à tante Marei et aux jumeaux, il fallait qu'elle vienne à bout de son trouble.

Il lui était revenu en mémoire une scène observée lors d'une promenade au bord d'un étang. Deux petites filles ramassaient des pierres qu'elles plaçaient ensuite dans un seau de plage. Elles examinaient chaque pierre sous tous les angles, montraient à l'autre les veines qui la parcouraient, s'en étonnaient et riaient. Elles s'étaient éloignées en babillant, sans cesser de se baisser pour prendre de nouvelles pierres.

Ce jour-là, Ilka avait souri et revu les choses qu'elle collectionnait, enfant. Des plumes de pigeon. Des tessons de poterie. Des coquilles d'escargot. Elle n'était pas remontée plus loin dans sa mémoire. Se souvenir pouvait être dangereux. Et douloureux.

Je ne suis plus disposée à ce qu'on m'inflige des souffrances, avait-elle pensé. *Le temps de la douleur est révolu. Il est loin derrière moi. Il n'y a aucune raison de soulever le voile. Aucune.*

Sa vie se déroulait maintenant, instant après instant. C'était mieux ainsi. Elle ne voulait rien d'autre. Pourquoi avoir cédé aux sollicitations de tante Marei ? Comment avait-elle pu se montrer assez imprudente pour mettre en jeu sa paix à demi retrouvée ? Pour aller consulter une psychothérapeute ! Et croire qu'elle pourrait raconter des histoires à cette femme, lui jouer la comédie et s'en sortir comme une fleur !

Elle avait sous-estimé Lara Engler. S'était laissé endormir par son corps rondelet, sa voix amicale et le cliquetis inoffensif de ses bracelets. Distraite par le charme de la pièce, elle avait oublié combien le pouvoir des mots pouvait être grand, et destructeur.

C'était une erreur de croire qu'elle pouvait se rendre là-bas, tout considérer de l'extérieur et contrôler la situation. Les ongles nacrés de Lara, sa coupe de cheveux soignée, ses bijoux et son châle rouge coquelicot n'étaient que des manœuvres de diversion. Le poisson voit le ver, pas le crochet qui lui sera fatal.

Et si elle n'y retournait pas ? Personne ne pouvait l'y forcer, pas même tante Marei, qui aimait tant être responsable de tout et pousser les gens ici et là comme des pions sur un échiquier. Pour leur bien, affirmait-elle, mais les gens ne devaient-ils pas savoir tout seuls ce qui était bon pour eux ?

Ilka entendit un halètement et constata avec surprise

que c'était le sien. Elle sentait la sueur dégouliner dans son dos et sur sa nuque. Ses doigts étaient rougis par le froid. Elle avait mal au cœur et la gorge sèche. Elle aurait tout donné pour un verre d'eau et une pièce chauffée. Et Mike à ses côtés. Elle se serrerait contre lui et…

Mike ! Elle avait oublié leur rendez-vous !

Ilka descendit de son vélo et regarda autour d'elle. Elle ne reconnaissait aucune maison, aucune rue, rien du tout. Dans quelle direction rouler pour rentrer à la maison ? Sa respiration était courte et saccadée. Elle devait faire de l'hypoglycémie. Elle ne tenait plus sur ses jambes. Et elle sentait les larmes arriver.

En reniflant, elle fouilla dans son sac à dos, à la recherche d'un mouchoir. Ses lèvres tremblaient. Surtout ne pas perdre la tête ! Garder son sang-froid !

Quand on perdait la tête, on se retrouvait à la merci des autres. Ils pouvaient faire de vous ce que bon leur semblait. On ne pouvait plus décider de sa propre vie. Juste avaler leurs comprimés, endurer leurs piqûres et somnoler le reste du temps. Des filets de bave vous coulaient aux commissures mais on ne les essuyait pas. Parce qu'on n'était même plus conscient de sa propre personne.

Ilka finit par trouver un mouchoir. Elle s'en était déjà servie plusieurs fois, si bien qu'il était chiffonné et durci. Elle le pressa contre ses yeux, inspira profondément et s'obligea à respirer lentement. *Un. Deux. Trois. Un. Deux. Trois.* Puis elle se moucha du mieux qu'elle put.

N'exagère pas…, pensa-t-elle. *Ne t'en fais pas une montagne. Qu'est-ce qui s'est passé, au fond ? Tu as raté un rendez-vous. Ça arrive chaque jour à des milliers de gens. Ce n'est pas la fin du monde !*

Seulement, elle n'avait pas raté n'importe quel rendez-vous, mais un rendez-vous avec Mike. Il y avait une différence. Ce n'était pas le genre de chose qu'on pouvait rattraper. Il voulait l'emmener visiter cet appartement. C'était tellement important pour lui.

Pourquoi avait-elle encore oublié ce fichu portable ? La panique monta de nouveau. Elle fit un tour sur elle-même. Découvrit un vieil homme qui balayait le trottoir devant sa maison. Soulagée, elle se dirigea vers lui. Il pourrait peut-être lui indiquer le chemin de Bröhl.

*
* *

Elles possédaient une machine à espresso foudroyante d'efficacité. Il suffisait de placer une tasse sous les buses, d'appuyer sur un bouton et elle moulait les grains de café avec un bruit d'enfer, en pompant de l'eau chaude sous haute pression. Il en sortait un café de la meilleure qualité, surmonté d'une crème onctueuse.

— Un cadeau de ma célébrité de mère, précisa Jette en posant une seconde tasse devant lui. On n'aurait jamais pu se l'offrir.

À cet instant, Mike fit le rapprochement. L'affaire avait fait beaucoup de bruit. Les journaux s'en étaient emparés. La radio et même la télévision avaient rapporté les faits. Une jeune fille de Bröhl avait été assassinée et ses amies avaient publiquement déclaré la guerre au meurtrier.

L'une d'elles était la fille d'Imke Thalheim, l'auteur à succès. Et la victime s'appelait Caro !

— On voulait t'en parler, de toute façon, déclara Merle qui le fixait.

Mike lui rendit son regard, démonté. Pouvait-elle lire dans les pensées ?

— Ce n'était qu'une question de temps avant que tu additionnes deux et deux, précisa-t-elle. N'empêche, tu as résolu l'équation plus vite que je m'y attendais.

Alors, elles lui expliquèrent tout. À tour de rôle. Chaque fois que la voix de l'une la lâchait, l'autre poursuivait. Mike écoutait. Plus les filles parlaient, plus elles lui devenaient sympathiques. Elles étaient unies par une amitié que les épreuves avaient consolidée. On ressentait presque physiquement la profondeur de ce sentiment.

Le temps passa. Il faisait sombre, dehors. Le principal avait été dit. Il restait à régler l'organisation de leur vie en commun…

— J'ai une petite amie, annonça Mike.

Il marqua une courte pause.

— Vous n'avez rien contre ?

— Tu te crois dans un couvent ? rit Merle. À ton avis, combien de mecs sont déjà passés par ici ?

— Et ta copine ? demanda Jette. Ça ne lui fait rien que tu emménages avec deux filles ?

Mike secoua la tête.

— Elle n'est absolument pas jalouse. Malheureusement.

— Ne dis pas ça ! lança Merle d'un ton brusquement sérieux. La jalousie fout tout en l'air.

— J'ai une faim de loup, intervint Jette. Pas vous ?

Alors seulement, Mike remarqua que son estomac gargouillait. Il opina du chef.

— On aimerait t'inviter, poursuivit Jette. Pour fêter cette journée. Qu'est-ce que tu dirais d'une pizza ?

Un peu plus tard, ils étaient installés chez *Claudio*, un

vendeur de pizzas à emporter disposant de quelques tables, et Claudio les servait comme s'ils étaient ses clients préférés. Et son snack, un temple dédié aux gourmets.

— Il doit se racheter auprès de Merle, chuchota Jette en se penchant vers Mike. Il peut se montrer vraiment charmant, mais aussi d'une jalousie infernale. Un jour, il porte Merle aux nues, et le lendemain, il la piétine sans ménagement.

— Si vous croyez que je n'ai pas entendu ! fit Merle.

Elle suivait du regard Claudio, qui évoluait entre les tables avec une nonchalance suggestive. Une légère moue de dédain se dessina sur ses lèvres, mais ses yeux brillaient.

— Jette a raison. Si seulement je pouvais me détacher de lui.

*
* *

Ruben aimait rouler dans le noir. Le monde semblait s'effacer quand il glissait sur les départementales, la lumière de ses phares n'arrachant à l'obscurité qu'une parcelle des environs. Dans les localités qu'il traversait, le tableau se modifiait, il y avait des réverbères, des maisons et des fenêtres éclairées. Mais pas une âme. Comme si tout le monde se terrait chez soi.

Dans les villes, il faisait clair comme en plein jour. Des couleurs surgissaient et mouraient avant qu'on puisse les appréhender. Des couples déambulaient, s'arrêtaient devant une vitrine. Certains, dehors avec un but bien précis, marchaient en s'arc-boutant contre le vent froid.

Ruben aimait la campagne autant que la ville. Il avait toujours ressenti le besoin d'apprendre à tout connaître, de ne rien exclure, de rester ouvert à toute sensation. C'est ainsi que lui venaient en tête les toiles qu'il peignait.

Il dépendait des gens, des choses et des sentiments qu'ils suscitaient en lui. Un escalier de pierre ancien aux marches creusées pouvait l'enthousiasmer, la vue d'une vigne sauvage grimpant le long d'un mur lui donner la chair de poule. Il devait souvent se dominer pour ne pas arrêter en pleine rue un vieil homme ou une jeune femme au visage de madone et les dessiner.

Il passait des heures dans les bars et les cafés à espionner les conversations, étudier les visages, donnant libre cours à ses pensées. Pour chaque visage, chaque voix et chaque fragment de discours qu'il interceptait, il inventait une histoire et regrettait de n'avoir aucun talent d'écrivain. Les mots ne racontaient-ils pas mieux les histoires que les couleurs ?

Un tableau s'attachait à représenter un instant. Pourtant, cet instant devait renfermer l'ensemble de l'histoire. Voilà en quoi résidait l'art.

Ruben connaissait ses limites. Ce qui ne lui rendait pas les choses plus faciles. Dans un musée, il lui arrivait de se tenir devant une toile parfaite et d'en avoir des sueurs froides. Parviendrait-il un jour à produire une œuvre d'art aussi irréprochable ?

Il appuya sur l'accélérateur. Il avait brusquement hâte d'arriver chez lui. Il devait peindre. Absolument. Immédiatement. Il avait gaspillé toute une journée, toute cette magnifique lumière sans donner un seul coup de pinceau.

— Mais j'ai vu Ilka…, murmura-t-il. Et la maison.

Sa gorge se noua. Il avait du mal à réprimer son agitation. Bientôt, ses mains se mettraient à trembler et il se couvrirait de sueur. Il ne se sentait en harmonie avec lui-même et avec le monde que quand il peignait.

— La tête un peu plus penchée. Voilà. Comme ça, c'est bien.

La lumière traverse la fenêtre ornée d'un motif en verre coloré et vient se poser sur le corps d'Ilka. Elle donne des reflets changeants à sa peau et fait briller ses cheveux. On dirait une sirène évoluant sous l'eau.

— Ne bouge pas. Reste tranquille.

Mais elle en est incapable. Elle n'arrête pas de tourner la tête. Pour le regarder. Pour contempler le ciel. Pour observer le chien, allongé sur le seuil de la porte. C'est à devenir fou.

Ils ont la maison rien que pour eux. Leurs parents sont à une fête et ne rentreront pas avant minuit. La maison avec ses grandes et belles pièces, et cet océan de lumière.

Il avait aussitôt fallu qu'il peigne Ilka.

— J'ai faim, Rub.

Elle est la seule qui abrège ainsi son prénom. La seule à qui il permette cette familiarité.

— Tout de suite. Encore un moment.

Elle n'a aucune patience. Pourtant, il est certain que deux heures à peine se sont écoulées.

— Il y a tellement de filles qui ne demanderaient qu'à poser pour toi. Assises. Debout. Ou couchées ! glousse Ilka. Pourquoi tu ne prendrais pas une de celles qui t'idolâtrent ?

— Elles ne sont pas comme toi.

Ilka bâille. Elle a encore bougé.

— Justement. Elles garderaient la position que tu veux. Pendant des heures.

— Le bras un peu plus haut. Allez, sois gentille !

Ilka s'étire. Le tissu rouge foncé du canapé fait luire sa peau comme du marbre. Le printemps s'annonce à peine. Son corps n'a pas encore été touché par le soleil.

— Ilka ! S'il te plaît !

Elle se lève et vient vers lui, cachant l'espace d'un instant la lumière. Elle ôte des mains de Ruben son bloc et sa craie. Puis elle se penche et l'embrasse.

— Allons d'abord manger quelque chose, Rub.

Il repousse sa chaise et la suit dans la cuisine. Elle a enfilé son peignoir et des chaussettes. Alors seulement, Ruben remarque à quel point il fait frais.

— Tu avais froid ?

Elle met de l'eau à chauffer et va chercher un paquet de pâtes dans le cellier. Au passage, elle dépose un baiser sur le bout de son nez.

— Extralucide, va !

— Je suis désolé… Je suis un idiot.

En trois pas, il est près d'elle et prend ses mains. Elles sont glacées.

— Un vrai crétin, un monstre insensible, un…

— Tu es toi, l'interrompt-elle en resserrant son peignoir. Et maintenant, tu veux bien me donner un coup de main pour préparer le repas ?

Il la peignait sans cesse. Il ne se lassait pas de la regarder. Elle avait chaque fois quelque chose de différent. Elle le surprenait toujours. C'était tantôt une ligne qu'il n'avait pas encore remarquée, tantôt une attitude qu'elle n'avait jamais prise auparavant. Ou encore la façon dont l'ombre et la lumière jouaient sur sa peau. Dont elle nouait ses cheveux. Le parfum qu'elle portait. Tout cela changeait constamment. Ilka était une artiste de la métamorphose. Cela provenait du plus profond d'elle-même. Il n'y avait rien de superficiel, rien d'artificiel en elle.

Ilka était la personne la plus naturelle que Ruben connaisse. Elle était dénuée de toute hypocrisie. Enfant, elle était souvent punie parce qu'elle ne savait pas mentir. Sa peau claire la trahissait, on y lisait la moindre émotion. Quand Ilka était contente ou en colère, indignée, énervée ou gênée, son visage se teintait aussitôt de rouge. Ruben avait souvent craint que leurs parents ne découvrent ainsi ce qu'il y avait entre eux, mais bizarrement, ils s'étaient toujours montrés aveugles à cet égard.

Dès le début, Ruben avait conservé les dessins et les peintures d'Ilka en lieu sûr. Dans la partie non aménagée du grenier, où personne ne se rendait jamais, il avait démonté une partie du revêtement mural pour accéder à une cachette dont lui seul connaissait l'existence.

Leurs parents n'avaient pas fait construire la maison, ils l'avaient achetée. Il n'existait pas de plans d'architecte précis. Couvert de poussière et envahi de toiles d'araignée, le grenier était un merveilleux endroit où Ruben et Ilka se réfugiaient quand ils ne voulaient pas qu'on les trouve. Les rayons du soleil pénétraient en longues bandes à travers les lucarnes ternes et rampaient sur le sol jusqu'au mur d'en face. Ils y dessinaient des motifs changeant d'heure en heure.

L'air était sec, chargé de poussière et brûlant en été, glacial et presque limpide en hiver. De temps en temps, Ilka essuyait le sol avec un chiffon humide, mais tout au fond seulement, à l'endroit où ils se cachaient. Ils ne devaient laisser aucune trace.

Parfois, ils s'asseyaient en s'adossant au mur et fredonnaient des airs. Ou ils restaient tous les deux silencieux. Parfois, ils forgeaient des plans grandioses.

C'est dans ce grenier, dans leur lieu magique et secret, que Ruben avait découvert en lui des sentiments interdits. Dans ce grenier qu'il avait compris qu'Ilka connaissait elle aussi ces sentiments. Dans ce grenier, toujours, qu'il lui avait ouvert son cœur.

Certains jours, la nostalgie devenait à peine supportable. Et voilà qu'il l'avait retrouvée. Enfin, presque. Il accéléra. Les ombres fuyaient de part et d'autre de la voiture. Mais il ne se rendait plus chez lui. Il avait repris la direction de l'autoroute.

*
* *

Le vieil homme avait effectivement pu indiquer son chemin à Ilka. Il s'était donné beaucoup de mal pour la rassurer, même s'il ne comprenait pas ce qui la paniquait.

— Ça peut arriver à tout le monde, voyons, affirma-t-il de sa voix calme et lente en lui tapotant le bras.

Sa main, large et solide, semblait habituée à de rudes travaux. Ilka s'étonna qu'une telle main soit capable de se montrer aussi tendre.

— À tout le monde, répéta l'homme. Pas la peine de vous mettre martel en tête pour ça.

Ilka n'avait plus entendu cette expression depuis longtemps. Peut-être sombrait-elle lentement dans l'oubli… Cette pensée l'attrista, alors que le vieil homme s'efforçait de la dérider en lui racontant histoire après histoire. Il était toujours question de quelqu'un qui s'était perdu.

Elle le remercia et rentra chez elle. Tante Marei lui

ouvrit avant même qu'elle puisse introduire la clé dans la serrure.

— Fillette ! Le souci que je me suis fait pour toi ! Où étais-tu ? Mike est passé te prendre, le pauvre… Il avait l'air très perturbé. Regarde-moi l'état dans lequel tu es ! Aussi livide qu'un cadavre. Mais qu'est-ce qui t'est arrivé ?

Foncièrement gentille, tante Marei ne voulait que le bien d'autrui, mais elle avait le don de vous achever en quelques mots.

— Je me suis égarée, c'est tout…, déclara Ilka en accrochant sa veste dans la penderie. Pas de raison de paniquer.

— Égarée ? s'étonna tante Marei en frottant prudemment les mains d'Ilka, bleuies par le froid. Dans cette petite ville ?

— Pas si petite que ça, quand tu n'atterris pas au bon endroit.

Ilka alla se préparer une tasse de thé dans la cuisine.

— J'étais plongée dans mes pensées et j'ai roulé au hasard. Quand j'ai regardé autour de moi, je n'ai plus rien reconnu.

Tante Marei se contenta de cette explication. Elle la fit parler de l'heure passée avec Lara Engler, puis les jumeaux déboulèrent dans la cuisine et la remplirent de leurs histoires et de leurs rires. Ils auraient douze ans cet été et réfléchissaient déjà à la façon de fêter leur anniversaire.

Douze ans était un âge magique. Un grand pas en dehors de l'enfance, sans savoir dans quel territoire on débouche-rait.

— Quand je serai grand, annonça Leo, je m'achèterai une Mercedes.

— Alors, il te faudra beaucoup d'argent, soupira tante

Marei comme quelqu'un qui aurait enterré ses rêves depuis belle lurette.

— Moi, je préférerais une moto, répliqua Rhena en lançant à son frère un regard provocant. Pas une de ces bagnoles de beauf !

Leo ne prêta aucune attention à son objection. Son regard se fit rêveur.

— J'en ai vu une ce matin… Elle était terrible !

— Ça vous dérange si je m'éclipse ? s'enquit Ilka.

Elle avait bu son thé, mangé deux petits pains et se sentait vannée. Elle débarrassa sa place à table.

— J'aimerais téléphoner à Mike avant de me mettre au lit vite fait.

— Va ! fit tante Marei. Et embrasse Mike de notre part.

— Oui, embrasse-le bien, surtout ! roucoula Rhena avant de lever les yeux au ciel.

Pourtant, elle était secrètement amoureuse de Mike. Elle le cachait bien, mais Ilka le savait depuis longtemps.

Dans l'escalier, Ilka eut à nouveau cette sensation étrange qu'elle ne parvenait pas à s'expliquer et qui l'avait assaillie sur le chemin du retour. Le genre de sentiment qui s'était emparé d'elle le jour où on l'avait enfermée par mégarde dans la salle de physique. Comme si quelqu'un d'invisible se tenait derrière elle.

— N'importe quoi, murmura-t-elle. Je recommence à voir des fantômes.

Elle avait emporté le téléphone fixe. Dans sa chambre, elle s'allongea sur son lit et composa le numéro de Mike. Mais elle ne put joindre que sa mère, qui passa un bon quart d'heure à se lamenter que son fils soit sans arrêt par monts et par vaux.

Ensuite, Ilka appela le portable de Mike, mais il l'avait

éteint. Ce qui pouvait être bon ou mauvais signe. Peut-être avait-il décroché la chambre et discutait-il des derniers détails avec ses futures colocataires. À moins qu'il ne se soit fait recaler et qu'il ait échoué dans un bar.

Ilka espérait que tout ait marché pour le mieux. Mike méritait sa part de chance. Sans compter qu'il ne supportait pas l'alcool. Une simple bière pouvait l'assommer et, le lendemain matin, on le ramassait à la petite cuillère.

Après avoir rapporté le téléphone au rez-de-chaussée, Ilka écouta de la musique pour déconnecter. En vain. Au plus profond d'elle-même, une petite voix lancinante la mettait en garde. Elle éteignit sa lampe de chevet et alla jusqu'à la fenêtre, ouvrit le rideau et s'assit sur l'appui pour regarder la rue en contrebas.

C'était son rituel du soir. Cela avait quelque chose de profondément apaisant de contempler la rue tranquille, faiblement éclairée, d'observer les maisons familières et de s'imaginer à quoi leurs habitants s'occupaient. Ils regardaient la télévision, lisaient, cuisinaient, téléphonaient, faisaient l'amour. Ils se disputaient, écrivaient des lettres, mettaient les enfants au lit.

Un chat traversa la rue en courant et disparut dans un des jardins plongés dans l'obscurité. Une fenêtre se ferma. Une lumière s'éteignit. Il avait recommencé à neiger, des flocons gros et lourds qui ne fondaient pas en touchant le sol. Les voitures stationnées le long du trottoir étaient déjà coiffées de blanc. Si cela continuait, elles ressembleraient le lendemain matin à autant de petites collines.

Ilka ouvrit la fenêtre et se pencha dehors. L'air était pur et frais. Tout était extraordinairement paisible. Comme si la neige étouffait le moindre bruit.

Elle aimait cette atmosphère. Elle aurait avec plaisir

attrapé sa veste pour faire une dernière balade. Elle adorait entendre la neige crisser sous ses bottes. Comme si elle était seule au monde.

— Bonne nuit, maman, chuchota-t-elle. Dors bien.

Elle remarqua alors une voiture inconnue, la seule qui ne soit pas couverte de neige. Ce qui signifiait qu'elle venait d'arriver.

Elle était garée là, sombre et massive.

Ilka frissonna. Il faisait rudement froid. Vite, elle referma la fenêtre, se changea, se glissa dans son lit et s'enroula dans la couverture. Juste quelques minutes, puis elle irait se brosser les dents dans la salle de bains. Juste quelques minutes…

Dans un recoin de son inconscient, la petite voix qui l'avait mise en garde se manifesta de nouveau, mais Ilka n'écoutait plus. Elle était si fatiguée qu'elle s'endormit instantanément.

*
* *

Ruben fixa sa fenêtre, là-haut, jusqu'à ce que ses yeux le brûlent. L'espace d'un instant, elle se pencha dehors. L'espace d'un instant, il vit son visage, confusément, comme dans ses rêves. Puis il l'entendit refermer la fenêtre.

Il attendit encore un moment avant de repartir, silencieux et inaperçu.

6

Assise dans sa chambre d'hôtel, Imke Thalheim essayait de lire, sans cesse distraite par le fond sonore. À l'étage supérieur, sur sa gauche, un homme et une femme se querellaient. On ne comprenait pas ce qu'ils se jetaient à la figure, mais l'échange semblait plutôt violent. Sur la petite place du marché, des jeunes s'étaient rassemblés pour comparer la puissance de leurs motos. Et le téléphone qui se mettait à sonner !

C'était l'organisateur d'une lecture à venir, qui s'inquiétait de savoir si elle avait des souhaits particuliers quant à son déroulement. Imke demanda la chaise habituelle, la table habituelle, le verre d'eau habituel et le micro habituel. Elle était agacée qu'il la dérange si tard, au lieu d'avoir réglé tout cela en amont.

Après avoir reposé le combiné, elle se demanda ce qui motivait réellement son énervement. Elle regarda autour d'elle, considéra la tapisserie parsemée de roses, le lit en chêne, l'armoire à glace. Un voilage froncé était accroché devant la fenêtre. Même les rideaux étaient ornés d'un motif floral.

Imke connaissait des personnes à qui cette chambre aurait plu. Elle n'était ni belle, ni repoussante. Il en émanait même un certain confort. Elle lui rappelait les salons et les cuisines à vivre de ses grands-tantes, les longs après-midi d'anniversaire avec gâteau, café et liqueurs. Non, cette chambre n'avait rien à voir avec son irritabilité.

Évidemment, elle était épuisée par ses nombreux rendez-vous, épuisée de devoir sans cesse se concentrer, parler, serrer des mains. Et sourire. La plupart des gens ne souriaient sans doute pas autant de toute leur vie qu'Imke au cours d'une seule tournée de lecture. Les traits de son visage avaient si bien pris le pli qu'elle avait beaucoup de mal à les détendre.

— C'est peut-être le mal du pays.

Elle trouva que sa voix résonnait étrangement dans cette pièce. Comme s'il s'agissait d'une entité propre, existant indépendamment de son corps.

— À moins que je ne sois en train de devenir folle. Je vais bientôt me mettre à parler aux arbres et à porter des chaussures de couleur différente.

Elle mourait d'envie d'appeler Jette. Mais elle s'était promis de se retenir. Il fallait qu'elle coupe le cordon.

Imke buta sur cette pensée. L'inverse ne devait-il pas se produire ? N'était-ce pas plutôt aux filles de couper le cordon ? Elle s'empara de son portable et composa le numéro de Tilo.

Il décrocha dès la première sonnerie.

— Salut, toi !

Sa voix était un morceau de chez elle, et Imke pressa l'écouteur contre son oreille pour ne manquer aucun mot.

— Je ne peux jamais te surprendre, se plaignit-elle. Je regrette l'époque délicieuse où l'affichage n'existait pas.

Elle l'entendit rire doucement. Il méritait d'être aimé rien que pour sa façon de rire au téléphone. Son rire redressait tout ce qui allait de travers dans la vie.

— Qui doit au juste couper le cordon, demanda-t-elle à brûle-pourpoint, la fille ou la mère ?

— Que voudrais-tu entendre, Ike ?

Elle aimait qu'il l'appelle ainsi.

— Tes vérités de psychologue, naturellement.

Il ne réagissait plus avec susceptibilité quand elle égratignait la psychologie. Il s'y était habitué.

— Il faut sans doute que toutes deux traversent ce processus, avança-t-il prudemment. Chacune à sa façon.

— Tu m'aides beaucoup !

Imke s'étendit sur le lit et regarda le plafond jauni. Après cette surenchère de rose autour d'elle, cela lui fit le plus grand bien.

— Vous autres, voyeurs de l'âme, vous n'aimez pas beaucoup vous prononcer, hein ?

— Dans la vie, on ne rencontre pas que du noir ou du blanc, répondit Tilo, ignorant également la seconde pique. Ce n'est pas à toi que je vais l'expliquer.

— C'est juste.

— Un problème avec Jette ? s'enquit-il après une courte pause.

— Un problème avec le monde entier. J'ai l'impression de me trouver en permanence au mauvais endroit.

— Le mal des lectures, Ike. Tu le connais bien, pourtant. Tu en souffres chaque fois.

Il avait raison. À chaque tournée, il arrivait un moment où le cafard lui tombait dessus. Elle essayait de le combattre, mais y parvenait rarement. Dans ces cas-là, elle deve-nait même incapable de se concentrer sur un livre passion-nant.

— Tu me manques, dit-elle doucement.

— J'espère bien ! lâcha-t-il avant de se remettre à rire, tendre et moqueur.

— Tu passes de temps en temps une soirée au Moulin ? Cela lui plaisait de l'imaginer évoluant chez elle.

— Je ne peux quand même pas infliger ça à Mme Ber-gerhausen ! Imagine qu'elle entre un beau matin dans ta chambre pour monter les volets et qu'elle me trouve dans ton lit… Le choc lui serait fatal.

— Tant que tu es seul, j'en doute.

Imke risqua un regard en direction de la tapisserie cou-verte de roses. Peut-être les propriétaires étaient-ils amou-reux lorsqu'ils avaient décoré l'hôtel ?

— À part ça ? C'est comment, la province ? demanda Tilo.

— Isolée. Laisse-moi rentrer à la maison, d'accord ?

— Seulement quand tu te seras acquittée de ta dernière lecture, trancha Tilo. Pas avant.

C'était convenu entre eux. Chaque fois qu'Imke voulait laisser tomber, il devait l'en empêcher. Un jeu stupide.

— Et maintenant, il faut que je me remette au travail, fit-il avant de lui adresser un baiser sonore.

On commence à se conduire comme un vieux couple, songea Imke en mettant son portable de côté. Mais elle souriait intérieurement. Il y avait pire que de vieillir avec Tilo.

*
* *

Mike avait loué un utilitaire pour venir à bout de son déménagement. Ilka l'avait aidé à le charger. Merle et moi étions restées dans l'appartement pour nettoyer sa chambre de fond en comble. À présent, nous donnions un coup de main pour monter les paquets.

Nous nous étions liées d'amitié avec notre nouveau colocataire. Ainsi qu'avec Ilka. Ensemble, nous avions rénové le parquet, repeint les murs et huilé les portes et le cadre des fenêtres. Non seulement dans la chambre de Caro, qui appartenait maintenant à Mike, mais aussi dans tout l'appartement.

Le travail physique m'avait fait du bien. Il m'avait sortie de ma léthargie et distraite de ma profonde peine. J'avais à nouveau de l'appétit et je me surprenais à fredonner. Une éternité que cela ne m'était plus arrivé !

Il ne nous avait pas fallu longtemps pour constater que Mike était un cuisinier accompli. Mieux encore, il prenait plaisir à nous faire à manger. Aussi, chacune de nos journées de labeur s'achevait dans la cuisine, où nous nous attardions à bavarder jusqu'à tomber de fatigue.

Le dernier jour des travaux de rénovation, Ilka avait peint une fresque sur le mur de la chambre de Mike, une maison paysanne aux volets rouges dans un champ de tournesols. Chaque fleur tournait la tête vers le soleil haut dans le ciel. Toute la pièce rayonnait.

— C'est dingue ! avait lancé Merle qui ne parvenait pas à détacher son regard de cette scène. Dis donc, tu as l'intention de faire les Beaux-Arts ?

— Jamais de la vie ! avait répliqué Ilka en levant les deux mains pour rejeter cette idée. Tout, vraiment tout, sauf les Beaux-Arts !

Drôle de réaction. Il m'avait semblé lire de la peur dans

les yeux d'Ilka, presque de la panique, puis un sourire était revenu se poser sur son visage et elle avait changé de sujet.

Elle avait incontestablement du talent. Sa peinture m'évoquait Van Gogh. Ce n'était pas réellement comparable, naturellement, mais il y avait des points communs évidents. Le jaune éclatant des fleurs, l'intensité de la lumière, le rayonnement du soleil et cette touche puissante et nerveuse – comme si les tournesols étaient agités par le vent.

C'est au moment où je me tenais devant cette fresque et que Ilka attendait près de moi, les mains et le jean barbouillés de peinture, une tache verte sur la joue, c'est à ce moment-là que je l'avais définitivement adoptée. J'étais heureuse que Mike soit avec elle.

— Tu voudras bien en peindre une dans ma chambre ? lui demandai-je après l'avoir aidée à poser la commode de Mike à sa place. Quand tu en auras envie ?

Ilka mit les poings sur les hanches. Puis elle souffla sur une mèche tombée sur son visage rougi par l'effort.

— Avec plaisir, répondit-elle en me regardant attentivement. Dès que je saurai à quoi tu rêves.

Mike espérait depuis longtemps avoir son chez-soi. Et Ilka l'avait peint pour lui. J'aurais pu le deviner toute seule ! Je déplaçai légèrement la commode et remis les tiroirs. Comment parler de mes rêves à Ilka, alors que mes nuits n'étaient peuplées que de cauchemars ?

Après avoir aidé Mike à monter une étagère, je m'éclipsai dans la cuisine avec Merle pour les laisser, Ilka et lui, et je nous préparai un cappuccino.

— C'est sympa qu'il y ait de nouveau du mouvement chez nous.

Merle hocha la tête.

— Et qu'on les apprécie tous les deux.

Merle hocha encore la tête.

— Ce n'était pas évident.

Merle n'arrêtait plus de hocher la tête.

— Caro nous approuverait. Sûrement.

Merle leva la tête. Elle fronçait les sourcils, comme toujours quand quelque chose la tracassait. Elle commençait à m'inquiéter.

— Qu'est-ce qu'il y a de si terrible à faire les Beaux-Arts ? finit-elle par lâcher. Je veux dire, pour moi ce serait l'horreur absolue, mais pour Ilka ? Elle a un talent fou. Je ne comprends pas.

— Peut-être qu'elle déteste son professeur d'arts plastiques ? À moins que petite, elle ait avalé par accident un gobelet d'aquarelle. Ou alors…

— Jette ! Tu ne peux pas être aveugle à ce point. Quand on possède ce genre de don, on envisage au moins la possibilité de suivre des études d'art.

— Eh bien, pas Ilka !

Je n'avais aucune envie d'échafauder des hypothèses sans raison. Je voulais juste rester tranquillement assise et savourer mon cappuccino.

— Qu'est-ce qu'il y a de si étonnant à ça ?

— La vivacité avec laquelle elle a répondu, déclara Merle. Du tac au tac.

Et j'avais vu de la peur dans les yeux d'Ilka. J'en étais certaine, à présent. Mais je ne l'avouai pas à Merle. Notre vie commençait à peine à reprendre un cours normal. Je n'avais pas l'intention de mettre cet équilibre en danger ou de nous attirer des ennuis à cause d'une simple réflexion.

— Une mauvaise expérience dans son enfance, peut-être, suggérai-je en posant la main sur le bras de Merle. Arrête de t'imaginer des choses. Mike est un mec sympathique, gentil, tout à fait normal et Ilka est une fille sympathique, gentille, tout à fait normale. Et nous allons tous vivre entre gens sympathiques, gentils et tout à fait normaux.

— Amen, conclut Merle en se levant pour se faire un autre cappuccino.

*
* *

Mike était heureux qu'Ilka s'entende avec les filles. Et que les filles aiment bien Ilka. La liberté que lui offrait son nouveau foyer le faisait exulter. Il lui arrivait souvent de se tenir au beau milieu de sa chambre, de regarder autour de lui et de s'enthousiasmer du moindre détail.

Tout semblait un peu provisoire encore, trop bien rangé, presque dépouillé. La pièce sentait la peinture et il n'y avait quasiment pas de traces indiquant que quelqu'un l'habitait. Elles viendraient peu à peu, imperceptibles mais évidentes.

Enfin, il vivait sa propre vie et pouvait décider avec qui la partager. En contrepartie de son soutien financier, le père de Mike exigeait qu'il se trouve un petit boulot. Il s'y attaquerait dans les prochains jours.

Il avait bien le temps. Ilka était loin de venir le voir aussi souvent qu'il l'aurait souhaité. Il ne lui demandait pas à quoi elle occupait ses après-midi, même s'il en mourait d'envie. L'incertitude le rendait fou.

Il désirait qu'elle lui en parle de sa propre initiative. Il ne pourrait pas se faire une place dans sa vie si elle ne voulait pas de lui. S'il s'accrochait à elle, il la perdrait. Il en avait peur... Tellement peur qu'il en faisait des cauchemars. Dans ces rêves, il errait dans des forêts, se battait contre des marées humaines ou courait, haletant, le long de couloirs sans fin, à la recherche d'Ilka qui, quelques instants plus tôt, se tenait à ses côtés.

— Tiens-toi à l'écart des femmes, lui avait récemment chuchoté Claudio. Elles ne feront que t'abîmer.

Puis il avait fixé Merle intensément... Mike avait tout lu dans ce regard. Amour, nostalgie, tendresse, désir ; mais aussi tristesse, colère et même haine.

Claudio fêtait son anniversaire dans sa pizzeria. Ses invités, serrés devant les quelques tables regroupées pour l'occasion, parlaient et riaient tous en même temps. Des bribes de conversation en italien et en allemand fusaient à gauche et à droite.

Merle, remarquant le regard de Claudio, lui avait envoyé un baiser. Elle avait un peu trop bu... Mike ne l'avait encore jamais vue aussi jolie et enjouée.

— Elle a mis ma vie sens dessus dessous, avait doucement dit Claudio. Je ne suis rien sans elle.

Mike avait appris entre-temps que le vin rendait Claudio larmoyant. Avec une tendance à employer de grands mots. L'instant d'après, il pouvait repousser Merle, l'injurier sauvagement. Était-ce sa façon d'aimer passionnément ? Ou était-ce le destin de chaque amour ?

Elle a mis ma vie sens dessus dessous. Je ne suis rien sans elle.

Assis dans sa chambre, Mike aurait tout donné pour pouvoir tenir Ilka dans ses bras. Minuit était passé depuis longtemps et, les yeux grands ouverts dans l'obscurité, il souffrait de ne pouvoir entendre sa voix. La regarder, simplement, l'aurait rendu heureux.

Il se leva et alla dans la cuisine. Les chats l'accueillirent avec de petits miaulements tendres. Il leur donna un peu de lait et s'assit à table avec un verre de jus de fruits.

Donna finit la première, comme d'habitude. Elle sauta sur une chaise et se mit à faire sa toilette. Elle s'interrompait de temps en temps pour le fixer de ses yeux en amande.

— Vous l'aimez bien, vous aussi, dit tout haut Mike. Vous n'auriez pas un conseil pour moi ?

— Les chats pensent d'abord à eux. Et ils ne s'en cachent pas. Ils sont spontanés et honnêtes. Contrairement à la plupart des êtres humains.

Mike sursauta et se retourna. Merle se tenait dans l'embrasure de la porte, les cheveux tout emmêlés.

— J'ai fait un drôle de rêve.

Elle s'installa à côté de lui et se mit à le lui raconter.

*
* *

Vendredi… Elle avait développé une peur bleue de ce jour de la semaine. Au fur et à mesure que la matinée avançait, son malaise grandissait, formant dans son estomac une boule de plus en plus grosse.

Mike savait qu'elle suivait une thérapie, sans en connaître la raison. Ilka lui était reconnaissante de ne pas poser de question. Elle ne voulait pas faire peser de mensonge sur les sentiments qui les unissaient.

Lara Engler n'était plus une étrangère… sans lui être

devenue familière. Peut-être ne développeraient-elles jamais d'intimité véritable, car la thérapie ne reposait sur aucune réciprocité. Ilka parlait et Lara écoutait. Ilka se mettait à nu. Elle extirpait ses pensées du plus profond de son être et les déposait sur le bureau de Lara. Et Lara en demandait toujours plus, exigeait toujours de nouveaux secrets. Par son silence. Par son écoute.

Jusqu'à ce que l'heure s'achève. Lara ne dépassait jamais le temps imparti. Pas même de deux ou trois petites minutes. Ilka s'en agaçait souvent. Comment pouvait-elle la comprendre vraiment, si elle n'était pas prête à oublier le temps qui passe ? Fallait-il lire dans ses yeux de la compassion, un intérêt réel ? À moins que son attention ne soit pure routine, simple objectivité professionnelle, et qu'elle ne perde jamais de vue les aiguilles de l'horloge et ses honoraires ?

Ilka posa son vélo et se dirigea lentement vers la maison jaune. Elle repensa à la fresque peinte pour Mike, et une immense tendresse l'envahit. Elle ne venait plus seulement pour tante Marei, ni pour elle-même. Elle venait aussi pour Mike. Afin de pouvoir l'aimer vraiment. Que plus rien ne se dresse entre eux.

Elle voulait enfin être normale. Se sentir comme les filles de son âge. Mais surtout, elle ne voulait plus avoir peur.

Lara lui ouvrit. Cette fois, elle portait un long chemisier blanc sur une jupe sable en lin brut. Son collier en argent étincelait sous la lumière de la lampe, faisant surgir comme par magie des souvenirs de l'été passé, soleil, mer et peau bronzée.

— J'étais en train de me préparer du thé, annonça Lara. En voudriez-vous aussi ?

Ilka accepta avec plaisir. Le gel avait pris possession de

la ville. Sur son vélo, le vent était si glacial que respirer devenait douloureux.

Elle suivit Lara dans la cuisine et fut surprise de constater combien la pièce lui ressemblait. Bois clair, verre et acier chromé. Voilages orange flamboyants. Une seule plante sur l'appui de fenêtre, une sorte de palmier. À côté, une sculpture abstraite en bronze, aux formes rondes.

Dans cet espace soigné et ordonné, un panneau en liège débordait de bouts de papier et de coupures de journaux. Sur la table s'étalaient de la vaisselle sale et quelques magazines de jardinage fatigués à force d'être feuilletés. Sur un buffet bas trônait une pile de livres et, dessus, des lunettes de lecture à monture rouge vif.

Voilà comment devait être Lara. Derrière une façade parfaitement maîtrisée se cachait son âme véritable, à laquelle n'accédaient que ceux à qui elle permettait une certaine proximité. Une âme vivante, contradictoire et pleine d'énergie.

La chaleur ambiante avait rendu brûlantes les joues d'Ilka. Elle tenta de les rafraîchir du dos de la main, en vain. Elle en fut mal à l'aise et il lui fallut un moment pour se détendre.

— Vous avez très peu parlé de votre famille jusqu'à présent, déclara Lara.

Pas plus. Une seule de ses phrases ouvrait la voie à des souvenirs qu'Ilka aurait préféré laisser reposer, bien calés au plus profond d'elle-même.

Ilka commença à parler, de tante Marei, d'oncle Knut et des jumeaux. Lara écoutait sans l'interrompre. La lumière du soleil traversait la fenêtre, se répandait sur le plancher et le tapis, faisant exploser les couleurs. Le ciel était bleu, ponctué de quelques nuages évoluant lentement.

Enfant, Ilka rêvait souvent qu'elle pouvait voler. Tout là-haut, avec les oiseaux. Ces rêves suscitaient en elle un sentiment de joie étourdissant qu'elle éprouvait encore à son réveil. Mais il se dissipait peu à peu, se transformant en une profonde tristesse.

— À quoi pensez-vous, Ilka ?

La voix de Lara devint soudain très lointaine. Son sourire s'estompa.

— Je peux voler, si je veux. Jusqu'au bout du monde, si je veux.

Les yeux de Ruben brillent. Son visage étroit rayonne de bonheur. Il est allongé par terre. Autour de lui, la poussière danse dans la lumière du soleil.

C'est la fin de l'été. Les journées sont chaudes, les nuits fraîches. Les premières feuilles tombent des arbres. Les petits du chat sauvage gris ont quitté la remise. Mais l'été ne s'est pas encore décidé à céder la place à l'automne.

— Tu t'envoles mais tu ne t'en vas pas, Ruben ? Pas sans moi ?

Ilka regarde son frère avec anxiété. Il est si fort. Et si intelligent. Il sait tout faire. Pas seulement peindre. Écrire et compter aussi. Même voler. Dans le fond, elle aurait dû s'en douter.

Et s'il la laissait seule ? S'il ne lui racontait plus d'histoires, s'il ne lui confiait plus de secrets et ne l'aimait plus ? Elle ne veut même pas y penser.

Il a l'air si triste, parfois… Quand il voit qu'elle s'en est aperçue, il fait apparaître comme par magie un sourire sur son visage. Abracadabra ! Mais ce n'est pas son vrai sourire. Il a quelque chose d'artificiel.

Les colombes que les magiciens sortent de leur hautde-forme sont-elles fausses, elles aussi ? À moins que ce ne soient de simples poules ressemblant à des colombes ? Ilka est déjà allée au cirque avec sa mère, son père et Ruben. Elle a vu un magicien présenter ses tours. Un silence absolu régnait sous le chapiteau. Puis tout le monde s'est mis à applaudir. Ilka aussi. Jusqu'à ce que les mains lui fassent mal.

Voilà que Ruben a de nouveau l'air triste à mourir. Alors qu'il était si gai, l'instant d'avant. Cette fois, il ne sourit pas. Peut-être a-t-il déjà déployé ses ailes invisibles...

— Ruben ?

Ilka se contente de chuchoter son nom. Elle n'ose pas le prononcer à voix haute. Ruben ne répond pas. Il reste assis là, à fixer la fenêtre. Mais il ne voit rien. Son regard traverse les choses.

Lentement, elle se lève et se dirige doucement vers la porte. Ruben ne le remarque pas. Elle descend l'escalier et quitte la maison. Le jardin est rempli de secrets. Il a toujours su la consoler. Elle y a aménagé quantité de nids, dont seul Ruben connaît l'existence. Y sont enfouies des pierres, des plumes d'oiseau et des pommes de pin. Elle déterre quelques pierres et prend le chemin de l'étang.

La plupart des pierres sont grises. Comme un ciel de pluie. Lorsqu'on les mouille, leurs couleurs se révèlent. Rouge et vert, bleu et blanc, noir et brun, parfois jaune. Chaque pierre est différente. Ilka ne les confondrait jamais.

Peut-être est-ce à cause de Ruben qu'elle aime tant les pierres. Parce qu'elles sont comme lui, ni drôles, ni tristes, juste belles.

— Il ne s'est pas envolé sans moi, dit Ilka. Il ne m'aurait jamais laissée seule.

— De qui parlez-vous ?

Elle avait oublié Lara. S'était évadée une nouvelle fois. À quel point s'était-elle trahie ?

Très peu apparemment, car Lara la regardait sans comprendre.

— De mon frère.

Elle ne pouvait pas continuer éternellement à dissimuler son existence… Mieux valait l'introduire prudemment dans la discussion. Tant qu'elle garderait le contrôle, il ne pourrait rien lui arriver.

7

Ruben travaillait dans son atelier. C'était une journée maussade à la lumière diffuse, mais cela ne le dérangeait pas. Il avait peint quelques-unes de ses meilleures toiles de nuit. Sous la lumière artificielle, les couleurs semblaient souvent plus vivantes. Sans compter qu'un éclairage brutal révélait sans ménagement des défauts qu'il pouvait retoucher dans la journée.

L'atelier se trouvait dans un bâtiment annexe à la maison. Ruben avait volontairement séparé l'endroit où il travaillait de celui où il vivait, même si les peintres n'avaient pour ainsi dire pas de vie privée. Il ne supportait pas qu'on jette un œil sur les tableaux en cours.

Judith s'appliquait à transformer son chaos en un lieu propre et ordonné. Il l'employait depuis deux ans. Elle faisait le ménage, le repassage, la cuisine, donnait une seconde jeunesse au jardin, assurait son secrétariat. Elle étudiait la littérature et la civilisation allemandes, l'histoire de l'art, et créait en outre des accessoires pour une petite boutique de la vieille ville. Ruben ignorait comment elle pouvait mener toutes ces activités de front.

C'était un modèle d'énergie, toujours de bonne humeur, même si sa vie privée avait des allures de montagnes russes. Elle attirait les mauvais hommes, restait avec eux quelques semaines avant d'en chercher un autre.

— Je finirai par trouver le bon, affirmait-elle quand Ruben abordait le sujet.

Elle en semblait fermement convaincue. Il le lisait dans ses yeux, pleins de confiance.

— Le bon ! Un mythe qui nous aveugle, jusqu'à ce qu'on se mette à y réfléchir, avait déclaré un jour Ruben.

— Attends un peu de tomber sur la bonne ! avait-elle répliqué en souriant, avant de se remettre au travail.

Ruben avait quitté la pièce, troublé. Il savait parfaitement que c'était tout sauf un mythe. Pourquoi se sentir obligé de recourir constamment au sarcasme ?

— Pour me protéger…, marmonnait-il à présent, en mélangeant de l'ocre sur sa palette.

Sa vie entière était un jeu de cache-cache. Il n'avait jamais pu afficher ses sentiments. Il avait toujours dû veiller à ne pas se montrer trop crédule, à ne pas boire avec excès car l'alcool déliait les langues.

Il n'y avait que dans ses tableaux qu'il racontait son histoire, soigneusement déguisée. Quantité de personnes s'étaient penchées sur son œuvre, des professeurs, des journalistes, des étudiants. Soupçonnant l'existence d'une muse, sans parvenir à trouver d'indice concret. S'ils pensaient reconnaître d'une toile à l'autre la jeune fille qu'il peignait encore et encore, s'ils se doutaient qu'il s'agissait d'un seul et même modèle, ils étaient incapables d'en avoir le cœur net. Cela l'amusait de les mener par le bout du nez, de leur jeter chaque fois une nouvelle pièce du puzzle et de constater qu'ils ne progressaient pas pour autant. Il savait qu'il jouait avec le feu, mais il était doué. Ils ne le démasqueraient jamais.

Judith apparut dans l'embrasure de la porte et lui tendit le courrier. Elle posa également un café près de lui, car elle savait qu'il oubliait de boire et de manger quand il peignait. Il arrivait qu'il travaille deux jours d'affilée sans avaler un morceau. Ensuite, on aurait dit qu'il revenait d'entre les morts, pâle, les joues creusées et l'air un peu fou.

Il but son café en parcourant le courrier. La revue *Art et Artisanat* lui consacrait un article. Elle lui avait envoyé une critique connue et crainte de tous, qui faisait la pluie et le beau temps depuis plus de vingt ans, et un photographe taciturne qui lui avaient volé toute une journée.

Le titre lui sauta littéralement au visage. *La jeune fille et le peintre.*

Ruben sentit son taux d'adrénaline monter de phrase en phrase. Cette journaliste l'avait dangereusement cerné. Elle avait jeté un regard derrière la façade. Il ne lui accorderait plus jamais d'interview.

Dans toutes ses toiles, elle ne voyait que la tentative désespérée de se libérer de la femme qu'il ne cessait de peindre. Elle tentait de la décrire, et à moins d'être aveugle, on pouvait reconnaître Ilka.

Une très jeune femme, presque une jeune fille encore. Quand bien même il la peint différemment chaque fois, on la reconnaît au second coup d'œil. Il a beau changer la couleur de ses cheveux et de ses yeux, déformer le corps et le visage ou les cacher sous des voiles et des tissus, il ne peut abuser l'observateur. Derrière tous ces artifices,

91

c'est une seule et même jeune fille qui nous regarde, et l'artiste est obsédé par elle.

Pourquoi s'être senti aussi sûr de lui, le jour de l'interview, pourquoi ne pas avoir remarqué son regard perçant ? Pourquoi ne pas s'être rendu compte du tour que prenaient ses questions ? Comment avait-elle pu pénétrer aussi loin dans ce qu'il dissimulait aux yeux du monde ?

Il jeta la revue au loin et projeta son mug contre le mur. Il arracha du chevalet la toile à laquelle il travaillait, balaya de la table tubes de peinture, esquisses, pinceaux, couteaux et crayons. Il courut jusqu'à la revue, la piétina, la ramassa et la réduisit en lambeaux.

Debout au milieu de ce chantier, la respiration haletante, il avait toujours envie de tordre le cou à cette femme. Il perçut un mouvement dans le jardin et tourna la tête. Il vit le visage de Judith à la fenêtre. Elle le fixait, effrayée.

*
* *

— J'avais pensé qu'on passerait la journée ensemble, dit Mike avec regret.

— Impossible, malheureusement. Une affaire de famille que je ne peux pas décommander.

Ilka tapait le sol de ses grosses bottes pour lutter contre le froid, les bras serrés autour du buste. Ses joues étaient rougies, son nez paraissait gelé.

Mike ressentait pour elle une tendresse presque douloureuse. Il l'attira contre lui pour la réchauffer. Embrassa précautionneusement son oreille. On aurait dit de la glace qui pouvait se briser à tout instant.

— Alors viens un peu chez moi, au moins, chuchota-t-il.

Ils avaient fait des courses ensemble, pas très longtemps car les magasins étaient bondés, l'ambiance trop frénétique, trop bruyante. Tous leurs achats avaient été rangés dans le sac à dos de Mike.

Ilka hocha la tête. À chacune de ses expirations, une vapeur blanche s'échappait de sa bouche. Mike lui passa le bras autour des épaules. Il aurait tout donné pour ne jamais la laisser s'éloigner, la sentir toujours contre lui. Personne ne lui ferait de mal tant qu'il pourrait l'éviter.

Ils avaient l'appartement rien que pour eux. Ce samedi-là, Merle était occupée à l'extérieur avec son groupe de protection des animaux, et Jette était partie au Moulin s'assurer que tout allait bien.

Donna et Julchen vinrent à leur rencontre en miaulant plaintivement. Mike ouvrit une boîte de pâtée et changea leur eau. Les deux chats vidèrent leur écuelle comme s'ils n'avaient rien avalé depuis des jours.

— Si Merle et son groupe ne les avaient pas libérés de leur laboratoire d'expérimentation, déclara Mike, ils ne seraient peut-être plus en vie aujourd'hui.

Il alluma la machine à espresso et posa des tasses sur la table. Puis il sortit d'une armoire un paquet d'étoiles à la cannelle, les biscuits préférés d'Ilka. Après Noël, ils étaient vendus à moitié prix et il en avait acheté toute une pile. Il sourit en voyant Ilka mordre dans la première étoile et fermer les yeux de plaisir.

— Viens par ici ! ordonna-t-elle en tendant les bras.

Son baiser avait le goût de la cannelle. Ses joues étaient brûlantes. Ses mains soulevèrent son pull et caressèrent sa peau. Mike embrassa son front, ses paupières, ses lèvres.

Il enfouit les mains dans ses cheveux. Murmura des mots insensés jusqu'à ce que le désir lui donne le vertige. Doucement, il l'emmena dans sa chambre, l'embrassa à nouveau.

Ils se déshabillèrent mutuellement, sans hâte. Se couchèrent et se glissèrent sous la couverture en laine. Mike retenait son souffle. Trop souvent, Ilka avait bondi hors du lit et s'était enfuie. Il ne voulait pas gâcher ce moment.

Elle était tellement belle...

— Ferme les yeux, chuchota-t-elle. S'il te plaît. Ferme-les.

Comme à chaque fois... Chaque fois !

Mais il pouvait aussi la voir avec les mains. Et c'est ce qu'il fit. Lentement, prudemment. Il tremblait d'excitation, avait du mal à respirer. Il tenta de le cacher, de ne pas l'effrayer avec son désir.

— Non ! S'il te plaît ! Pas ça !

Elle le repoussa, se mit à pleurer, colla son visage contre son cou. C'était elle à présent qui tremblait, mais pas d'excitation. Elle grelottait de la tête aux pieds et claquait des dents.

Mike remonta la couverture. Il prit Ilka dans ses bras, lui parla doucement jusqu'à ce qu'elle s'apaise, tout en regardant par la fenêtre. Dehors, il faisait gris et froid. Exactement comme au plus profond de lui-même.

*
* *

Mme Bergerhausen avait visiblement la situation en main. Les plantes débordaient de santé, les chats étaient bien nourris et tout étincelait de propreté. Le courrier était posé sur le chiffonnier dans le vestibule, les lettres soigneusement triées par taille. Je n'avais pas besoin de m'en occuper.

— Quand je suis en déplacement, avait déclaré ma mère, je suis en déplacement. Je ne vais pas m'infliger le stress d'être joignable partout et tout le temps. Alors, épargne-moi les lettres et les mails. Je n'ai pas envie d'être importunée.

Je jetai quand même un coup d'œil aux expéditeurs. On ne savait jamais. Il y avait peut-être quelque chose d'important dans le lot.

Edgar et Molly marchaient sur mes talons. L'absence de ma mère ravivait apparemment la peur de la séparation dont ils avaient souffert dès le début. Peut-être parce qu'on les avait séparés trop tôt de leur propre mère – ils n'avaient que six semaines à l'époque.

Je parcourus du regard le rez-de-chaussée qui m'apparut étranger, tant il était calme et ordonné. À travers les grandes baies vitrées du jardin d'hiver, je contemplai un paysage dépouillé à perte de vue. Il n'y a pas si longtemps, des fraises poussaient dans les champs. Et j'étais tombée amoureuse. Follement amoureuse[1].

Molly miaula. Je la soulevai et frottai ma joue contre sa fourrure soyeuse. Le monde s'était écroulé autour de moi et je me demandais quand je redeviendrais assez forte pour profiter de la vie.

— Tu as le beau rôle, dis-je doucement à Molly. Tu peux te réjouir d'être un chat.

Sans prévenir, sans même arrêter de ronronner, elle m'enfonça les griffes dans le cou. Je la lâchai et elle sauta

---

1. Voir *Le cueilleur de fraises*, dans la même collection.

de mes bras, la fourrure hérissée. Sa queue avait doublé de volume.

Molly n'avait jamais rien fait de tel. C'était le chat le plus doux du monde. Si elle ne rapportait pas régulièrement à la maison des souris et des rats morts, il ne nous serait pas venu à l'idée que ses pattes puissent être munies de griffes.

La douleur était cuisante. Je palpai mon cou. Il y avait du sang sur mes doigts. Je me rendis dans la salle de bains d'amis et m'observai dans le miroir. Les plaies n'étaient pas très profondes. Molly m'avait seulement égratignée. Mais pourquoi au juste ? Je tamponnai les blessures avec du papier toilette humide. Ce n'était pas grand-chose. Je n'aurais pas besoin d'un pansement.

Edgar et Molly avaient recommencé à me suivre partout où j'allais. Ils se frottaient à mes jambes en miaulant, mais évitaient ma main dès que je cherchais à les caresser. Leurs écuelles étaient pleines, ils ne pouvaient pas avoir faim. Mais qu'est-ce qu'il leur arrivait ?

— Imbéciles ! On vous laisse seuls un moment et vous en faites tout un drame.

Je décidai de ne plus me préoccuper d'eux et sortis sur la terrasse.

Les arbres dénudés, recouverts de givre, semblaient faire partie d'un décor de conte de fées. Perchée sur un poteau, une buse m'observait. La fumée sortant de la cheminée remplissait l'air d'une odeur piquante.

L'herbe emprisonnée par le gel crissait sous mes pas. Ses brins étaient aussi fragiles que du verre. Au loin, j'entendis le clocher du village sonner le glas. Encore un enterrement. Mais ce n'était pas quelqu'un que je connaissais. Pas cette fois.

Le froid me fit frissonner. Je rentrai et refermai la porte. Alors seulement, je me rendis compte qu'Edgar et Molly ne m'avaient pas suivie dehors. Étonnant, surtout après avoir passé tout l'après-midi enfermés à l'intérieur.

Ils m'accueillirent avec des miaulements réprobateurs. Lorsque je me dirigeai vers l'escalier, ils s'enroulèrent autour de mes jambes avec une telle frénésie qu'ils faillirent me faire tomber. Edgar donna un coup de patte à Molly et elle lui sauta dessus comme une furie.

Ils ne se conduisaient jamais comme ça. Quand ils se battaient, c'était pour jouer. Ils ne se faisaient pas mal. Et voilà qu'ils grognaient et s'acharnaient l'un sur l'autre en roulant dans l'escalier ! Je secouai la tête et continuai à monter les marches.

Le bureau de ma mère était couvert de feuilles, de livres ouverts, de lettres… Comme si elle venait de se lever pour aller chercher un café. Sauf qu'elle était en déplacement et qu'avant son départ, elle l'avait soigneusement rangé.

Je sentis un frisson parcourir ma nuque et restai plantée dans l'embrasure de la porte. Quelqu'un avait fouillé les étagères. La plupart des livres étaient tombés et s'entassaient pêle-mêle sur le sol.

Je reculai lentement et tendis l'oreille. Silence absolu. J'ôtai mes chaussures, traversai le palier et me faufilai dans la chambre, où ma mère gardait ses bijoux. Les portes de l'armoire étaient grandes ouvertes. Des serviettes et des sous-vêtements étaient éparpillés par terre. Les tiroirs de la commode avaient été sortis et retournés. Le coffret à bijoux avait disparu.

Les chats se glissèrent dans la pièce et firent le tour de ce chaos avec circonspection. Ils remuaient nerveusement la queue. Edgar, qui s'était avancé sur le palier, recula brusquement en feulant.

En bas, la porte d'entrée se referma bruyamment.

J'avais la gorge si serrée que je pouvais à peine respirer.

Pendant tout ce temps, il y avait eu quelqu'un dans la maison ! Du calme… Ce n'était pas le moment de perdre les pédales. L'intrus (y en avait-il plusieurs ?) venait de s'enfuir et j'étais probablement seule. Probablement.

Plus haut, sur le chemin de campagne, un moteur rugit. Des pneus crissèrent. Je n'avais remarqué aucune voiture en arrivant. Le téléphone ! Il fallait que je retourne dans le bureau. Mais étais-je vraiment seule ?

Je retins mon souffle et écoutai attentivement. Traversai prudemment le palier. Retins à nouveau mon souffle. Je ne m'autorisai à respirer que dans le bureau. Le téléphone se trouvait sur une ancienne table de machine à coudre. À côté était posé le carnet d'adresses de ma mère. Les deux numéros de Bert Melzig, privé et professionnel, étaient inscrits au stylo rouge. Je savais pourquoi… Et ma mère devait les connaître par cœur, à l'époque.

Il décrocha aussitôt. J'entendis à sa voix qu'il souriait.

— Jette ! Quelle charmante surprise !

— Je ne peux pas parler à voix haute. On s'est introduit chez ma mère, et je ne sais pas s'il y a encore quelqu'un dans la maison.

— Votre mère est-elle avec vous ou êtes-vous seule ?

— Je suis seule.

— Alors ne bougez pas ! Restez bien calme. Et n'ayez pas peur. Je suis là dans quelques minutes.

Je gardai le téléphone en main et m'accroupis dans un coin, entre le canapé et les étagères. J'avais mal au cœur et j'étais trempée de sueur. Les chats s'installèrent près de

98

moi, se mirent à ronronner et à me lécher les doigts. Le pire était passé. Je sentais que plus aucun danger ne me menaçait.

*
* *

Le commissaire principal Bert Melzig emprunta la route départementale, puis tourna dans le chemin conduisant à l'ancien moulin. Les souvenirs l'assaillirent. Le souvenir de longues nuits sans sommeil, tant les meurtres en série non résolus le hantaient. Le souvenir de Caro. De Jette. Et de sa mère qui lui était devenue très intime, sans s'en apercevoir.

Il avait été emporté par un tourbillon de sentiments. Il connaissait les environs comme sa poche. Tout remontait brusquement à la surface.

Des semaines durant, les journaux avaient plongé la population dans l'angoisse avec leurs articles à sensation sur le *Tueur aux colliers*. Son patron, sous pression, avait mené la vie dure à ses subordonnés. Et puis, Jette et Merle… Elles avaient mis des bâtons dans les roues à Bert et doublé, voire triplé sa charge de travail. Jette avait même failli payer de sa vie son inconscience.

Il s'était pris d'affection pour elle, une affection qui n'avait rien de professionnel, et elle lui avait fait si peur qu'il ne pourrait plus jamais se convaincre qu'il était un policier endurci.

En capturant le meurtrier, il avait naturellement perdu tout lien avec Imke Thalheim. Il avait commencé à lire ses livres, mais cela ne remplaçait pas les conversations, les regards, les contacts.

Troublé par des désirs qu'il ne voulait pas admettre, il avait tenté de s'occuper davantage de sa famille. Cette affaire l'avait changé. Elle avait aussi modifié sa vision des choses. Rien ne serait plus comme avant.

Et voilà qu'il montait à nouveau l'allée couverte de gravier menant au Moulin, qu'il apercevait le magnifique bâtiment ancien et la Renault déglinguée de Jette. Il se gara à côté, descendit de voiture et regarda attentivement autour de lui.

Rien ne semblait suspect. Nulle part il ne découvrit la moindre ombre, le moindre mouvement. Lentement, il s'approcha de la porte d'entrée. Alors qu'il ne lui restait plus qu'un pas à faire, elle s'ouvrit. Jette se tenait devant lui.

— Tout est rentré dans l'ordre, déclara-t-elle. Ils sont partis.

Elle avait encore maigri, son visage en pointe paraissait bien trop sérieux. Elle était très pâle. Rien de surprenant, avec ce qu'elle venait de vivre.

— Vous allez bien ? demanda-t-il, soucieux.

Elle hocha la tête et lui adressa un sourire si courageux, si confiant et spontané qu'il en fut profondément touché.

— Oui. Je suis apaisée.

Sa réponse était équivoque… Elle pouvait faire allusion au cambriolage, comme aux événements de l'été passé. Bert n'insista pas.

Ils parcoururent ensemble le rez-de-chaussée. Les voleurs ne visaient manifestement que l'argent liquide et les bijoux, car tous les tableaux étaient encore accrochés aux murs et ils n'avaient touché ni aux meubles de valeur, ni à l'argenterie.

Alors qu'ils auraient très bien pu faire voler en éclats la

porte donnant sur la terrasse sans être dérangés, compte tenu de l'isolement du Moulin, ils avaient choisi de passer par la fenêtre de la cave. Bert n'en comprenait pas la raison.

— Un chemin pédestre passe près du Moulin, lui expliqua Jette. Des promeneurs auraient pu surgir à n'importe quel moment.

Du verre brisé crissait sous leurs chaussures. Bert prenait des notes. Il sentit que Jette l'observait.

— Je ne savais pas si je pouvais vous appeler, ou si quelqu'un d'autre était chargé de...

— Vous pouvez m'appeler n'importe quand, l'interrompit-il. Vous le savez bien.

Jette hocha la tête. Elle attendit qu'il eût fini, puis le conduisit au premier étage. Elle évoluait dans la maison avec une telle assurance qu'on aurait pu croire qu'elle y habitait toujours. Mais Bert savait que c'était faux. Jette était une jeune femme indépendante. Elle n'avait pas pour vocation de demeurer la fille de sa célèbre mère. Elle donnerait l'exemple à toutes les Paris Hilton de la terre, Bert en était persuadé. Le jour où elle surmonterait l'horreur de l'été passé.

— Le bureau, indiqua-t-elle en s'arrêtant sur le seuil.

Une belle pièce... Voilà donc où Imke Thalheim écrivait ses romans. Où elle passait la majeure partie de son temps. Il lui semblait que ses pensées étaient encore palpables.

Bert regarda autour de lui et nota ses observations. Il resta un moment devant la fenêtre. Le gel semblait faire crépiter l'air. Aussi loin que le regard portait, les terres étaient emprisonnées de blanc. Au beau milieu de nulle part, une buse immobile se dressait sur un piquet, telle une sculpture de glace sombre.

Tout était si différent, l'été dernier. Cet été de plomb

qui n'en finissait pas. Des moutons broutaient l'herbe des pâturages. Bert avait entendu leurs bêlements et le murmure du ruisseau. Ce n'était pas si loin… Ses rêves avaient déployé leurs ailes, s'étaient élevés dans le ciel avant de connaître une chute douloureuse.

Il avait cru un moment que c'était possible. Imke et lui. Il avait même préparé des mots pour Margot et les enfants. Des explications. Des formules d'adieu. Il avait balayé tous ses scrupules et souffert comme un chien.

Avait-il réellement été prêt à quitter sa famille ?

Il avait trop d'imagination, voilà son problème. En souriant, il se tourna vers Jette qui était appuyée contre le montant de la porte, les bras croisés devant la poitrine, les épaules projetées en avant, comme si elle avait froid.

— C'est réglé, déclara-t-il. Allons inspecter les autres pièces.

La chambre d'Imke Thalheim était telle qu'il l'avait imaginée. Meublée avec élégance et sobriété. Il y avait des livres jusque dans cette pièce, mais peu. Bert lut quelques titres. Aucun polar.

Même le désordre causé par les voleurs ne troublait pas la quiétude des lieux. Bert considéra les serviettes et les sous-vêtements éparpillés sur le sol avec un sentiment de honte, comme s'il n'avait pas le droit de les regarder.

Je suis policier, se dit-il. *Ça fait partie de mon boulot.*

Mais Jette semblait sentir elle aussi qu'il y avait atteinte à la vie privée de sa mère. Hâtivement, elle rassembla quelques sous-vêtements et les fourra dans l'armoire.

— Ma mère va tout laver, je le sais. Pas seulement ce qui traîne par terre. La pensée qu'un parfait inconnu ait fouillé dans ses affaires est vraiment écœurante.

Bert n'objecta pas que les femmes aussi commettaient

des cambriolages. Pénétrer par la violence dans la sphère intime d'une autre personne était toujours répugnant, quel que soit le sexe de l'intrus.

— Auriez-vous envie d'un café ? s'enquit Jette. Je pourrais nous en préparer un rapidement.

Elle semblait s'être ressaisie. Un soupçon de couleur était réapparu sur ses joues et elle avait retrouvé une partie de sa vivacité.

— Avec plaisir.

Bert rangea son carnet dans la poche de son veston et suivit Jette dans la cuisine. Les chats étaient allongés non-chalamment dans le vestibule. Bert les enviait. Pour l'insou-ciance avec laquelle ils passaient leurs journées, et parce qu'ils avaient le droit de partager la vie d'une femme telle qu'Imke Thalheim.

— Vous préférez peut-être un espresso ?

La voix de Jette tira Bert de ses pensées.

— Un café, c'est parfait.

Même par une journée aussi sombre, le Moulin ne parais-sait pas lugubre. Il en émanait une gaieté indépendante de la lumière du soleil. Elle était présente partout, dans chaque pièce, dans le moindre recoin. Les carreaux noirs et blancs du sol de la cuisine évoquaient à Bert des vacances en Italie. La douceur des soirées sur les terrasses de petites pensions. Des mots chuchotés. Le scintillement du vin rouge. Le chant des cigales. Et des nuits où Margot et lui semblaient seuls au monde. Tout cela était bien loin…

— Allez-vous informer votre mère sur-le-champ ?

Jette posa deux tasses de café fumantes sur la table et s'assit près de lui.

— Je ne crois pas, sourit-elle. Elle risque d'interrompre sa tournée de lecture et d'être de retour demain pour s'occuper de tout. J'ai déjà eu le plus grand mal à la faire partir d'ici !

— À vous entendre, elle n'aime pas beaucoup être en déplacement.

C'était bon de parler d'Imke Thalheim… Comme s'il était proche d'elle, par les paroles au moins.

— Elle a facilement le mal du pays. Et elle se fait du souci pour moi. Elle s'en est toujours fait, mais depuis… depuis ce jour-là, elle ne me quitte plus des yeux. Je sais bien qu'elle cherche à me protéger, mais je ne suis plus une enfant. Elle ne veut pas le comprendre.

Oh que si ! pensa Bert. *Bien au contraire. Elle l'a compris.*

— Et Merle et vous ? Comment allez-vous ?

— On a loué la chambre de Caro. À un mec vraiment sympa, Mike. On s'est dit qu'il valait mieux vivre avec quelqu'un qui ne nous fasse pas penser à elle.

Bert approuva de la tête. Voilà peut-être la meilleure thérapie, accueillir dans l'appartement quelqu'un qui fasse souffler un vent nouveau, qui insuffle une énergie positive. Prendre un nouveau départ.

Il s'adossa à sa chaise et écouta Jette lui parler de Merle et de Mike, comme s'il était un vieil ami et non un fonctionnaire de police. Dans ses yeux, il vit faire surface ce qui ressemblait à de la joie de vivre. Ou de l'envie de vivre. À moins qu'elle ne soit simplement curieuse de ce que la vie lui réservait ? Quoi qu'il en soit, il souhaitait de tout cœur que cela l'aide à se retaper.

*
* *

Ilka ne prenait pas le train par plaisir, elle n'aimait pas beaucoup les gares. L'atmosphère des halls était bruyante et irrespirable. Les gens couraient dans tous les sens. Des S.D.F. étaient assis avec leurs chiens sur des couvertures sales. Les tables des snacks étaient collantes et usées.

Sur les quais, le vent vous sifflait aux oreilles et les annonces précédées de leur petit air monotone se télescopaient. En hiver, presque tous les trains avaient du retard et on attendait, debout sous la lumière blafarde des grosses lampes, épouvantablement seul, les pieds glacés.

Ilka avait emporté un livre pour se distraire et s'empêcher de réfléchir. Le voyage jusqu'à Domberg durait deux heures et dix minutes, plus de temps qu'il n'en fallait pour ruminer. Dans ces conditions, rien de tel qu'un polar palpitant.

Elle avait réservé dans une voiture de seconde classe. Une place isolée côté fenêtre qui lui éviterait de surprendre des discussions et de faire la conversation à son voisin.

Il lui en coûtait de faire ces trajets. Elle aurait aimé que Mike l'accompagne. Mais il aurait fallu le mettre dans la confidence, et c'était bien trop tôt. Elle ne savait absolument pas comment il réagirait. S'il poserait des questions, s'il creuserait davantage… Que ferait-il ensuite ? Une fois qu'il connaîtrait toute la vérité ?

Ilka reposa le livre sur ses genoux et regarda par la fenêtre. Elle aimait l'hiver. Les champs plongés dans un profond sommeil. Les corneilles, oiseaux de mort se prosternant devant les ombres, marchaient avec raideur sur la terre gelée. Des nuées de moineaux s'étaient rassemblées sur les lignes à haute tension, et Ilka ne put s'empêcher de penser à Hitchcock.

Elle observa les autres voyageurs. Certains lisaient, d'autres dormaient d'un sommeil superficiel et agité dont ils émergeaient toutes les deux ou trois minutes. Un vieil homme ronflait doucement, la tête renversée, la bouche grande ouverte. Un peu plus loin, deux femmes discutaient. Quelque part derrière elle, des voix d'enfants lui parvenaient étouffées, comme si on leur avait ordonné de se tenir tranquilles.

Ilka bâilla. Le chauffage l'engourdissait agréablement. S'abandonnant à la fatigue, elle ferma les yeux et les bruits de fond se firent de plus en plus lointains.

Elle pousse Volker dans la cuisine. Sa mère est assise devant une tasse de thé, un livre à la main. Elle a l'air étonnée. Un sourire passe sur son visage étroit. Ilka ne ramène jamais d'amis à la maison. C'est la première fois ; pourtant, elle est déjà au CE2.

— On peut avoir du jus de fruits, maman ?

— Tu as oublié où se trouvait le frigo ? rit sa mère.

Elle se lève et tend la main à Volker.

— Et tu es ?

— L'ami d'Ilka, dit Volker.

C'est vrai. C'est son ami. Ils sont assis côte à côte en classe, et Volker l'a déjà protégée plusieurs fois. Tout à l'heure encore, en rentrant de l'école, lorsqu'un chien est sorti en courant d'un jardin, Volker s'est interposé et l'a chassé.

— C'est gentil d'être venu, sourit la mère d'Ilka. Ça vous dirait, un morceau de gâteau ?

— Quel genre de gâteau ? demande Volker.

— Aux cerises, répond Ilka. Superbon, même s'il est au blé complet.

Volker n'a jamais rien mangé de tel. Il n'a pas de chien non plus. Sa famille habite un immeuble de dix-sept étages. Les animaux y sont interdits. On n'a pas le droit de parler et de rire dans la cage d'escalier. Ni de jouer sur la pelouse qui entoure le bâtiment. Mais il y a un terrain de jeux, un peu plus loin.

Ilka y a déjà accompagné Volker. C'est très chouette. Il faut juste faire attention à ne pas marcher dans les crottes de chien. Et à ne pas se laisser entraîner dans une dispute avec les autres enfants. Ils ont le coup de poing facile, d'après Volker.

Volker hoche la tête et la mère d'Ilka sort le gâteau du cellier. Ils n'ont pas de cellier, chez Volker. Ilka le voit à ses yeux étonnés. Volker n'a même pas de chambre à lui. Il la partage avec ses deux frères.

Il engloutit sa part de gâteau, tout en détaillant leur grande cuisine. Ilka fait de même. Ses parents doivent être riches… Elle ne l'avait jamais remarqué avant.

Volker va-t-il lui en vouloir à cause de cette maison ? Du jardin immense et son pavillon ? Comment va-t-il réagir en découvrant le bois, l'étang et les canards ? Va-t-il lui envier les chats et le chien ?

Le chien est couché dehors, devant la porte de la cuisine. Il attend Ruben. Son petit monde n'est en ordre que quand toute la famille est réunie.

Ruben… Ilka espère qu'il sera en retard. Ça lui arrive souvent. Elle aimerait garder Volker pour elle un moment encore, tout lui montrer. Mais sans le rendre jaloux. Elle n'a jamais eu d'ami, garçon ou fille. Elle ne sait pas pourquoi, au fond. Ça ne s'est pas fait.

Le chien les accompagne dans le jardin, puis à travers le bois. Sa fourrure prend des reflets roux sous le soleil. Il se retourne régulièrement pour les regarder de ses yeux couleur de miel.

— Il a peut-être des liens de parenté avec un renard, déclare Volker.

Ilka lui révèle alors qu'il s'appelle justement *Fuchs*, « Renard ». Volker hoche la tête, comme s'il s'y attendait.

Sans hésiter, elle l'emmène dans la petite clairière, son endroit préféré (mis à part le grenier, qui doit rester un secret). Volker regarde autour de lui avec étonnement. Elle voit combien les lieux lui plaisent.

Ils ramassent des pommes de pin et les mettent en sécurité, évitant en riant Fuchs qui voudrait mordre dedans. Les rayons du soleil font briller les cheveux de Volker et chauffent le visage d'Ilka. Ils restent un moment dans la clairière, puis se promènent dans le bois baigné d'une lumière verte. Leurs rires et leurs cris s'envolent jusqu'à la cime des arbres.

Jusqu'à ce que Fuchs détale en aboyant et s'enfonce dans le sous-bois. Alors, Ilka sait que Ruben est de retour. Elle resserre les pans de son blouson. L'air semble plus frais, brusquement.

Fuchs revient au bout d'un moment et se met à bondir gaiement. Voilà que Ruben se tient devant eux et fixe Volker. Ilka voit Volker se tasser. Il ne parvient pas à soutenir son regard. Ruben est bien plus âgé, il va déjà au lycée.

— Ton petit ami ? demande Ruben.

Cette simple phrase suffit à faire tressaillir Volker. Ilka prend sa main. Elle adresse un regard sombre à son frère, puis lui tourne le dos.

— Il peut être vraiment bête, des fois, dit-elle à Volker.

Volker lui sourit. Mais quelque chose entre eux s'est terni, elle le sent.

Ika se réveilla en sursaut. Rien n'avait changé autour d'elle, personne n'était monté ou descendu. Elle regarda sa montre. Un quart d'heure seulement s'était écoulé. Elle chassa les vestiges de son rêve et se pencha sur son livre.

Au bout de deux minutes à peine, elle était absorbée dans sa lecture. Elle ne referma son roman que lorsque Domberg fut annoncé.

Place de la gare, elle prit le bus n° 8. Partant du centre-ville, il quittait l'agglomération et traversait la zone industrielle. Ilka vit défiler des maisons de banlieue, des lotissements récents et un centre commercial. Elle mordillait sa lèvre inférieure. Dès qu'elle s'asseyait dans ce bus, sa nervosité montait d'un cran.

Les vitres étaient sales et embuées par le souffle des passagers. Cela rendait le monde extérieur presque irréel. *Un petit sursis en attendant qu'il me rattrape*, songea Ilka. Elle s'adossa à son siège pour profiter du trajet et se concentrer.

Elle descendit à l'avant-dernier arrêt, remit son sac à dos et remonta son écharpe sur son nez. Il faisait si froid que les feuilles des arbustes s'étaient enroulées sur elles-mêmes. Ilka se rappelait que l'année précédente, une pluie verglaçante avait recouvert les arbres d'une fine couche de glace. Elle avait cassé une branche, qui s'était brisée avec un tintement sonore. Elle l'entendait encore.

Elle accéléra le pas. Traîner ne servait qu'à repousser l'inquiétude, la peur et le malaise. Elle se mit à transpirer. Son écharpe, détrempée par son haleine, prit l'odeur forte de la laine humide. Ilka la dénoua et releva la tête.

Le bâtiment qui se dressait devant elle lui était familier. Pourtant, il l'effraya, comme chaque fois. Elle considéra la brique hollandaise rouge, les cadres de fenêtre blancs et les squelettes de hauts feuillus encadrant l'édifice, comme pour le protéger. Durant deux, trois secondes, elle ferma les yeux.

Chacun a son destin, pensa-t-elle. *Et ceci est le mien*. Elle inspira profondément et entra.

8

Évidemment, Imke avait senti que quelque chose ne tournait pas rond. Quand sa fille tentait de lui cacher la vérité, elle pesait ses mots, même ses inflexions changeaient. Enfant déjà, elle était incapable de mentir.

— Qu'est-ce qui se passe, Jette ?

— Comment ça ?

— Tu tournes autour du pot. Tu crois que je n'ai rien remarqué ?

Alors, Jette lui avait parlé du cambriolage. Imke avait senti un frisson lui parcourir le dos. Depuis des semaines, elle se faisait du souci pour sa fille. Depuis des semaines, elle s'efforçait de se raisonner. Impossible que Jette se retrouve en danger plusieurs fois en l'espace de quelques mois. Pourtant, c'est justement ce qu'il s'était produit.

— Tu n'as vraiment rien ?

— Non, maman, vraiment. N'en profite pas pour interrompre ta tournée. Tout est sous contrôle.

— Dieu soit loué !

— Le commissaire a inspecté les lieux. Mme Berger-

110

hausen est venue et m'a aidée à remettre de l'ordre. Le vitrier doit passer demain, et Tilo a décidé d'emménager au Moulin pour éviter une nouvelle effraction.

— Qu'il se montre prudent, surtout !

— Tu peux en être sûre. Donc, tu vois : aucune raison de paniquer.

Imke s'apaisa peu à peu. Il n'était rien arrivé à Jette. Elle avait fait preuve de courage et s'était occupée de tout. Elle reprenait apparemment du poil de la bête. Pourvu qu'elle sorte enfin de sa mauvaise passe…

L'argent liquide emporté par les cambrioleurs ? Imke s'en consolerait aisément. Les bijoux, par ailleurs assurés, n'étaient pas irremplaçables. Cela aurait pu être pire.

— Et tu crois vraiment que les chats t'ont mise en garde ?

— Ils se sont donné beaucoup de mal, en tout cas. Je dois être complètement insensible, sinon j'aurais tout de suite compris ce qu'ils cherchaient à me dire.

Oh non ! pensa Imke. *Tu es tout sauf ça. T'avoir pour fille est le plus grand miracle de ma vie.*

Elles parlèrent encore un moment, puis Imke enfila son manteau et quitta l'hôtel. Elle avait besoin de prendre l'air, sans quoi elle passerait à côté de sa lecture. L'entrée était payante ce soir-là, son public méritait un auteur qui ne soit pas distrait.

De la neige fondue tombait, recouvrant en un clin d'œil les trottoirs d'une pellicule de glace. Il faisait si sombre qu'on aurait pu croire que c'était déjà la nuit. Les lampadaires éclairaient le ciel plombé d'une lueur jaunâtre. Les phares des voitures perçaient le voile neigeux. La circulation s'était ralentie et la rue à quatre voies que longeait Imke en devenait presque silencieuse.

Elle tenait son parapluie en se demandant pour la énième fois ce qu'elle fabriquait dans cette ville dont elle aurait oublié le nom dans deux jours. Elle faisait la lecture à de parfaits étrangers pendant que sa fille, restée à la maison, se trouvait en danger de mort.

Tu dramatises… N'exagère pas ! lui intima une petite voix aux accents étrangement proches de ceux de Tilo. *Jette est une jeune femme, maintenant. Tu n'as plus le devoir de la protéger. Sois là quand elle t'appelle. C'est suffisant.*

Était-ce réellement suffisant ? Imke était accablée par sa mauvaise conscience. Si elle n'avait pas été constamment en déplacement, elle aurait eu davantage de temps pour sa fille. Elle aurait pu, elle aurait dû mieux la préparer à la vie.

Elle aurait pu… aurait dû… Cela n'avait aucun sens de ruminer tout ça, Tilo le lui répétait assez. Jette était pour lui la fille idéale, un modèle de réussite. Et Imke lui donnait raison. Parfois, elle se hasardait même à penser que sa fille était plus apte à la vie qu'elle-même.

Elle avait atterri dans un endroit parfaitement déprimant. À vingt mètres de l'hôtel à peine, s'ouvraient les portes d'un autre monde. Le crépi s'écaillait. Des encombrants s'entassaient sur les balcons. Certaines fenêtres des étages inférieurs étaient cassées, parfois rafistolées à l'aide de planches clouées.

Son hôtel avait un nom qui sonnait bien, mais il était laissé à l'abandon. On s'en apercevait au premier regard, et l'enseigne au néon vert ornant sa façade n'y changeait rien. L'*Excelsior* ne possédait même pas de restaurant. Pour une simple tasse de thé, il fallait sortir.

Imke passa devant un magasin de fripes qui avait fermé. Elle vit une serrurerie et une boutique de retouches. En vitrine, une veste en cuir jaune moutarde exposée sur un mannequin. Pas un café à la ronde. Elle aurait dû s'en douter.

Elle s'apprêtait à tourner les talons lorsqu'elle aperçut un panneau annonçant *Brocante*. Les meubles anciens la fascinaient et elle décida de parcourir encore quelques mètres.

Le choc la heurta de plein fouet. Au beau milieu de la devanture, un cheval blanc empaillé était retourné sur le dos, les quatre membres étrangement écartés, comme tordus, ses yeux noirs grands ouverts. Pour une raison obscure et totalement perverse, on avait disposé sur son ventre un service à moka, en renversant la cafetière et deux des six tasses.

Imke sentit son estomac se révulser. Elle se détourna et s'enfuit sur le trottoir glissant. Elle y voyait un mauvais présage. Elle ne voulait pas y croire, mais une partie d'elle-même était persuadée que ce pauvre cheval exhibé sans vergogne était porteur d'un message. Un message qui lui était adressé.

*
* *

— Regardez, madame Helmbach ! Vous avez de la visite.

Ilka détestait être annoncée de cette manière. Elle préférait se faufiler par la porte d'entrée et devant l'accueil, retrouver sa mère naturellement, en toute tranquillité. En tant que fille, pas comme visiteuse.

Anne Helmbach, indiquait une étiquette à gauche de la porte. Chaque fois qu'Ilka lisait le nom familier, son cœur battait plus fort et elle éprouvait aussitôt l'envie de faire demi-tour, de remonter dans le bus et de s'en aller loin, très loin.

Sa mère lui souriait. Un sourire vague, imprécis. Destiné à tout le monde et à personne en particulier, prêt à disparaître à tout instant. Rien n'indiquait qu'elle la reconnaissait. C'était le plus terrible pour Ilka : plonger dans les yeux de sa mère et n'y trouver que le vide.

— Laissez-moi prendre votre veste, proposa Mme Hubschmidt.

C'était une femme robuste ayant autour de quarante-cinq ans, les cheveux teints en noir, crêpés et striés de mèches vert fluo. Son maquillage était outrancier, ses lèvres et ses ongles d'un bleu argenté. Elle portait une minijupe noire moulante et un pull vert kiwi très court, dévoilant son ventre et ses hanches enrobés de graisse. Ses doigts étaient chargés de bagues et un large collier en argent, en forme de serpent, pendait à son cou.

Elle avait une voix forte et enrouée. Une odeur de tabac couvrait en partie les notes d'un parfum piquant. Ilka la craignait, au début, mais elle avait appris à l'apprécier. Mme Hubschmidt travaillait dans cet établissement depuis longtemps, sans baisser les bras. Avec l'aide des proches ou seule, au besoin, elle se battait du matin jusqu'au soir pour obtenir des malades l'ombre d'un souvenir, le moindre signe de perception du monde extérieur.

Et elle s'occupait tout particulièrement d'Anne Helmbach.

Peu lui importait que les docteurs perdent leur latin devant son cas. Infirmière, elle avait de l'expérience en matière de rapports avec les patients et posait ses propres diagnostics.

— C'est un nouveau gilet, précisa-t-elle. Votre mère le porte pour la première fois. Il lui va bien, non ?

Elle sourit à Ilka et quitta la chambre sans attendre de réponse.

— Bonjour, maman, dit Ilka en s'asseyant près de sa mère.

Anne Helmbach souriait toujours. Ses mains reposaient sur la table, immobiles. Des mains à la peau claire et aux phalanges fines qui ne connaissaient plus le travail. Les ongles, courts, étaient coupés avec sévérité alors qu'elle en avait toujours pris grand soin, les limant et les vernissant. Ils faisaient sa fierté.

— Ce gilet te va vraiment bien, déclara Ilka en observant le visage de sa mère, marqué par une multitude de ridules.

Anne Helmbach vieillissait à une vitesse alarmante. Sa peau était devenue terne et sèche, ses lèvres se fendillaient. Un baume était posé sur son chevet, mais elle devait oublier de l'utiliser.

Ilka caressa tendrement de l'index la main de sa mère. Anne Helmbach pencha légèrement la tête de côté, mais cela signifiait seulement qu'elle appréciait le contact.

— Mike vient d'emménager dans un appartement, poursuivit Ilka. Il habite avec deux filles très sympas, Merle et Jette. Elles ont deux chats, Donna et Julchen, qui ont été libérés d'un laboratoire d'expérimentation. Merle fait partie d'un groupe de protection des animaux, tu comprends ?

Anne Helmbach regardait Ilka sans la voir. Son sourire s'était effacé, ne laissant qu'une légère ombre sur son visage. Ilka se demandait si elle l'écoutait réellement ou si elle se contentait de tendre l'oreille au son de sa voix. Les médecins lui avaient assez souvent expliqué que le sens des mots ne l'atteignait pas...

— Je serais bien venue avec Mike, mais j'ai pensé que

c'était encore trop tôt. Tu feras peut-être sa connaissance plus tard.

Ilka sentit sa gorge se nouer. Elle déglutit.

— Tu vas bien l'aimer, j'en suis sûre. Et lui aussi.

Elle posa la main sur le bras de sa mère. La douceur de la laine lui apporta un certain réconfort. Sous le tricot, on sentait les os. Sa mère était devenue maigre, elle qui bougeait si peu. Ses poignets étaient aussi étroits que ceux d'un enfant. Ses mains étaient belles encore. Elles ressemblaient à celles de Ruben, longues et fines, les doigts bien droits.

Anne Helmbach ferma les yeux et renversa la tête. Elle plissait le front. Dans le passé, elle avait toujours cette expression quand elle écoutait de la musique. Comme si quelque chose la faisait souffrir.

Peut-être écoutait-elle justement de la musique. Dans sa tête. Comment savoir tout ce que pouvait renfermer le crâne d'un être humain ? De la musique, des images, des mots et des sentiments. De la joie. De la peur. De l'espoir aussi ? De la nostalgie ? Sa mère avait-elle encore des attentes ?

Ilka prit son sac à dos sur ses genoux et l'ouvrit. Elle en sortit une tablette de chocolat amer, le préféré de sa mère. Elle reposa son sac sous la table, déchira le papier d'argent et détacha une barre. Anne Helmbach reconnut le bruit. Elle ouvrit les yeux, regarda le chocolat, puis Ilka. Elle prit la barre et croqua dedans.

Elle avait exclu la réalité de sa vie.

Depuis l'accident. Du jour au lendemain, elle s'était tue. N'avait plus prononcé un seul mot. Médecins et psychothérapeutes l'avaient prise en charge. Ils n'avaient cessé de l'examiner, de la soumettre à de nouveaux tests. Anne Helmbach n'avait réagi à rien.

On avait fini par l'admettre dans ce centre où l'on

s'occupait d'elle, où on la soignait tout en essayant de la ramener à la vie réelle. Mais cela avait-il un sens ? Le réel… L'irréel… N'existait-il pas des univers intermédiaires ? Où sa mère se trouvait-elle exactement ?

— Tu n'aurais pas envie d'en goûter une autre sorte ? demanda Ilka. Aux noisettes, aux éclats d'amande ? Ou alors des truffes ? Ils font même du chocolat de Noël à l'anis et à la cannelle.

Certaines personnes étaient sorties de ce genre de torpeur. Ilka espérait que sa mère se réveillerait un jour. Même si elle devait attendre dix ans. Sa voix, son rire, son réconfort lui manquaient.

On ne pouvait plus voir que son enveloppe. Impossible de deviner ce qui se cachait dessous. Ilka se demandait parfois si cette enveloppe n'était pas vide. Si ce qui avait constitué sa mère ne s'était pas usé, n'avait pas disparu depuis longtemps.

Anne Helmbach mangea son chocolat lentement et posément. Puis elle joignit les mains sur ses genoux et regarda par la fenêtre. Sa chambre, au rez-de-chaussée, donnait sur un parc. Au printemps, les rhododendrons s'épanouissaient, puis c'était au tour des roses et des dahlias de fleurir jusqu'en hiver. Il y avait aussi un grand étang couvert de nénuphars, où nageaient des poissons rouges.

Tante Marei et oncle Knut avaient choisi l'établissement. La prise en charge était onéreuse mais les parents d'Ilka étaient aisés. Son père n'avait pas laissé sa mère dans le besoin. Peut-être Ruben participait-il lui aussi.

Ils ne parlaient jamais de lui. Son nom n'était jamais évoqué. C'était une règle tacite, que tous respectaient. Les jumeaux semblaient ne plus se souvenir de lui, tant il avait disparu de leur vie de façon définitive.

Pourtant, Ruben était toujours là. Quoi que fasse Ilka, son nom flottait sans cesse dans l'air. La nuit, des rêves le ramenaient. Bien qu'elle se soit détachée de lui, elle continuait de vivre avec sa présence.

Elle croisa le regard pâle de sa mère. Soudain, Ilka s'aperçut qu'elle était incapable de se rappeler la couleur de ses yeux.

Elle en fut horrifiée. Pourtant, elle n'avait pas oublié celle des yeux de son père… Ils étaient bruns, très sombres, presque noirs. Comme ses cheveux et sa barbe.

Elle se souvenait très précisément d'autres choses. Par exemple, que sa mère avait toujours porté les cheveux très courts. Ils lui arrivaient aux épaules, à présent. Elle les nouait le plus souvent sur la nuque. Ils avaient perdu tout éclat. Comme s'il avait disparu avec sa joie de vivre.

— Tante Marei, oncle Knut et les jumeaux te disent bonjour. Tante Marei viendra bientôt te rendre visite.

Anne Helmbach se frotta le visage. Le signe qu'elle était épuisée. Elle fatiguait très vite. Les veines saillaient sur le dos de ses mains. Ilka serait bien allée faire un tour dans le jardin, mais sa mère se remettait à peine d'un gros rhume. Il fallait qu'elle se ménage.

— On fera une promenade la prochaine fois, d'accord ? Les perce-neige sortiront peut-être de terre.

Son père manquait-il à sa mère ? Rêvait-elle, comme Ilka, que sa mort n'était qu'une terrible erreur et qu'il les attendait quelque part, vivant ? Ruben, qu'elle n'avait pas vu depuis des années, lui manquait-il ?

Ilka enfila sa veste et enroula son écharpe autour de son cou. Sa mère la regardait faire en souriant. Sourire lui donnait peut-être un sentiment de sécurité, qui pouvait le savoir ?

— Prends bien soin de toi, maman.

Ilka se pencha et prit sa mère dans ses bras. Anne Helmbach n'eut aucune réaction. Ilka aurait tout aussi bien pu embrasser une poupée.

— Je t'aime, chuchota-t-elle.

Elle quitta rapidement la chambre, sans se retourner. Passa devant l'accueil et franchit la porte d'entrée sans qu'on la remarque. C'était mieux ainsi. Personne ne devait voir ses larmes.

*
* *

Ruben parcourut lentement les pièces en regardant autour de lui. L'architecte avait accompli des merveilles. Elle avait même engagé toute une équipe de nettoyage. Il ne restait plus qu'à emménager. Tout respirait le propre. Tout avait l'air neuf. C'était pourtant une vieille bâtisse. Une maison chargée d'histoires… Et prête pour une nouvelle histoire. Celle d'un grand amour, un amour sans fin.

L'espace d'un instant, le soleil perça à travers les nuages. Ses rayons se prirent dans les riches ornements des fenêtres Art nouveau et dessinèrent un motif coloré sur le parquet de la salle de séjour. La cuisine, elle, était à l'ombre. Il devait y faire merveilleusement frais en été. Le matin, le soleil éclairait la cuisine, puis il faisait le tour de la maison vers midi et réchauffait la salle de séjour jusqu'au soir.

Au premier étage se trouvaient deux chambres et une pièce que Ruben voulait utiliser comme bureau, dans un premier temps. Ilka devait les aménager à son goût. Quand elle serait prête.

Ruben n'avait pas l'intention de toucher aux combles,

puis il avait pensé que trop de temps s'était écoulé pour se vautrer dans la sentimentalité. Ilka et lui étaient maintenant adultes. Ils devaient se retrouver autrement. Il les avait donc fait transformer en atelier.

Il se campa au milieu de la pièce et s'imprégna de son atmosphère. À travers la large baie vitrée, il voyait le ciel et le vert des sapins. Rien d'autre à perte de vue. Ici, il pourrait peindre. Rien ne le distrairait, rien ne le dérangerait.

À part Ilka. Elle pourrait venir le voir chaque fois que l'envie l'en prendrait. Au fond, elle passerait le plus clair de son temps dans cette pièce. Il ne ferait que la peindre, encore et encore. Il avait des années à rattraper.

Il caressa le bois lisse des placards blancs, suffisamment vastes pour accueillir ses toiles, jeta un dernier regard par la fenêtre et sortit. Les doigts lui démangeaient de se mettre enfin au travail, mais il faudrait qu'il patiente encore un peu.

La cave lui apparut froide et déplaisante. Il faudrait y remédier par le choix des meubles. Les barreaux aux fenêtres le dégoûtaient, même s'il s'agissait de barres en fer forgé réalisées avec goût par un artisan. Ornées de motifs Art nouveau, elles figuraient principalement des fleurs, le soleil et la lune, mais Ruben n'arrivait pas à s'y faire. Il aurait préféré pouvoir y renoncer.

Aucun bruit ne parvenait de l'extérieur, aucun n'en sortait. Il avait pu le vérifier, la cave était sûre. Mais quelqu'un comme Ilka pourrait-il s'y plaire ? Quelqu'un qui aimait le soleil et la lumière ? Qui ne supportait pas d'être enfermé ?

— Ruben ! J'étouffe !

Ils sont en visite chez leur oncle Tom. Le frère de leur père gère une importante exploitation agricole dans le nord du pays. Ruben l'a baptisée « la case de l'oncle Tom ». Mais contrairement au roman, oncle Tom dirige un véritable régiment. Il traite mal ses employés et les paye une misère. C'est en tout cas ce qu'affirment les habitants du village.

Ils ont deux cousins et une cousine. Ruben ne peut pas les supporter. Ellie est stupide, Til et Heiner sont des sadiques. Ils torturent les animaux et s'en vantent. Leur propre chien s'enfuit la queue entre les jambes quand il les aperçoit.

Leur famille possède un vaste domaine avec quantité de bâtiments et d'écuries. Et des tas d'endroits merveilleux où jouer. Ils feraient presque oublier à Ruben qu'il déteste Til et Heiner.

Cette fois, c'est Ilka qui a choisi leur cachette, le recoin sombre d'une stalle. Un peu de paille est répandu par terre, un seau traîne non loin. À côté, une pelle à ordures sale est appuyée contre le mur.

Ilka referme doucement la porte et s'accroupit. Elle tient la main devant sa bouche pour que sa respiration ne la trahisse pas. Ruben s'assoit près d'elle. Il sent le corps d'Ilka tout contre le sien. Ses cheveux caressent sa joue.

Dehors, les voix d'Ellie, Til et Heiner se rapprochent et s'éloignent. Ils crient et chuchotent. Ilka pouffe de temps en temps. Mais c'est un rire fragile et nerveux, qui peut rapidement se muer en peur véritable.

Le jeu dure longtemps. Ils ont trouvé une bonne cachette. Et puis, les voix se rapprochent à nouveau. Elles deviennent murmures, tournent autour d'eux. Ilka retient son souffle. Ruben s'attend à ce que la porte s'ouvre violemment, à ce que retentisse le cri triomphant :

— On vous tient !

Au lieu de cela, la clé restée à l'extérieur tourne dans la serrure. Un rire sournois, puis le bruit de pas qui s'éloignent rapidement.

Ruben bondit en avant et secoue la poignée. Il crie. Menace. Pousse des jurons. Puis il retourne à tâtons près d'Ilka.

— Ruben ! J'étouffe !

Il entend sa respiration bruyante et précipitée. La prend dans ses bras. Caresse son dos. Lui chuchote des paroles apaisantes. Embrasse ses tempes, ses joues, son menton. Jusqu'à ce qu'elle se détende. Cesse de pleurer. Puisse à nouveau respirer normalement.

Ils restent ainsi, le temps que les autres en aient assez de ce petit jeu. La porte s'ouvre et la lumière entre. Ruben aide Ilka à se relever. Il fait tomber la poussière de son pantalon. Et fixe ses cousins avec un regard qui les pousse à prendre le large.

Pour le moment, cela lui est égal. Il sait qu'il les retrouvera.

N'était-il pas parvenu à la calmer ? Sa présence, sa voix, son contact… Il n'en avait pas fallu plus pour faire taire sa panique. Il recommencerait, si nécessaire. Il veillerait sur elle, la protégerait. Personne ne lui ferait de mal.

Naturellement, il préférerait qu'Ilka vienne de son plein gré. Mais on n'avait pas fait les choses à moitié. Elle avait subi un lavage de cerveau. On l'avait montée contre lui.

Que lui avait-on raconté ? Que leur amour était interdit ? Malsain ? Contre nature ? Ils n'avaient aucune idée de la passion véritable. Ils nourrissaient des relations médiocres, vivaient des aventures misérables, étaient coincés dans des unions viciées, réglementaient leurs sentiments en signant un contrat.

Un mariage sur trois se concluait par un divorce. Et ils en étaient fiers ? Ils continuaient à se fier aveuglément à un système rouillé qui transformait leurs sentiments en poison ?

Ils avaient également inventé un nom pour ce qui le liait à Ilka. *Inceste*. Ruben avait parfois l'impression qu'il portait ce mot gravé sur le front au fer rouge. Comme la marque de Caïn. *Inceste*. Pour que tout le monde puisse lui cracher dessus et lui jeter des pierres.

Ruben monta l'escalier. Sa colère grandissait à chaque marche. Il claqua la porte de la cave, si fort qu'elle se rouvrit. Puis il sortit dans le jardin pour se reprendre.

Une vieille brouette, à moitié rongée par la rouille, était posée contre la clôture. Il la souleva et la projeta de toutes ses forces. Surtout, ne pas perdre le contrôle. Plus jamais. Il se l'était promis. S'il perdait le contrôle, il pouvait tout perdre.

*
* *

Elle se tenait devant lui, petite, pâle et tremblante. Mike ouvrit grand la porte. Ilka entra, lui passa les bras autour de la taille et laissa tomber sa tête sur son épaule. Il la serra contre lui et embrassa ses cheveux. Ils sentaient l'hiver, le froid et la fumée. Comme si elle avait traversé un feu de feuilles mortes.

Il ne savait toujours pas où elle était passée, ni ce qui l'abattait à ce point. Il savait seulement qu'elle lui était revenue, et il aurait pu pleurer de gratitude.

— Vous voulez prendre racine, tous les deux ?

Merle brandissait un mug fumant dans leur direction. Le parfum du thé à la menthe emplissait l'entrée.

— Sans compter qu'il y a un sacré courant d'air, et que les voisins vont encore se réjouir d'assister à un spectacle défendu. Vous allez fermer cette porte, oui ou non !

Sa voix avait rompu le charme. Ilka sortit lentement de son engourdissement. Un sourire hésitant apparut sur son visage. Elle donna sa veste à Mike et laissa Merle l'entraîner dans une cuisine surchauffée.

— Salut, Ilka, fit Jette en lui mettant une cuillère dans la main. Goûte-moi ça. Il manque quelque chose à cette sauce.

Mike sortait de la vaisselle de l'armoire. Il mit la table sans quitter Ilka des yeux. Elle se déplaçait comme une somnambule. Avec *qui* était-elle ? Que lui avait-on fait ?

Il se posait ces questions depuis qu'il connaissait Ilka. Il lui prenait parfois l'envie d'exiger la vérité, de taper du poing sur la table. Mais bien sûr, il savait qu'Ilka se tairait. Alors, il se retenait. Restait patient. Attendait.

— C'est chouette que tu sois arrivée à temps pour le dîner, déclara Jette une fois qu'ils furent tous à table. Journée stressante ?

Ilka enroulait frénétiquement des spaghettis autour de sa fourchette.

— Le principal, c'est qu'elle soit là, intervint Merle.

Quel sens de la rupture, songea Mike.

— Ça vous dirait, une petite partie de Doko après le repas ? poursuivit Merle.

Leur nouvelle marotte… Ils jouaient souvent une bonne moitié de la nuit. Et le lendemain, ils se traînaient toute la journée au lycée.

— Et comment ! lança Mike. Je vais vous écraser !

— Frimeur ! répliqua Jette en lui donnant une bourrade. Ilka ?

Ilka hocha la tête. Cela faisait une éternité qu'elle tournait sa fourchette dans son assiette. Elle leva les yeux.

— Merci. Vous êtes si gentils avec moi...

Une demi-heure plus tard, Mike ouvrait la partie. On n'entendait que le bourdonnement du réfrigérateur et le léger bruit des cartes tombant sur la table. C'est dans ce silence qu'Ilka déclara :

— J'étais avec ma mère.

Tous présumaient que ses deux parents avaient trouvé la mort dans un accident de la route. À présent, aucun d'eux ne savait comment réagir.

Merle fixait les cartes dans sa main. Mike fixait Ilka. Jette fut la première à se ressaisir.

— Avec ta mère ? Il faudra que tu nous parles d'elle, un jour.

Ils se remirent à jouer. Ilka se détendit. Ses joues reprenaient des couleurs, ses yeux brillaient. Elle sourit à Mike qui lui rendit son sourire.

Mais ses pensées l'entraînaient ailleurs. La mère d'Ilka était vivante. Pourquoi lui avoir laissé entendre qu'elle était morte ?

9

Assis dans son bureau, Bert tentait de se concentrer. Depuis qu'il était retourné au Moulin, qu'il avait parlé avec Jette, tout ce qu'il avait si péniblement lissé se soulevait à nouveau en lui. Les événements de l'époque l'avaient davantage secoué qu'il ne voulait se l'avouer.

Imke Thalheim… Il avait ressenti sa présence dans chaque pièce. À présent, il se demandait s'il fallait voir un sens profond au fait que le destin les réunisse une fois encore.

Il se secoua, s'efforça de se remettre au travail. L'effraction chez Imke Thalheim était le douzième cambriolage dans la région. Tous ces vols avaient-ils un lien ? Bert et ses collègues n'en avaient pas encore acquis la certitude. Aucune signature commune à toutes ces affaires.

Le patron avait ordonné qu'on tienne à l'œil les saisonniers de l'année passée. Il jugeait concevable qu'ils aient étudié durant leur séjour les maisons des villages voisins, pour frapper ensuite ou faire intervenir d'autres individus. Au cours de cette réunion, il avait fait appel aux statistiques, jonglé avec les chiffres, et beaucoup l'avaient approuvé de la tête.

Bert avait une dent contre les solutions de facilité. S'en prendre aux minorités demandait toujours moins d'effort. Cela le mettait hors de lui que le dernier meurtre sur lequel il avait enquêté ait, une nouvelle fois, confirmé les préjugés habituels.

Présentez aux bourgeois repus l'image de leur ennemi, et ils se montreront satisfaits, pensa-t-il. N'était-ce pas toujours le cas ? Dès qu'il était établi que le fauteur de troubles ne se trouvait pas dans leurs rangs, le soulagement se répandait comme une traînée de poudre.

Il regarda sa montre. Midi et demi. L'heure du déjeuner et d'une petite pause bien méritée. Mais il n'avait aucune envie de la prendre avec ses collègues. Et puis, les repas servis à la cantine commençaient à lui taper sur le système. En réalité, le train-train quotidien lui posait problème. Il était persuadé que la force de l'habitude avait des répercussions sur la structure de la pensée.

— Vous croyez sérieusement qu'on se met dans l'impossibilité de trouver le coupable en mangeant tous les jours du ragoût ? lui avait demandé le patron, la veille encore.

Bert détestait qu'on aplatisse sa réflexion. Le patron avait tendance à simplifier. Il était passé maître dans l'art de balayer du revers de la main les objections gênantes. Bert l'imaginait très bien en shérif dans un saloon enfumé.

Mais ils n'étaient pas au Far West, et Bert avait répondu :
— En gros, oui.

Pourquoi continuer à argumenter ? Il arrivait toujours un moment où le patron faisait la sourde oreille.

— Dans ce cas, nous devrions nommer une commission spéciale qui révolutionne les menus de la cantine !

Et le patron avait souri largement pour cacher son irritation. Les subordonnés qui réfléchissaient à leur condition étaient sa bête noire.

Mais Bert ne se laissait pas impressionner. Lors de leur dernier accrochage, le patron lui avait enfoncé l'index dans le ventre en aboyant :

— Si je voulais travailler avec des penseurs, je m'adresserais à la faculté de philosophie !

Bert s'était habitué depuis longtemps à son caractère soupe au lait. Il laissait passer les accès de colère comme autant d'orages. Il savait qu'on pouvait discuter avec lui, tant qu'on n'ébranlait pas ses principes. Il en allait de même avec beaucoup de ses collègues. Dans ce boulot, on avait besoin d'un sol stable sous les pieds. Les idéalistes tombaient très vite de leur nuage.

Bert enfila son manteau, descendit au rez-de-chaussée avec l'ascenseur et sortit du bâtiment. Remontant son col, il se mit à flâner dans la zone piétonne. Entouré d'inconnus, il se sentit aussitôt beaucoup mieux. Il allait pouvoir donner libre cours à ses pensées, sans devoir constamment s'expliquer ou se justifier.

Il avait besoin d'un peu d'air frais avant de se rasseoir à son bureau. De recul aussi. Le dossier des cambriolages était traité par un collègue. Dans ces conditions, pourquoi s'en préoccuper ? Évidemment, il savait parfaitement pourquoi, et il accéléra le pas comme s'il pouvait fuir la vérité.

*
* *

Elle avait passé la nuit avec Mike et rentrait chez elle. Il était tôt, les rues étaient encore privées de toute animation. Même les oiseaux se taisaient.

De temps en temps, une auto la dépassait, une fenêtre allumée trouait l'obscurité ici et là.

Ilka aimait cette atmosphère précédant le jour. Même si elle la plongeait parfois dans une tristesse qui la laissait au bord des larmes. Il y avait dans sa vie une foule de contradictions qu'elle ne pouvait pas s'expliquer.

Le fleuriste était apparemment le premier à être livré. Un camion, feux clignotant et rampe de chargement sortie, stationnait devant la boutique, dans la zone piétonne. Un jeune homme chargeait un chariot élévateur, une cigarette à moitié consumée entre les lèvres.

Ilka le salua et il lui répondit avec étonnement. Elle aurait bien discuté avec lui et regardé les palettes chargées de plantes. Elle aurait aussi aimé acheter une fougère, ou un hibiscus orange… Mais le temps qu'elle réfléchisse, elle avait laissé passer l'occasion.

Quatre sacs rebondis, garnis de petits pains, étaient posés devant l'entrée de l'hôtel *Au Soleil*. Ilka descendit de son vélo et regarda autour d'elle. Personne. Elle attrapa une pièce de cinquante cents dans la poche de sa veste, la posa sur une marche de l'escalier, prit un petit pain et mordit dedans.

Incroyablement frais, il craqua sous ses dents. Ilka soupira de bien-être. Elle s'éloigna lentement, achevant le petit pain avec un plaisir un peu terni par sa mauvaise conscience.

Après la dernière bouchée, elle se frotta le menton pour en faire tomber les miettes et remonta son écharpe sur son nez. Le froid était glacial. Le vent lui cinglait le visage et la faisait pleurer.

Soudain, elle entendit une voiture derrière elle. La lumière des phares projetait son ombre sur la chaussée. Ilka tourna à droite, mais l'auto ne la dépassa pas. Elle continua de la suivre lentement, tout le long de la rue principale.

Elle commençait à se sentir mal à l'aise. Elle freina et descendit de vélo pour obliger le conducteur à passer devant.

Pendant qu'il la doublait, elle tenta de regarder à l'intérieur, mais les vitres étaient teintées et elle ne vit que son reflet.

— Idiote, va ! marmonna-t-elle avant de remonter sur sa bicyclette.

La Mercedes poursuivait lentement sa route. Le conducteur n'était visiblement pas pressé. À moins qu'il n'ait du mal à s'orienter. Un coup d'œil à la plaque d'immatriculation indiqua à Ilka qu'il n'était pas de la région. Peut-être un représentant qui se rendait à son premier rendez-vous de la journée ? Les feux arrière s'éloignèrent et l'obscurité finit par les engloutir.

Ilka eut un sourire plein de tendresse en repensant à Mike qu'elle avait laissé endormi. Ses cheveux en bataille, son visage doux et détendu… Il était allongé sur le dos, la tête tournée sur le côté, les bras le long du corps. Les bébés dormaient ainsi, totalement abandonnés.

Elle tourna à l'angle de la rue. Elle serait bientôt chez elle, et parviendrait peut-être à se faufiler dans sa chambre avant que tante Marei ne se réveille. Impossible de lui expliquer pourquoi il fallait qu'elle se relève et quitte Mike au petit matin. Pourquoi elle ne pouvait pas simplement se retourner et se rendormir. Elle-même ne le comprenait pas.

Les maisons familières se dressaient devant elle, paisibles. La nuit étendait toujours son voile noir sur les toits.

Le plus grand calme régnait. Les autos garées au bord du trottoir formaient une longue rangée immobile.

Brusquement, et sans aucune raison, le cœur d'Ilka se mit à battre la chamade. Elle jeta son vélo sur la bande de gravier, chercha son trousseau avec des doigts tremblants et introduisit fébrilement sa clé dans la serrure.

Elle se glissa à l'intérieur, claqua la porte derrière elle et s'y adossa. Son front était trempé de sueur et elle avait du mal à respirer. *Doucement*, pensa-t-elle. *Tu n'as aucune raison d'avoir peur. Il n'y a rien dehors. Personne ne te menace.* Pourtant, un reste de panique demeurait ancré en elle, aussi solidement qu'un noyau dans un fruit.

*
* *

Comme sa terreur devait être grande ! Elle avait laissé tomber son vélo sans précaution et s'était précipitée à l'intérieur. Mais de quoi avait-elle peur ? De quoi, ou de qui ?

Impossible qu'elle l'ait repéré. Il s'était montré trop prudent. À l'exception de cet incident, lorsqu'elle avait cherché à jeter un coup d'œil dans la voiture. Bien entendu, elle n'avait rien pu distinguer. Les vitres étaient fumées. Mais avec un éclairage différent, les événements auraient pu mal tourner. Cette pensée avait causé un choc à Ruben.

Il ne supportait pas de voir Ilka dans cet état. Il actionna le verrouillage centralisé des portières et serra le volant. Il ne devait descendre à aucun prix. S'il descendait, il déboulerait dans cette maison qu'il avait en horreur, de l'autre côté de la rue, et il l'enlèverait.

Il imaginait déjà leur réaction… Tante Marei en chemise de nuit, oncle Knut en pyjama et ces imbéciles de jumeaux agrippés l'un à l'autre, les yeux agrandis par l'effroi. Une vision délectable.

Il donnerait un coup à oncle Knut. Un seul. Cela suffirait à anéantir cette mauviette. Il se contenterait de pousser tante Marei. Elle avait un grand clapet, mais le courage d'une souris. Il élèverait un peu la voix et les jumeaux disparaîtraient docilement dans leur chambre. Personne n'avait de tripes, dans cette famille.

Puis il emmènerait Ilka… Il se représentait régulièrement la scène. Il se voyait la sauvant, tel le chevalier noir. L'emportant sur sa monture. Dans son armure étincelante. Mais le quotidien n'autorisait pas les rêves. Il les rabaissait au ras du sol.

Ruben vit la lumière s'allumer dans sa chambre, son ombre se dessiner à la fenêtre. Elle regardait dehors. Avait-elle remarqué quelque chose ? Impossible. Il s'était garé au bout de la rue.

Elle avait dû être avertie par son instinct. Ilka n'était pas un de ces moutons qui couraient les rues. Capable de flairer les atmosphères comme personne, elle lui donnait l'impression de venir d'une autre planète. Elle savait souvent ce qu'il pensait avant qu'il ne le dise tout haut. Ils étaient si proches…

Et le voilà condamné à observer, assis dans son auto, mélancolique, son ombre allant et venant dans sa chambre. Il attendit qu'elle éteigne. Puis il démarra et fit marche arrière, dans le silence et l'obscurité.

Il allait mettre les bouchées doubles. Chaque jour sans Ilka était un jour perdu. Il s'était fait la promesse de ne pas en gâcher un de plus que nécessaire.

En manque de lecture, j'étais partie à la librairie far-fouiller tranquillement dans les caisses d'exemplaires soldés. J'avais bien un accès illimité à la bibliothèque de maman, mais mon rapport au livre était assez décomplexé. Quand j'en avais fini avec un bouquin, il avait des taches de café, de miel et de flan, les coins cornés et des pages déchirées. Impossible d'infliger ça à ma mère !

Elle traitait les livres comme des objets sacrés. Je ne l'avais jamais vue bouquiner allongée dans une baignoire, vautrée dans un fauteuil ou penchée sur une table, sans maquillage, les mains enfouies dans les cheveux. Ma mère lisait comme elle écrivait – avec ordre et discipline.

J'avais toujours été une grosse lectrice et je m'intéressais à tout ce qui me tombait sous la main. En cas d'urgence, la lettre de la paroisse ou le magazine distribué gratuite-ment par ma boulangerie faisait l'affaire. Depuis un moment, je me passionnais pour les biographies. J'exa-minais justement celle de John Lennon lorsqu'on me tapa sur l'épaule.

— Qu'est-ce que tu dirais d'une part de tarte ? Je t'invite.

Mike me souriait d'un air radieux, comme s'il ne m'avait pas vue depuis une éternité, alors qu'on avait petit-déjeuné ensemble le matin même.

— Si tu me donnes quelques minutes.

J'avais évalué mentalement l'état de mes finances et décidé d'acheter la biographie, même si elle coûtait une petite fortune.

Mike jeta un coup d'œil à la couverture.

— J'ai différentes choses sur Lennon à la maison. Je peux te les prêter, si tu veux.

Il remarqua mon hésitation.

— Mes livres ont l'habitude qu'on leur fasse des misères. Quelques défauts de plus ou de moins, ça ne fera pas une grande différence.

Un peu plus tard, nous étions assis dans l'Antik, un salon de thé dont on pouvait acheter tous les meubles, la vaisselle et les tableaux accrochés aux murs. Mike buvait un café au lait, moi un chocolat. Nous nous étions aussi accordé une part de tarte aux pommes maison.

Mike avait des cernes sous les yeux. Pourtant, ce n'était pas le genre à faire les quatre cents coups. Il menait une vie plutôt tranquille.

— Tu es sûr que ça va ? lui demandai-je.

— Comment ça ?

Il se passa la main dans les cheveux et se redressa. Comme pour mieux affronter notre conversation.

— Tu as des cernes sous les yeux.

Je ne pouvais pas me retenir de dire la vérité ! Sale manie… J'aurais pu me gifler !

Soulagé, il s'affaissa de nouveau sur sa chaise.

— J'ai mal dormi, expliqua-t-il. Ce doit être la pleine lune.

— Parce que les hommes aussi en souffrent ?

— Dis donc ! Les troubles du sommeil ne sont pas l'exclusivité des femmes.

Il sourit et je me dis que c'était une chance pour Merle et moi de l'avoir trouvé. Ilka et lui nous faisaient du bien depuis qu'ils étaient entrés dans nos vies. Notre appartement paraissait plus lumineux, les chats plus équilibrés, et j'avais même le sentiment que nos plantes étaient plus robustes.

— Ilka aussi a mal dormi ?

— Aucune idée ! répliqua Mike en donnant des coups de fourchette dans sa part de tarte, comme s'il voulait l'achever. Elle a l'habitude de remballer ses affaires et de partir au petit matin.

Merle et moi, nous nous étions souvent étonnées qu'Ilka ne prenne jamais son petit déjeuner avec nous. Mais nous avions évité d'en faire la remarque.

— Elle va et vient à sa guise. Je sais que je ne suis pas d'un naturel très spontané, mais quand je m'endors avec elle, je m'attends à la trouver près de moi à mon réveil… Je crois que ce n'est pas trop demander !

— Tu lui en as déjà parlé ?

— Cent fois. Un millier de fois. Ça ne sert à rien. Elle me demande pardon, elle se met à pleurer, je la prends dans mes bras et rien ne change.

— Et elle ne t'a pas révélé pourquoi elle s'en allait comme ça ?

— Elle dit qu'elle ne le sait pas elle-même.

À mon grand étonnement, Mike sortit un paquet de cigarettes de la poche de son pantalon. Je ne l'avais jamais vu fumer. Son pouce glissa plusieurs fois sur l'inscription *Fumer tue*, puis il prit une cigarette et l'alluma. Il toussa et plissa les yeux.

— Ilka a des problèmes. Elle y fait allusion de temps en temps. Il s'est passé quelque chose dans son enfance. Quelque chose qui l'a déséquilibrée. Et elle continue à le ressasser.

Il tira sur sa cigarette et souffla de côté. La femme assise à la table voisine le fusilla du regard. Mike ne le remarqua pas. Le nuage de fumée dessinait autour de sa tête une auréole d'une propreté douteuse.

— Sa mère, que je supposais morte, déborde apparemment de santé. Ne me demande pas où elle vit et pourquoi Ilka n'est pas avec elle. Ça fait partie des secrets qui l'entourent.

Les mots se bousculaient hors de sa bouche. Il s'était tu assez longtemps.

— Elle suit une thérapie, mais j'ignore pourquoi. Elle a rendez-vous tous les vendredis. Elle ne m'en parle jamais, elle ne me laisse pas l'aider. Je veux dire, je ne sais même pas si je peux l'aider. Mais j'aimerais bien essayer, tu comprends ? Je l'aime, moi, putain, merde !

La femme installée près de nous, twin-set vieux rose, brushing soigneux et maquillage discret, secoua la tête d'un air réprobateur. Mike avait élevé la voix et elle devait faire partie de ces gens qui contrôlaient tout dans leur vie ; leur apparence, leurs sentiments et le moindre de leurs mots. Elle était entourée d'une aura glaciale.

Mike écrasa nerveusement sa cigarette.

— Et maintenant, j'ai l'impression d'être une sorte de traître, conclut-il d'un air abattu.

— Arrête de dire des bêtises ! Les amis sont là pour qu'on leur confie ses soucis, non ? Il y a des choses qu'on ne peut pas trimballer éternellement. Sinon, on se rend malade.

— Je ne saurais pas l'expliquer, mais je sens qu'Ilka est en danger, poursuivit-il d'une voix si basse que j'eus du mal à le comprendre.

— Quoi ?

Il ne m'avait pas entendue et fixait le cendrier, comme s'il pouvait lire l'avenir dans les cendres.

— Il y a un truc qui cloche. Seulement, je ne sais pas ce que c'est.

— Mike, tu ne crois pas que tu te fais des idées ?

Il leva la tête et me regarda. Puis il afficha un large sourire, comme pour s'alléger d'un poids.

— Ce n'est pas tout, ajouta-t-il avec amertume. On n'a encore jamais couché ensemble, Ilka et moi.

Il fit signe à la serveuse et sortit quelques billets froissés de sa poche. Je restai assise, essayant de digérer ce qu'il venait de m'avouer. Il passa un bras autour de mes épaules et me serra contre lui.

— Tu veux me faire plaisir, Jette ? Oublie ce que je viens de te raconter. Efface-le de ta mémoire.

La serveuse s'approchait. Il paya et redevint instantanément le Mike enjoué que je connaissais. Je décidai d'exaucer son souhait, mais le danger qu'il avait évoqué me perturbait plus que je ne voulais me l'avouer.

10

Imke quitta l'autoroute. Si elle s'écoutait, elle se rendrait directement à Bröhl, mais sa fille n'appréciait pas ce genre de surprise et se sentirait sûrement surprotégée.

Pourquoi les rapports avec son propre enfant étaient-ils si compliqués ? Elle revoyait encore Jette, enfant, se précipiter à sa rencontre, rayonnante, alors qu'elle ne s'était absentée qu'une heure. Il lui semblait que c'était hier… Elle se rendit compte que ses yeux se mouillaient.

L'âge qui commençait à se faire sentir ? Dans les dernières années de sa vie, son père pleurait à la moindre occasion. Sans en éprouver de honte. Les larmes coulaient silencieusement sur ses joues et il lui arrivait de ne pas les essuyer. Elle ne l'en avait que plus aimé.

En apercevant le village, Imke baissa sa vitre pour sentir l'air frais sur son visage. Elle était à la maison. Dans moins de dix minutes, elle serait assise dans le jardin d'hiver avec un café et regarderait par la baie vitrée. Elle serait de nouveau à sa place. Enfin.

Elle en avait assez de tous ces endroits étrangers. Assez

des chambres d'hôtel, de l'air conditionné et des moquettes. Elle pouvait très bien se passer des buffets de petit déjeuner. Des repas solitaires dans les restaurants et les auberges.

Même dans la lumière grise de janvier, une lueur semblait émaner du Moulin. Plus rien ne rappelait les murs délabrés dont Imke était tombée amoureuse au premier regard. Elle avait considéré que c'était son devoir de redonner tout son lustre à cette demeure blessée.

Edgar et Molly vinrent à sa rencontre lorsqu'elle descendit de voiture. Imke s'accroupit pour les caresser. Si elle leur avait manqué, ils n'en laissaient rien paraître. Il arrivait qu'ils la boudent après un voyage, comme si elle les avait déçus, mais cela ne durait jamais longtemps.

Imke prit son sac dans le coffre et se tourna vers la maison. C'est alors qu'elle le vit. Tilo… Appuyé à l'embrasure de la porte, il lui souriait. Elle aurait voulu laisser tomber son sac et courir vers lui.

Mais elle se maîtrisa. Toujours cette foutue éducation. *Ne montre jamais à un homme combien tu le désires.* Était-ce sa mère qui le lui avait enseigné ? L'époque à laquelle elle avait grandi ? *Fais-toi rare, on t'aimera d'autant plus.* Balivernes ! Imke se dirigea lentement vers Tilo. Elle se réjouissait tant de le retrouver que c'en était douloureux.

Il s'écarta de l'encadrement et ouvrit les bras. Alors, Imke lâcha son sac, se précipita à sa rencontre et lui jeta les bras autour du cou. Tilo la serra. Embrassa ses cheveux, ses tempes, trouva sa bouche. Un soupçon d'after-shave flottait sur sa peau. Elle le lui avait offert. Un geste loin d'être désintéressé : elle était folle de ce parfum.

Elle observa son visage fatigué. Il devait encore s'être surmené. Imke connaissait et respectait la valeur qu'il attachait à son travail. Tilo se sacrifiait pour ses patients, mais quand les circonstances l'exigeaient, il était là pour elle. Pour elle et pour Jette. Il l'avait prouvé plus d'une fois.

Il avait préparé le repas. Une poêlée de riz. Elle en fut touchée, car ce n'était pas un grand cuisinier. Tout en mangeant, Imke fit le récit détaillé de sa tournée et Tilo l'écouta. Elle savoura son attention et son intérêt, se fit plaindre et remarqua le bien que cela lui faisait. Cet homme était un don du ciel. Pour un peu, elle en aurait pleuré.

*
* *

Debout devant son chevalet, Ruben peignait. Le téléphone avait sonné plusieurs fois mais il n'avait pas décroché. En plein travail, il excluait le monde extérieur de ses pensées, se concentrait totalement sur sa toile, n'était plus que mouvement, forme et couleur.

Beaucoup de grands peintres avaient travaillé de la sorte, pris de frénésie, hantés, soumis à une tension proche de l'ivresse qui leur faisait oublier la faim et la soif. Et, très rarement, accéder au bonheur. Des Chagall, des Picasso, des Münter et des Gauguin, il y en avait toujours. On ne les rencontrait pas dans les bars ou les cafés d'artistes. Les nouveaux Kahlo, Modersohn-Becker, Van Gogh et Dalí, il fallait les chercher. Chacun d'eux était possédé à sa façon. Chacun d'eux se tenait à l'écart. Comme Ruben.

Il peignait de nouveau Ilka. À travers chaque tableau, il tentait de la ramener dans sa conscience, sa maison, sa vie. Et il lui apparaissait de plus en plus qu'il n'y parviendrait pas. Il lui arrivait de peindre ses cheveux et, brusquement, de ne plus savoir comment ils brillaient. Il lui semblait qu'il oubliait les nuances de sa peau.

Poussé par la déception et la colère, il avait déjà dévasté son atelier à plusieurs reprises. Avant de s'effondrer, sans pouvoir se relever. La dernière fois que Judith l'avait trouvé dans cet état misérable, elle l'avait conduit avec douceur dans le salon, fait allonger sur le canapé et recouvert d'une couverture en laine. Puis elle avait approché un fauteuil et s'était assise à côté de lui.

Elle l'avait regardé paisiblement pendant un moment, avant de prendre un livre sur l'étagère. Ruben avait écouté le bruit des pages qui se tournaient. Ses paupières s'étaient alourdies et il s'était endormi.

Judith avait veillé sur son sommeil. Elle l'avait protégé du monde extérieur, avait fait les courses, cuisiné et pris les repas avec lui. Elle devait le considérer comme l'homme le plus seul au monde. Et c'est ce qu'il était. Solitaire. Isolé.

Non, vraiment, il n'arrivait pas à peindre. Il jeta sa palette et son pinceau sur la table et se frotta le visage. Il n'était pas dans de bonnes dispositions. Judith passait le week-end en famille. Il était resté seul trop longtemps.

La solitude pouvait prendre des allures de torture. Elle pouvait sans doute vous tuer, si elle se prolongeait. Peut-être devenait-on d'abord comme Anne Helmbach, peut-être troquait-on la solitude de son domicile contre la solitude d'un hospice, avant de perdre peu à peu le contrôle. Jusqu'à ce que la solitude vous ensevelisse totalement.

Il devait avaler un morceau, même s'il n'avait pas faim. Il traversa lentement le jardin. Judith n'arriverait qu'en fin d'après-midi, après ses cours à l'université. Elle aurait peut-être envie de cuisiner, de manger avec lui ? Cela lui faisait du bien de l'écouter parler. Il appréciait sa compagnie et aimait l'observer.

Chaque pas lui coûtait. Toutes ses articulations étaient douloureuses. Voilà ce qu'on devait ressentir quand on était vieux... Ruben ne comprenait pas que la plupart des gens aspirent à vivre le plus longtemps possible. Lui n'avait pas l'intention d'assister à la dégradation de son corps et de son esprit.

Dans la cuisine, il se prépara une tartine beurrée et un thé noir. Il emporta sa tasse et son assiette dans la salle à manger et s'installa à la longue table. Il y avait assez de place pour douze personnes et Ruben s'y sentit perdu.

Les fleurs dans le vase penchaient la tête. Il aurait fallu les changer. Mais c'était trop lui demander. Quand il peignait, il renonçait à tout, y compris au sommeil. Sa surexcitation avait des répercussions positives sur ses tableaux. Elle leur conférait une intensité stupéfiante.

Son corps, en revanche, se montrait vulnérable. Ruben se sentait malade, vidé. Ses yeux étaient irrités, ses lèvres sèches. Il mourait d'envie de retrouver son lit, en sachant bien qu'il ne pourrait pas dormir.

Sa tartine n'avait aucun goût mais il la finit quand même. Il n'avait pas le droit d'affaiblir son corps. Il devait rester en bonne santé pour accomplir son grand projet. Il passa mentalement en revue les jours à venir. Les meubles des pièces du bas seraient livrés, à commencer par ceux de la cuisine.

Ruben avait déniché de jolies choses pour les pièces du haut. Une bibliothèque ancienne pour la salle de séjour, une commode rustique pour la salle à manger, un grand lit au style sobre. Il avait déjà passé une nuit dans la maison. Au départ, il ne comptait pas dormir dans le nouveau lit avant sa première nuit avec Ilka, mais l'idée de se sentir plus proche d'elle avait eu raison de lui.

Il avait tout essayé pour l'oublier. Paradé sur le devant de la scène, écumé les soirées, ramené des filles chez lui. De temps à autre, il s'était même laissé entraîner dans une histoire d'amour. On ne pouvait pas dire qu'il n'intéressait pas les femmes, au contraire. Elles s'offraient à lui. Mais elles étaient toujours trop, ou pas assez. Pas assez de sens de l'humour. Trop de vanité. Un rire trop fort.

Souvent, c'était un simple problème d'équilibre. Une femme pouvait être très attirante mais ne pas distinguer l'essentiel du superficiel. Intelligente mais ne présenter aucune sensibilité artistique. *Je pourrais fermer les yeux sur tout ça*, pensa Ruben. *Si Ilka n'existait pas.*

Il se leva et se prépara une autre tasse de thé. Il préférait le boire fort et sucré, surtout quand il était épuisé. Sa chaleur se répandait dans son corps et le détendait, tandis que la théine remettait son cerveau sous tension et que le sucre lui redonnait des forces.

La tasse dans la main, il s'approcha de la fenêtre et regarda dehors.

Les sculptures qu'il avait installées ici et là, figures effritées couvertes de vert-de-gris, contribuaient à l'atmosphère mystérieuse du jardin. Il comptait les laisser. Elles faisaient partie d'une période révolue de sa vie.

Il retourna dans l'atelier, respira l'odeur incomparable des peintures et des solvants. *Encore un peu de patience*, se dit-il en s'emparant de sa palette et de son pinceau. *Encore un peu de patience, et je l'aurai devant moi chaque fois que je voudrai la peindre.*

*
* *

143

Debout dans la clarté des lampes, il était si occupé qu'il ne la remarqua pas. Judith l'observa un moment, appuyée contre le mur de la propriété voisine. Ses mouvements rapides montraient qu'il était en pleine « poussée » créatrice. Quand cet élan s'emparait de lui, cela ne servait à rien de lui adresser la parole car il répondait mécaniquement, sans comprendre le sens de ses propres mots.

Voilà plus de deux ans qu'elle travaillait pour lui. Ce n'était plus un simple job depuis longtemps. En réalité, Ruben la sollicitait vingt-quatre heures sur vingt-quatre. Judith ne savait pas à quoi elle s'engageait lorsqu'elle avait postulé.

Il lui avait plu d'emblée. Sa voix surtout, douce et grave. Elle l'avait complètement retournée. Aujourd'hui encore, elle avait cet effet sur elle. Peu importait ce que disait Ruben. Il suffisait qu'il s'éclaircisse la gorge ou qu'il fredonne.

Ils avaient rapidement décidé de se tutoyer. Après tout, Ruben n'était pas beaucoup plus âgé. Judith était profondément impressionnée par le fait qu'il rencontre un tel succès si jeune. Son argent et son assurance l'intimidaient, au départ. Mais Ruben avait éclaté de rire et grimacé avec mépris.

— L'argent ! L'argent n'est important que pour une raison : il t'offre la liberté. Tu peux tout te permettre. Réaliser le moindre de tes rêves…

En prononçant ces derniers mots, son visage avait pris un air féroce. Puis il avait souri. Dès qu'il souriait, le monde devenait un peu plus beau.

Au début, Judith se contentait de faire le ménage. Mais Ruben lui en avait demandé toujours plus. Elle avait commencé à s'occuper de son courrier, faire ses courses, cuisiner pour lui, répondre au téléphone, organiser ses rendez-vous. Peu à peu, elle lui était devenue indispensable.

— Voici Judith, mon bras droit et mon bras gauche.

Il lui arrivait de la présenter ainsi. Et c'était la vérité. Il ne se souciait plus de rien, à part sa peinture.

— Tiens les gens à l'écart !

Après avoir lancé cette phrase, il se terrait dans son atelier. Pendant des heures, parfois des jours.

Judith faisait ce qu'elle pouvait. En ayant toujours le sentiment que ce n'était pas suffisant. Quand il avait l'air à bout de forces, elle se sentait responsable. Elle aurait dû mieux veiller sur lui, elle aurait dû le convaincre de se reposer, elle aurait dû…

Peut-être ne la voyait-il pas parce qu'elle ne parvenait pas à être parfaite ? Des tas d'hommes étaient tombés amoureux d'elle. Le soleil donnait des reflets argentés à ses longs cheveux blonds. Sa peau claire était sans défaut, son corps svelte et musclé. Elle passait beaucoup de temps au club de fitness, pour… oui, pour quoi au juste ?

Pour attirer l'attention de Ruben. Pour lui montrer qu'elle avait plus à lui offrir que la jeune fille qui régentait sa vie. Mais il ne la remarquait pas. Pas vraiment. Il la regardait comme un frère regarde sa sœur. Dans ses yeux, elle lisait de l'affection, de la familiarité, de la confiance, mais il manquait ce à quoi elle aspirait le plus : du désir.

Quelle que soit sa tenue, il restait de marbre. Minijupes, pantalons moulants, chemisiers transparents, elle avait tout essayé. Elle n'était pas de taille face à *la jeune fille*.

Tout en l'observant, debout dans le jardin, elle sentit un petit point douloureux lui vriller la poitrine. Elle croisa les bras. Sept degrés au-dessous de zéro. Son souffle dessinait des volutes blanches dans l'air glacé.

Elle ne pouvait pas l'abandonner le temps d'un week-end prolongé. Même à cette distance, elle se rendait compte qu'il avait maigri. Il perdait facilement du poids. Quelques jours sans repas réguliers, et ses joues se creusaient. Elle se ressaisit et traversa le jardin en toute hâte.

Il l'aperçut avant qu'elle frappe et lui ouvrit la porte.

— Judith, mais tu es gelée !

Il l'attira contre lui et se mit à lui frotter le dos. Cette proximité soudaine la bouleversa. Elle sentit l'odeur de la peinture et de la térébenthine, et dessous, plus discret, le parfum de sa peau. Sa joue reposait sur son épaule. Quelques centimètres à droite, et elle pourrait embrasser sa nuque…

D'un mouvement vif, elle s'écarta.

Il avait mauvaise mine et paraissait surmené. La peau sous ses yeux avait pris une coloration violette, comme toujours quand il dormait et mangeait trop peu. Sa paupière gauche tressaillait. Il semblait sous le coup d'un important stress.

— Quand as-tu mangé pour la dernière fois ?

Il haussa les épaules.

— Aujourd'hui ? Hier ?

Il bottait en touche, encore une fois. En soupirant, elle regarda autour d'elle. De nouveaux tableaux s'alignaient le long des murs, certains achevés, d'autres juste ébauchés. Il avait dû travailler sans interruption.

— Et quand as-tu dormi ?

— Bon Dieu ! C'est l'Inquisition ou quoi ? J'ai mangé une tartine beurrée ! Et bu du thé ! Aujourd'hui.

Il pouvait l'incendier et lui demander pardon, l'air contrarié, l'instant d'après. Elle s'y était habituée, mais la peur s'insinuait parfois en elle. Il lui était arrivé de perdre son sang-froid et de briser une chaise contre le mur.

Ensuite, il redevenait doux comme un agneau. S'attirait ses bonnes grâces de sa voix la plus chaleureuse, la désarmait d'un sourire. Elle était à sa merci.

Ruben savait très peu de chose sur elle. Il n'avait aucune compassion pour les autres, ne semblait pas touché par les discussions personnelles. Comme s'il venait d'une autre planète, doté d'une enveloppe parfaitement humaine mais totalement vide.

— Qu'est-ce que tu dirais d'un thé bien chaud et d'œufs brouillés avec du jambon et des champignons ?

Elle savait qu'il ne pouvait pas refuser. Il était incapable de résister à des œufs brouillés et du thé. Sans compter qu'il avait mauvaise conscience de l'avoir bousculée.

— O.K., fit-il d'un air indifférent, avant de retourner à sa toile.

Judith n'avait pas besoin de regarder pour savoir ce qu'il peignait. La jeune fille, quoi d'autre ? Magnifique et mystérieuse, parfois repliée sur elle-même, parfois exubérante, parfois enfantine, parfois sensuelle et séductrice. Et puis, il y avait les tableaux qui la montraient triste, avec dans les yeux une expression qui faisait froid dans le dos.

Certains jours, Ruben la représentait le visage décomposé, les traits convulsés, un œil sur le front, la bouche sur une joue. Moitié humaine, moitié monstre. Ces jours-là, l'agitation le rendait malade, Judith ne pouvait pas lui adresser la parole, ils se croisaient comme des étrangers.

Pendant un temps, Judith avait été jalouse. À présent, elle détestait la jeune fille aux grands yeux rêveurs. Comment lutter contre une rivale qui ne prenait corps que sur les toiles de Ruben ? Qu'avait-elle à lui opposer ? Rien.

Elle quitta l'atelier et referma doucement la porte derrière elle. Ruben mourait de faim et elle allait lui préparer à manger. Veiller sur lui était le seul moyen d'être proche de lui. Une proximité modeste, un bonheur minuscule, mais elle n'obtiendrait pas davantage pour l'instant.

En traversant le jardin, elle se retourna une dernière fois. Ruben était penché sur son chevalet. Comme si leur court échange n'avait pas eu lieu.

*
* *

Enfin seul. Chaque mot lui portait un nouveau coup, chaque regard était de trop. Il aimait bien Judith, mais dans ces moments-là, il avait du mal à supporter sa présence. Il peignait à perdre haleine. Ses doigts, comme doués d'une volonté propre, glissaient sur la toile sans hésitation, faisant naître des ombres, des taches de lumière.

Ilka le regardait. Ruben contempla sa chevelure, presque trop opulente pour son visage étroit. Il éprouva le besoin d'y enfouir les doigts. Il jeta sa palette et son pinceau sur la table, et tendit les mains. Elles restèrent suspendues, impuissantes.

Il entendit un gémissement et se rendit compte qu'il sortait de sa bouche. Une plainte atroce, si désespérée qu'il prit peur. Ses mains continuaient à étreindre l'air, comme détachées de son corps. Il n'y avait pas de cheveux à caresser. Juste une toile humide.

La tristesse nouait sa gorge. Ruben se saisit de la toile et la projeta contre la fenêtre. Elle rebondit sur la table, renversa les bocaux contenant des pigments et tomba sur le sol dans un bruit de verre cassé.

Puis ce fut le silence. Si oppressant que les oreilles de Ruben se mirent à bourdonner. Un trait de couleur d'une rare violence barrait la fenêtre assombrie par la nuit tombée.

Ruben se tenait là, haletant. Cette explosion de colère n'avait rien changé à son désespoir. Il entendit Judith l'appeler à table, laissa tout en plan et sortit en trébuchant dans l'obscurité. Le froid lui fit recouvrer la raison. Il était temps... Il ne pouvait pas attendre davantage.

11

Je ne pouvais pas effacer de ma mémoire ce que Mike m'avait confié, je ne pouvais pas davantage le garder pour moi. Avec Merle, nous n'avions jamais eu de secret. Nous avions appris à nos dépens combien il pouvait se révéler dangereux de déroger à cette règle.

Ma mère, de retour de sa tournée de lecture, s'était invitée chez nous. Pour fêter l'événement, Merle avait préparé un gâteau. Elle le posa sur la table de la cuisine et le contempla avec satisfaction.

— Chapeau ! Je n'aurais jamais cru qu'elle tiendrait toute une journée sans serrer son poussin dans ses bras.

Son ironie n'était pas aussi mordante que d'habitude. Merle aimait bien ma mère. Elle la trouvait parfois un peu fatigante, mais aussi généreuse et tolérante. Elle aimait encore plus ma grand-mère, ce qui était réciproque, même si elles se voyaient rarement.

En attendant maman, je lui racontai ma conversation avec Mike. Elle chipa un raisin sec sur le gâteau et le grignota. Ses sourcils froncés indiquaient qu'elle se concentrait.

— Tu peux imaginer que quelqu'un traîne tout un tas de problèmes et que son entourage ne s'en rende pas compte ?

Un frisson me parcourut dès que j'eus achevé ma phrase. N'est-ce pas ce qu'il s'était produit avec Caro ? Si nous avions été plus attentives…

— Lorsque Ilka sera prête, elle parlera avec Mike. Ou avec nous.

— Et sinon ?

— Sinon, non.

Merle chipa un autre raisin sec et le considéra d'un air pensif.

— C'est sa décision.

La sonnerie retentit. Deux coups brefs et énergiques. Ponctuelle, à la minute près. Je me levai, m'approchai de la porte d'entrée et appuyai sur l'interphone, songeuse. Merle avait raison. Si nous ne pressions pas Ilka de questions, elle se confierait peut-être d'elle-même.

Ma mère montait l'escalier avec la légèreté d'une jeune fille. Elle ne fit aucune pause et posa le pied sur notre palier sans paraître essoufflée. Elle chantonnait gaiement. Cela n'avait pas toujours été le cas… Elle le devait à Tilo. Il avait fait d'elle une femme heureuse.

— Bonjour, ma grande !

Elle me prit dans ses bras. Puis elle m'écarta et observa mon visage.

— Comment vas-tu ? demanda-t-elle doucement.

— À merveille.

Je la débarrassai d'un sac au poids suspect. Ma mère

semblait toujours craindre secrètement que nous mourions de faim.

— Je ne vous ai rapporté que des produits régionaux. Un jambon fumé, de la confiture maison, des rillons, du jus de sureau, des bougies à la cire d'abeille…

Elle s'interrompit brusquement.

— Ça te plaît ?

Je lui montrai avec fierté l'appartement rénové. C'était une partie de moi qui n'avait plus rien à voir avec elle. J'étais en train de construire ma propre vie.

Les mêmes pensées devaient lui traverser l'esprit, car j'aperçus des larmes dans ses yeux. Elle se détourna et examina d'un regard un peu trop appuyé les tableaux accrochés aux murs. Après s'être ressaisie, elle me fit face.

— C'est fou comme tout est clair et gai, maintenant !

Le café fumait déjà dans les tasses. Merle avait découpé le gâteau et déposé un morceau dans chaque assiette. Ma mère la serra contre elle et s'assura qu'elle allait bien avant de s'asseoir à table.

— Alors ? s'enquit-elle. Comment est-il, ce Mike ? Pas là ? Je suis terriblement curieuse de le voir.

— Il viendra plus tard. Peut-être avec Ilka. Ils vont te plaire, tous les deux.

Ma mère hocha la tête. On voyait que sa tournée de lecture l'avait fatiguée. Elle était pâle et semblait tendue. Elle ne se sentait bien que chez elle, devant son ordinateur, à inventer ses propres mondes au lieu de se confronter à celui dans lequel elle se trouvait.

— Et comment vous entendez-vous ? demanda-t-elle.

— Très bien ! lança Mike.

Entré sans faire de bruit, il était appuyé contre le montant de la porte, quelques flocons de neige dans les cheveux et sur les épaules.

Ma mère se leva et lui tendit la main.

— Je suis la mère de Jette. Ma fille m'a beaucoup parlé de vous.

Un mensonge éhonté... Mike s'avança et lui serra la main.

— Je dérange ?

— Arrête tes bêtises ! intervint Merle qui détestait les assauts de politesse. Prends un café et assieds-toi.

— Ma petite amie est une de vos admiratrices, déclara Mike. Elle a dévoré tous vos livres.

Voilà qui était nouveau... Merle n'en savait rien non plus, je le voyais à son regard étonné. Pourquoi ne pas l'avoir évoqué ?

— J'en ai lu deux moi-même, poursuivit Mike. *Droit devant* et *Faux-semblants*. Normalement, je ne suis pas fan de polars, mais ils m'ont plu.

— Ça me fait plaisir, dit ma mère.

Je craignais qu'elle ne saisisse la perche, se laisse entraîner dans un débat sur ses romans, mais elle était trop occupée à observer Mike pour se faire une idée de lui.

Il n'était pas au mieux de sa forme, pas aussi spirituel et expansif que d'habitude. Peut-être s'était-il disputé avec Ilka. Bizarre qu'elle ne l'ait pas accompagné.

— Où est Ilka ? s'inquiétait justement Merle.

— En visite chez sa mère, répliqua brièvement Mike. Sans moi, naturellement.

Un silence.

— Vous voyez, ajouta-t-il en se tournant vers ma mère, elle est sacrément obstinée. Ça rend la vie commune plutôt compliquée.

— Mais plus intéressante, fit ma mère.

— Peut-être, répondit Mike en hochant la tête comme un vieux sage. Il n'empêche que le prix est assez élevé.

— Mais vous le payez...

Cette incursion dans la sphère privée était très inhabituelle, venant de maman. En général, elle restait en retrait.

— Tutoyez-moi, s'il vous plaît, demanda Mike avant de se lever. Ne m'en veuillez pas, mais je vais m'allonger un peu.

Il avait brusquement l'air épuisé. Arrivé à la porte, il se retourna.

— Oui. Je paierais n'importe quel prix.

— En général, il n'est pas aussi... aussi...

Je ne savais pas comment qualifier son comportement.

— Aussi désespéré ? proposa ma mère en finissant son café. À moins que vous ne l'ayez jamais remarqué ?

*
* *

— Tu m'as tellement manqué !

Ilka se pencha et embrassa sa mère sur la joue. Il lui sembla sentir une légère pression, comme si sa mère répondait à son geste de tendresse. Mais elle se faisait probablement des idées.

— Il fait si froid dehors ! Il fait toujours bon chez toi.

Elle ne voulait pas parler de la petite chambre surchauffée, ni des longs couloirs à l'atmosphère confinée. Bien qu'Anne Helmbach se contente de rester assise à sa place, il se dégageait d'elle quelque chose qui réconfortait Ilka.

— J'ai parlé de toi à Mike. Il aimerait faire ta connaissance.

Anne Helmbach continuait à fixer la fenêtre. Dehors, une grive sautillait sur l'herbe gelée.

— Ça te dirait aussi ? Il est… Il suffit de le regarder dans les yeux pour savoir que c'est quelqu'un de spécial.

Ilka déballa les petits gâteaux qu'elle avait apportés. En entendant le froissement du papier, Anne Helmbach commença à s'agiter. Sans détourner pour autant le regard de la fenêtre.

— Regarde ! Des palets au chocolat. Je les ai préparés en suivant une de tes recettes.

Ils étaient fourrés à la gelée de cassis et enrobés de chocolat amer. Leur parfum envahit aussitôt la pièce.

— Tu en veux ?

Ilka tendit le sachet à sa mère. Anne Helmbach ne réagit pas. Apercevant une tasse vide et une assiette pleine de miettes, Ilka comprit qu'elle devait déjà avoir goûté. Elle referma le sachet et le posa sur la table.

Anne Helmbach portait un pantalon noir, un pull noir et un châle en soie bleu-vert. Elle avait toujours attaché de l'importance à son apparence vestimentaire et n'avait pas perdu son bon goût. Elle s'habillait généralement seule. Il fallait juste lui suggérer de le faire, sans quoi elle oubliait.

Le ruban en velours noir retenant ses cheveux en arrière s'était desserré. Quelques mèches s'étaient détachées et lui tombaient dans la figure.

— Tu veux que je te brosse un peu les cheveux ?

Ilka entra dans la petite salle de bains voisine, prit la brosse et se plaça derrière le fauteuil de sa mère. Prudemment, elle dénoua le ruban. Anne Helmbach poussa un soupir et ferma les yeux.

— On devrait aller chez le coiffeur à l'étage du dessous,

un de ces jours, et te faire couper les cheveux. Tu as toujours préféré les porter courts. Ils seront plus faciles à entretenir. Tu n'auras qu'à les laver, et terminé !

Anne Helmbach renversa la tête en arrière, ouvrit les yeux et fixa sa fille. Ilka en eut le souffle coupé. Puis elle remarqua que ce regard la traversait, comme si elle n'était pas là.

— Prends ton temps, maman. Personne ne te presse.

Elle se courba et prit sa mère dans ses bras. Se mit à fredonner une comptine qu'elle lui avait souvent chantée, la berça. Anne Helmbach se laissa aller. De la salive s'échappa de sa bouche et vint sécher sur la laine rouge de la manche d'Ilka.

*
* *

Tout était prêt. La demeure se dressait dans le ciel sombre, telle une forteresse. Ruben monta le chemin d'accès et se gara devant le garage, version miniature du bâtiment d'habitation.

Un lieu idéal. Les maisons suivantes étaient suffisamment éloignées. Personne ne l'observerait derrière un rideau, personne ne remarquerait ses allées et venues, personne n'entendrait rien.

La porte d'entrée s'ouvrit avec un léger grincement. Ruben se promit de la huiler. Tout devait être parfait. Il ne tolérerait aucune imperfection.

L'unique lampe allumée conférait aux lieux une aura de mystère. Rien ne paraissait lugubre ou menaçant, on avait plutôt l'impression de voir s'ouvrir un autre monde, un monde d'ombres, de silence et de sécurité.

Ruben avait toujours aimé le crépuscule. Il n'avait jamais eu peur en forêt, dans les caves ou les greniers. Les animaux de l'obscurité le fascinaient ; araignées, chauves-souris, chats... S'il devait croire à un dieu, ce serait le dieu des ténèbres. Mais il ne croyait qu'en lui-même. Il ne pouvait se fier qu'à lui-même, à personne d'autre.

Il parcourut une nouvelle fois les différentes pièces, pour s'assurer qu'il n'avait rien oublié. Non. Il avait veillé à tout, achevé les derniers préparatifs. Tout était en place. Il pouvait commencer à emballer et déménager quelques affaires.

Tandis qu'il roulait sur la départementale, il se sentit étrangement transporté. Il sourit en pensant à son père. S'il avait vécu assez longtemps pour assister à cela...

*
* *

Le jeu vidéo traînait en longueur. Ils étaient assis devant l'ordinateur, dans la chambre de Leo. Les jumeaux se bombardaient de sales réflexions, la perruche poussait des cris incessants et Rhena se collait tellement à Mike que, s'il s'écartait encore, il tomberait de sa chaise.

Ilka vint enfin le délivrer. Elle avait accepté qu'il l'accompagne chez sa psy. Jusqu'à la porte seulement. Ce n'était pas grand-chose, mais c'était un premier pas. Ensuite, elle lui expliquerait peut-être pourquoi elle suivait une thérapie.

Ils s'y rendirent à pied, main dans la main. Les gens venant à leur rencontre souriaient comme on sourit quand on croise un couple d'amoureux. Ilka était très pâle. Elle

157

redoutait les séances, elle le lui avait confié dernièrement. Sa main était glacée.

— Je me demande si tous les thérapeutes ont ce regard façon rayons X, déclara-t-elle. Tu ne peux rien lui dissimuler, pas durablement en tout cas. J'ai peur qu'elle m'extirpe tout ce que j'ai soigneusement caché.

— Considère-le comme une chance, répondit Mike. Si c'est une bonne thérapeute, elle t'aidera.

— Elle ne peut pas le faire sans fouiller dans mes secrets ?

Ilka ôta son bonnet et secoua ses cheveux.

Mike eut envie de l'embrasser. Mais il n'en fit rien.

— C'est le sens d'une psychothérapie, non ?

La maison paraissait accueillante. Il y avait de la lumière à chaque fenêtre. Ils s'arrêtèrent et fixèrent la porte, comme hypnotisés.

— Viens ! fit Ilka en tirant Mike en arrière. On a encore un peu de temps.

Traîner dehors avec Ilka... Mike ne demandait pas mieux. Pourvu qu'ils soient ensemble, qu'il ne doive pas se demander où elle était, ce qu'elle pouvait bien faire. Sa jalousie grandissait de jour en jour. Il brûlait de lui poser quantité de questions. Et il trimballait tout autant d'incertitudes.

— En fait, c'est tante Marei qui m'a envoyée ici, expliqua Ilka. Elle se fait sans arrêt du souci pour moi.

Brave tante Marei ! pensa Mike. *Veille bien sur elle...*

— Tu ne trouves pas ça normal, qu'on change quand on a perdu ses parents dans un accident ?

— Mais ta mère vit encore !

Mike se mordit la lèvre inférieure. Il aurait pu se donner des coups.

— Je l'ai quand même perdue.

Mike s'arrêta net. Il prit le visage d'Ilka entre ses mains. Le bout de son nez était rougi par le froid. Il l'embrassa.

— Parle-moi de ta mère. Aie confiance en moi.

— J'ai confiance en toi, Mike…

Elle chercha son regard et posa ses mains sur les siennes.

— … mais la vérité est assez dure à supporter.

— Est-ce que je t'ai déjà poussée dans tes derniers retranchements ?

— Non, fit-elle avant de rire doucement. Sinon, je ne serais plus avec toi.

— Je suis capable de supporter la vérité. Ce que je ne supporte pas, c'est ton silence. Je veux apprendre à te connaître, et tes facettes sombres font partie de toi.

Ilka attira son visage près du sien et l'embrassa. Sa bouche avait un goût de menthe et de chocolat.

— Tu ne sais pas dans quoi tu t'embarques, chuchota-t-elle.

Ses yeux étaient tout proches. Son souffle tiède caressait sa peau.

— Il y a des choses que je n'ai jamais dites à personne. Elles sont… indicibles.

— Pour le meilleur et pour le pire, déclara Mike. On ne s'est pas promis ça un jour ?

Elle secoua la tête en souriant.

— Tu dois me confondre avec quelqu'un d'autre.

— Alors, faisons-le maintenant.

Ilka l'embrassa à nouveau. Longuement.

— Merci, Mike.

Il la retint contre lui. Il aurait aimé ne jamais la laisser partir.

— Tu viendras chez moi après ta séance ?

Il lui enleva son bonnet et mordilla son oreille.

Elle se mit à rire et tourna la tête pour échapper à ses chatouilles.

— Oui.

— Et tu resteras toute la nuit ?

— Oui.

— Et…

— Oui.

Mike la souleva et se mit à tournoyer, si longtemps qu'ils en eurent tous les deux le tournis. Puis il la raccompagna jusqu'à la petite maison jaune. Il la regarda traverser le jardinet. La vit ouvrir la porte. Avant d'entrer, Ilka se retourna une dernière fois et lui fit signe.

*
* *

Ruben la réveille en pleine nuit. Assis sur le bord de son lit, il lui caresse le bras. Sa chambre est faiblement éclairée par la lampe du palier. Et puis, une ombre. Quelqu'un se tient dans l'embrasure de la porte. Un policier. Sa casquette entre les mains.

Ilka sait immédiatement qu'il est arrivé quelque chose à leurs parents. Elle sait aussi qu'elle n'oubliera jamais ce moment. Ni le rai de lumière qui traverse son lit, ni Ruben qui la fixe, ni l'inconnu qui chuchote près de sa porte, ni la sensation de vide qui se répand en elle.

Leurs parents ont eu un accident de voiture. Leur père est mort sur le coup. Leur mère a été transportée à l'hôpital.

Le médecin de famille entre et lui administre un tranquillisant. Avant de s'endormir, elle aperçoit Mme Liepoldt, la voisine, qui s'entretient à voix basse avec le policier.

Le lendemain matin, Mme Liepoldt est toujours là. Elle a préparé le petit déjeuner, mais personne n'y touche. Ruben est livide. Il a vomi. Ilka l'a entendu jusque dans sa chambre. Assise à table, immobile, elle enregistre tout ce qui se passe autour d'elle avec une clarté implacable.

Le visage de Mme Liepoldt est marbré, ses yeux bouffis. Elle ne s'est pas changée. Son chemisier froissé ne paraît plus très propre. Ruben se ronge les ongles. Un bruit qui met les nerfs de leur voisine à rude épreuve ; elle sursaute chaque fois qu'un ongle casse.

Il pleut. Les vitres sont constellées de gouttes. Le chien est couché contre la porte donnant sur la terrasse. De temps en temps, il lève la tête et gémit doucement. Il sent que quelque chose ne tourne pas rond. Le chat sauvage gris, qui traîne toujours dehors en attendant qu'on le nourrisse, n'est pas là. Peut-être lui est-il arrivé quelque chose, à lui aussi ?

Ilka veut se lever, mais ses jambes ne lui obéissent pas. Elle s'appuie à la table, manque perdre l'équilibre et, brusquement, les larmes jaillissent de ses yeux. Elle pleure et pleure encore, impossible de s'arrêter.

Mme Liepoldt la serre contre elle.

— Tout va bien, ma petite, tout va bien.

Mais Ilka sait que rien ne va ou n'ira plus jamais. Et elle se sent minable, parce qu'elle se laisse consoler alors qu'elle pleure à cause du chat.

— Ilka ? Voulez-vous un verre d'eau ?

La voix de Lara… Elle ramena Ilka dans le présent. Éclairée par quantité de petites lumières indirectes, la pièce dégageait un charme différent à la tombée du jour.

Ilka hocha la tête. Un verre d'eau l'aiderait peut-être à

mettre de l'ordre dans ses pensées. Elle ne devait pas se laisser submerger par le passé. Cela la rendait aussi transparente qu'un livre ouvert.

— Plus tard, j'ai pu pleurer mes parents, déclara-t-elle lorsque Lara se rassit face à elle.

— Votre mère a-t-elle péri dans l'accident ? demanda Lara.

À quel point s'était-elle trahie ?

— Non. Ma mère n'est pas morte. Pas extérieurement.

— C'est-à-dire ?

— Elle ne prend plus part à la vie. Quelque chose en elle est mort et enterré.

— Vit-elle dans un centre ?

Cela sonnait de manière si définitive… Comme si l'on signait son arrêt de mort. C'est pour cette raison qu'elle ne voulait pas en parler.

— Oui ! Elle vit dans un centre ! Et je vais lui rendre visite aussi souvent que je peux ! Mais elle ne me parle jamais ! Et personne ne sait si son état évoluera ! Oui ! Dans un centre ! Et elle me manque tous les jours ! Parce que je ne sais pas comment devenir adulte sans elle ! Parce que j'ai besoin d'elle ! Que je l'aime ! Que je ne veux pas qu'elle soit morte avec mon père ce jour-là ! Et je ne voulais surtout pas vous raconter tout ça !

Elle avait haussé le ton. Bondi sur ses pieds et parcouru la pièce de long en large. À présent, debout devant le bureau, elle regardait Lara à travers un voile de larmes.

Lara restait assise et attendait. Mais que pouvait-elle bien attendre ? Qu'Ilka se calme ? Qu'elle continue à parler ? Voulait-elle lui soutirer tous ses autres secrets ?

— Dans ce cas, vous pouvez attendre longtemps ! lança Ilka.

Elle tourna les talons et se dirigea vers la porte.

Lara la suivit.

— Vous êtes ma dernière patiente de la journée, Ilka. Que diriez-vous d'une tasse de thé ?

Du thé ! Comme si c'était la panacée. Le meilleur et le plus coûteux des thés ne pourrait pas l'aider. Lara n'avait pas la moindre idée du tumulte qui régnait en elle ! Ilka attrapa sa veste, ouvrit violemment la porte et se précipita dehors. Elle enfila sa veste dans le même mouvement. Entendit Lara crier son nom. Sentit le froid bienfaisant.

Elle n'avait qu'une envie : marcher, le temps de pouvoir à nouveau réfléchir clairement. Ensuite, elle irait voir Mike. Elle n'avait pas besoin de mots pour l'instant. Elle avait besoin de Mike. De sa chaleur, de ses caresses.

— Mike..., murmura-t-elle. Cher Mike...

12

— Qu'est-ce qui se passe ? demanda Merle d'un air peu amène.

Assise par terre, elle préparait une banderole pour une manifestation organisée par son groupe de protection des animaux. C'était pour elle une activité sacrée et elle ne supportait pas qu'on la dérange. Elle en était à LIBERT et une tache rouge marquait sa joue et son front.

— Je dois me concentrer comme une dingue pour ne pas intervertir les lettres. Je ne vais pas y arriver si tu passes ton temps à traîner des pieds dans la cuisine en soupirant.

— Ilka n'est toujours pas là, expliqua Mike avant de s'asseoir à table.

— Quand est-ce qu'elle aurait dû arriver ? l'interrogea Merle sur le ton d'une mère qui se domine pour ne pas aboyer sur son rejeton.

— Il y a une demi-heure, répondit Mike en se balançant sur sa chaise, dangereusement proche du pot de peinture rouge.

Merle l'éloigna prudemment.

— Une demi-heure, ce n'est rien du tout, Mike. Ilka est souvent en retard, tu le sais bien.

— Mais j'ai une drôle d'impression...

Coutumière du fait, Merle pouvait difficilement ignorer les sensations de ce genre. Elle posa avec précaution son pinceau sur le couvercle du pot, se redressa et s'essuya les mains sur le pantalon.

— Un café ?

Mike approuva d'un signe de tête. La machine à espresso demeurait pour lui un véritable phénomène. Il lui arrivait de boire un café pour le seul plaisir de le préparer. Mais cette fois, le cœur n'y était pas.

— Ilka n'avait pas sa séance, aujourd'hui ? demanda Merle.

— Si. Elle termine à l'heure, normalement.

— Et si tu avais mal compris ? Elle avait peut-être autre chose de prévu après ça ?

Merle posa les tasses sur la table et s'assit. Elle ramena les pieds sur sa chaise et entoura ses jambes de ses bras. Les épaisses chaussettes en laine qu'elle aimait porter à l'intérieur présentaient toutes les couleurs de l'arc-en-ciel. Quand elle ne fabriquait pas des banderoles ou des affiches, qu'elle n'aidait pas Claudio dans sa pizzeria et qu'elle ne pénétrait pas par effraction dans un laboratoire d'expérimentation, elle tricotait. C'était sa façon de se détendre.

— Sûrement pas !

Mike repensa à la promesse d'Ilka et sourit. Mais il redevint aussitôt sérieux. Il repoussa sa chaise, faillit renverser le pot de peinture rouge et regarda sa montre avec nervosité.

— Je vais la chercher.

— Et ton café ?

— Je ne pourrai rien avaler tant que je ne serai pas certain qu'Ilka va bien.

Merle but une gorgée, se brûla les lèvres et jura. Résignée, elle leva les yeux vers Mike.

— Tu veux que je t'accompagne ?

Mike secoua la tête.

— C'est gentil, Merle, mais ce sont mes affaires. Et il vaut mieux que tu restes ici, au cas où Ilka… Je veux dire, peut-être que je me fais juste des idées et qu'elle sonnera à la porte dès que je serai parti.

Il enfila son blouson, oubliant son écharpe, descendit l'escalier en courant, deux par deux, ouvrit violemment la porte d'entrée et sortit dans la rue.

L'obscurité lui communiqua un sentiment de sécurité, mais il savait qu'il était trompeur. Sa nervosité grandissait à chaque pas. Lorsqu'il aperçut finalement la petite maison jaune, il n'était plus capable de respirer normalement. Sa poitrine se soulevait et s'abaissait à un rythme inquiétant.

Appelle d'abord chez elle, se dit-il. *Ne te rends pas ridicule en te conduisant comme un mari trompé qui fouine dans la vie privée de sa femme.* Il sortit le portable de sa poche et composa le numéro de la famille d'Ilka.

— Mais comment ça…, balbutia tante Marei.

Mike regretta aussitôt son geste.

— … elle voulait se rendre chez toi juste après sa séance.

Il venait de se mettre dans de beaux draps. Il aurait dû commencer par interroger la thérapeute !

— Pour l'amour du ciel ! Pourvu qu'il ne lui soit rien arrivé !

— Ne vous inquiétez pas, dit vivement Mike. On s'est

probablement ratés. Ilka doit m'attendre depuis longtemps avec Jette et Merle.

Reconnaissante, tante Marei se saisit de l'excuse qu'il lui servait. Elle risqua même un petit rire.

— Tu me préviens quand tu la vois ?

— Bien sûr. Je vous appelle aussitôt.

Mike fourra le portable dans sa poche et se réchauffa les doigts en soufflant dessus. Il se mit à piétiner nerveusement le sol. Il faisait un froid de canard.

Il regarda sa montre. Pas loin de dix-neuf heures. Ilka lui avait expliqué qu'elle était la dernière patiente. Lara Engler faisait-elle des heures supplémentaires ? Ilka se trouvait-elle toujours à l'intérieur ? Les deux femmes étaient peut-être arrivées à un stade délicat de la thérapie qui les empêchait d'interrompre la séance. À moins qu'on ne puisse perdre la notion du temps avec un psy ?

Mike détestait l'incertitude. Ce genre de situation le plongeait dans le désespoir. Devait-il sonner et demander à voir Ilka ? N'allait-il pas se mettre dans une situation difficile à gérer ? Survolté, il allait et venait sur le trottoir d'en face. Il attendrait encore un quart d'heure, puis il prendrait une décision.

Dans la poche de son blouson, il trouva un paquet de cigarettes froissé. Il eut mal au cœur après quelques bouffées. Il jeta sa cigarette dans le caniveau et écrasa encore un peu plus le paquet.

Le quart d'heure lui sembla durer une éternité. Mike n'attendit pas une seconde de plus. Il traversa la rue d'un pas décidé, ouvrit le portail du jardin, remonta l'allée et pressa la sonnette.

Lara Engler était telle qu'Ilka l'avait décrite. Elle lui fit penser à un angelot plus grand que nature, bien en chair et haut en couleur avec ses cheveux noirs et sa robe rouge vif. Elle avait enveloppé ses épaules dans une étole noire.

— Oui ?

Il l'avait manifestement dérangée. Mike l'entendit à la pointe d'énervement dans sa voix. Mais il ne pouvait plus se permettre de prendre des gants.

— Excusez-moi. Est-ce qu'Ilka est encore chez vous ?

— Qui êtes-vous ?

Elle le détaillait de la tête aux pieds.

— Mike Hendriks. Je suis son ami. Ilka devait me rejoindre après sa séance, mais elle n'est pas venue. Elle n'est pas non plus chez elle et je commence à me faire du souci.

— Voulez-vous entrer un moment ?

Mike pénétra dans le cabinet avec un sentiment d'étrangeté. Il était déçu de ne pas y trouver Ilka, mais il avait l'impression d'y sentir encore sa présence. Sans doute à cause du parfum de lavande qui emplissait la pièce. Ilka l'adorait. Son brûleur à huile était presque allumé en permanence dans sa chambre.

Mike et Lara s'arrêtèrent près du bureau.

— Ilka a manifesté une grande agitation, déclara Lara. C'était en fin de séance. Elle a attrapé sa veste et elle s'est… oui, je dirais qu'elle s'est enfuie.

— Enfuie ?

— Elle fuyait un souvenir, précisa Lara Engler en resserrant son étole. Elle me fuyait aussi, en partie. Parce que je suis celle qui la confronte à ces souvenirs.

Elle haussa les épaules.

— Je ne peux malheureusement pas vous en révéler plus. Je suis tenue au secret professionnel.

Mike ne voulait pas en entendre davantage. Il tourna les talons et se dirigea vers la porte.

— Savez-vous dans quelle direction elle est partie ?

— Vers la droite, lui lança Lara Engler.

La rue, froide et silencieuse, était déserte. Mike prit une inspiration tremblante. Où diable devait-il commencer à chercher ?

*
* *

Ruben ne s'était pas imaginé que les choses se dérouleraient aussi facilement. Un frisson le parcourut lorsqu'il réalisa la chance qu'il avait eue. Tout aurait pu aller de travers.

Dans l'idéal, il se serait adressé à Ilka, elle l'aurait regardé et serait instantanément retombée amoureuse de lui. Dans l'idéal, aucun mot n'aurait été nécessaire. Mais Ruben s'était douté que ce ne serait pas le cas. Il s'était donc préparé à devoir recourir à la violence.

Il n'avait pas le choix. Ilka avait passé trois ans sans lui. Elle avait vécu avec tante Marei et sa famille, livrée à leur influence toxique. C'est pourquoi, même s'il répugnait à employer contre elle quelque violence que ce soit, il avait dû prendre toutes les dispositions utiles.

Il avait cru devoir annuler l'opération au dernier moment. Ilka ne s'était pas rendue seule à sa séance, mais accompagnée de ce garçon. Elle était apparemment amoureuse de lui. Ruben l'avait vu de loin. Son langage corporel la trahissait.

Il avait senti la colère gonfler en lui. Mais il savait qu'il

169

devait garder le contrôle. Il avait donc attendu. Froid et maître de soi, impassible en apparence.

Ilka était entrée dans la maison jaune et le garçon était parti. Ruben avait retrouvé son calme. Il avait fait demi-tour et s'était approché le plus possible.

Il se félicitait d'avoir loué un véhicule flambant neuf, d'une fiabilité à toute épreuve. Un van bleu marine aux vitres foncées. La moindre faute technique pouvait déclencher une catastrophe. À l'arrière, tout était calme. Il avait eu du mal à lui faire boire les fameuses gouttes. Mais à présent, elles agissaient et Ilka dormait à poings fermés.

Soumis à une tension incroyable, il était resté assis dans la voiture, à fixer les aiguilles de l'horloge. Il avait tenté de se détendre en écoutant la radio. Cela n'avait servi à rien. Il avait prié pour que le garçon ne réapparaisse pas.

Et brusquement, Ilka était sortie de la maison comme une furie. Elle avait enfilé sa veste sans cesser de courir. La psychothérapeute lui avait crié quelque chose, mais Ilka ne s'était pas retournée.

Ruben avait attendu que la porte se referme, puis il avait démarré et suivi Ilka en restant à distance. Il était heureux qu'il fasse sombre. Et froid. Avec cette température, il ne viendrait à l'idée de personne de sortir le chien.

Ilka avait ralenti, avant de faire une pause près d'un mur bas. Elle s'était penchée en avant pour récupérer. Toutes ces années, Ruben n'avait vécu que pour ce moment.

Elle était si occupée à reprendre son souffle qu'elle n'entendit pas la voiture. Il s'arrêta, regarda avec attention autour de lui et descendit. Ilka le reconnut au premier coup d'œil, avant même que le réverbère n'éclaire son visage.

Ruben ne put savourer que très brièvement la joie et le délice de se retrouver enfin près d'Ilka. Après tout ce temps ! Il leva les bras pour lui montrer qu'elle n'avait rien à craindre, pour qu'elle se sente en sécurité. Mais elle ne réagit pas comme il l'aurait voulu à son geste d'apaisement. La position de son corps lui révélait qu'elle s'apprêtait à s'enfuir.

Elle ne lui faisait pas confiance !

Personne dans la rue. Aucune auto ne circulait. Par terre, une grande feuille d'automne oubliée glissait en crissant.

— Je veux juste te parler, dit Ruben sans la quitter des yeux.

Dans le même temps, il essayait de ne pas perdre de vue les alentours. Et avant qu'Ilka ne puisse se ressaisir, il l'attrapa, lui bâillonna la bouche et la porta jusqu'au van.

Elle se débattit et donna des coups de pied laissant échapper des cris étouffés. Ruben poussa la porte arrière avec son coude et se laissa tomber dans la voiture avec Ilka. Il avait étalé des couvertures sur la surface de chargement, pour qu'Ilka ne se blesse pas. Il referma la porte de l'intérieur, s'adossa aux sièges en continuant à maintenir fermement Ilka contre lui, et saisit de la main droite le flacon dans lequel il avait dissous les comprimés de somnifère.

Ilka profita aussitôt du relâchement de sa prise. Elle lui mordit la main et se mit à crier. Il jura, l'étreignit plus fort, immobilisa ses jambes avec sa jambe gauche. Elle déployait une énergie inouïe.

— Laisse-moi ! Laisse – moi – partir !

Elle n'appelait pas à l'aide, ce qui lui inspira du respect. Elle pensait manifestement que c'était une affaire entre elle et lui. Elle bouillonnait de colère, mais ne semblait éprouver aucune peur. Jusqu'à ce qu'il tente de lui administrer les gouttes. Ruben le vit à ses yeux écarquillés. Il vit la colère se transformer en panique.

Il ne parlait pas. Les mots n'avaient aucun sens. Il devait agir rapidement pour ne pas attirer l'attention. Pour que personne ne puisse se souvenir du van. Une partie du somnifère se renversa pendant leur lutte, mais il en avait tenu compte dans son dosage.

Ruben la maintint contre lui jusqu'à ce que sa tête tombe sur le côté, que son corps s'abandonne et s'alourdisse. Il la laissa s'affaisser doucement sur le sol et se pencha sur elle. Dans ses yeux, il lut qu'elle savait qu'elle venait de perdre la bataille. Puis elle s'endormit.

L'heure n'était pas à la sentimentalité, même s'il mourait d'envie de l'embrasser. Il lui recouvrit la bouche d'adhésif, ligota ses mains et ses pieds. D'après ses calculs, elle dormirait quelques heures, mais on ne savait jamais.

Ensuite, il l'installa le plus confortablement possible, sortit et s'installa au volant. Il se sentait parfaitement concentré, tous sens en éveil.

Ce n'est que sur l'autoroute qu'il commença à se sentir sûr de lui. Il lui restait à accomplir le tour d'adresse de faire entrer Ilka dans la maison sans être vu.

Peu à peu, il prit conscience de ce qu'il venait de faire. Il avait exaucé son rêve. Coupé les ponts pour débuter une nouvelle vie. Les contours de la chaussée s'estompaient sous ses yeux. Comme s'il roulait dans un aquarium. Mais l'image était trompeuse. Il n'était pas enfermé. Il était libre. Libre de faire ce qu'il voulait.

*
* *

— Mike, avançai-je prudemment, tu ne devrais pas t'énerver comme ça. Il n'y a aucune raison.

— Aucune raison ? répéta-t-il en allant et venant nerveusement entre la fenêtre et la porte. Je me demande ce qu'il te faut ! Il est vingt-deux heures ! Dehors, il fait nuit noire et l'air est glacial ! Et toi, tu dis qu'il n'y a aucune raison de s'énerver ?

— Elle est peut-être chez une amie, me vint en aide Merle.

Mike renifla d'un air méprisant. Il avait passé une bonne heure au téléphone, à appeler tous ceux qui avaient été un jour en contact avec Ilka. Personne n'avait de nouvelles.

— D'accord, pas chez une amie, mais peut-être…

— Chez un ami ?

Mike se laissa tomber sur le canapé. Il n'avait pas touché à son assiette, alors que nous avions cuisiné spécialement pour lui.

— Tu crois vraiment à ce que tu dis ?

Merle secoua la tête d'un air penaud. Ilka et Mike étaient inséparables. Quelles que soient leurs difficultés, ils étaient amoureux. On le sentait, il suffisait de se tenir dans la même pièce qu'eux. Quelqu'un d'autre ? Impossible. Nous en aurions mis notre main à couper.

Nous ne savions plus quoi faire. Nous avions ratissé toute la région, contacté l'ensemble des hôpitaux. En vain. Aucune trace d'Ilka.

— On ne peut quand même pas disparaître de la circulation comme ça ! s'emporta Mike.

J'échangeai un regard rapide avec Merle. Nous en avions fait l'expérience, hélas… J'étais gelée, alors que le chauffage tournait à plein régime. Merle aussi semblait avoir froid. Elle croisa les bras autour de son buste et se mit à se balancer sur sa chaise.

La tante d'Ilka était allée voir la police, mais on l'avait renvoyée chez elle en lui expliquant qu'Ilka n'était plus une enfant, qu'il n'était pas exceptionnel que les jeunes découchent. Elle devait se tranquilliser, attendre le lendemain matin. Le problème se résoudrait peut-être de lui-même.

Nous étions donc assis dans la cuisine, à attendre et espérer, à boire des litres de café en nous creusant la tête. Nous ne parlions pas beaucoup. Mon regard croisa celui de Merle et elle détourna aussitôt les yeux, comme si je venais de la surprendre la main dans le sac. Elle pensait comme moi à ce jour où Caro n'était pas rentrée à la maison. Je le savais sans qu'il soit besoin de le dire tout haut. Je me mis à prier en silence. *S'il vous plaît...Faites que nous ne vivions pas ça une seconde fois !*

Merle se leva, quitta la cuisine et revint peu de temps après, un sourire gêné aux lèvres.

— J'avais gardé ça, déclara-t-elle en posant sur la table une carte de visite que je connaissais bien. Au cas où.

Pourquoi pas ? Le commissaire prendrait nos craintes plus au sérieux que n'importe quel planton. J'allai chercher le téléphone. Mike tournait et retournait la carte entre ses doigts. Absorbé dans ses pensées, il était de nouveau ailleurs.

*
* *

Ilka prit d'abord conscience du mal de tête qui enserrait son crâne comme un casque trop étroit. Elle gémit et

174

pressa doucement ses tempes. Ensuite seulement, les souvenirs revinrent, confus. Elle ouvrit les yeux et se redressa.

La douleur lui fit pousser un cri. Elle avait la nausée. Mais elle avait surtout peur. Elle s'accroupit contre le mur. Que s'était-il passé exactement ?

Elle était sortie en courant de la maison de Lara. Un van s'était arrêté. Un homme en était descendu.

Ruben !

Il l'avait entraînée dans le véhicule et forcée à avaler quelque chose. Elle en sentait encore le goût amer dans sa bouche. À partir de là, elle ne se souvenait plus de rien. Elle ne savait pas où elle se trouvait, ni comment elle y était arrivée.

Elle promena lentement son regard dans la pièce. Un lit, une armoire aux vitres laiteuses, un petit secrétaire ancien semblable à celui que sa mère possédait, un fauteuil recouvert d'un tissu bleu. Sur le dossier, un peignoir blanc, prêt à être enfilé.

Horrifiée, Ilka baissa les yeux et poussa un soupir de soulagement. Elle portait encore ses vêtements. Ruben s'était visiblement contenté de l'étendre sur le lit et de la couvrir d'une couverture en laine. Elle tendit l'oreille. Le silence était si absolu qu'elle entendait le sang battre dans ses oreilles. Ses yeux se remplirent de larmes et elle chuchota :

— Faites que ce soit un cauchemar !

Avant que la panique ne puisse l'envahir, elle examina plus attentivement l'endroit. Elle vit deux petites fenêtres placées assez haut dans la pièce, protégées par des barreaux en fer vrillés. Des volets clairs, baissés. Sur le sol, un tapis moelleux rouille et bleu. Aux murs, des toiles abstraites. Sur le secrétaire, une lampe moderne donnant à la chambre un air de gaieté.

Tout paraissait anodin et normal, mais la réalité était bien différente. Ilka réfléchissait à toute allure. Quelles étaient les intentions de Ruben ? Pourquoi l'avoir amenée ici ? Juste pour lui parler ? Pour l'obliger à l'écouter ?

Ils sont assis dans leur cachette. Le vent d'automne siffle autour de la maison et hurle dans la cheminée. La pluie tombe avec fracas sur le toit. Ilka a enfilé son épaisse doudoune d'hiver.

Ruben ne semble pas avoir froid. Il n'a jamais froid. Ilka l'admire pour cela. Il se rase déjà. Il la sauverait sûrement, si elle était victime d'un accident. Ensuite, il n'en parlerait même pas. Comme les héros dans les films.

Il ouvre son couteau de poche. La lame brille comme de l'argent. Il suit le tranchant du pouce.

— Tu veux rester avec moi à tout jamais ?

Ilka prend peur. Impossible d'imaginer une vie sans Ruben. Ses yeux s'écarquillent. Surtout, ne pas pleurer ! Ruben n'aime pas qu'elle pleure. Il dit que cela la rend laide et bête.

À tout jamais… Elle hoche la tête.

— Alors, il faut qu'on devienne frères de sang.

— Comment ça ? Je suis ta sœur !

Elle ne peut pas voir du sang sans se sentir mal. La détermination de Ruben l'effraie. Quand ce pli se creuse entre ses sourcils, il faut se montrer prudent. Il peut exploser à la moindre occasion.

— C'est une expression. Ça marche aussi entre frère et sœur.

Frère et sœur… Hänsel et Gretel… Une vieille femme qui brûle dans un four.

— Une petite coupure, poursuit Ruben en s'amusant à balader la lame sur sa paume gauche. Juste ici. Une simple égratignure. Après, on mélange notre sang et on le boit.

— Il faut beaucoup saigner pour ça…

— On ne le boit pas vraiment !

Ruben commence à s'impatienter. Les veines saillent sur ses tempes.

— On le lèche.

Surtout, ne pas pleurer. Sinon, il se mettra en colère. Mais elle a tellement peur du couteau !

— Tu n'as pas besoin de regarder. Ça va très vite. Tu ne remarqueras presque rien.

Voilà qu'arrivent ces stupides larmes… Ilka les chasse en clignant des yeux.

— Si tu pleures, on peut oublier toute l'affaire.

— Je ne pleure même pas.

— Allez ! Appuie-toi sur moi, ce sera vite fini.

Ilka cache son visage contre son épaule. Elle ferme les yeux. Puis elle pousse un cri.

— Chut ! Tu veux que maman nous trouve ici ?

Ilka serre sa main gauche. Le sang coule dans sa manche, laissant une vilaine trace. Sa vision s'obscurcit.

— Respire ! lui ordonne Ruben en la secouant. Il faut que tu respires !

Obéissante, elle prend une profonde inspiration.

Ruben s'entaille la paume et la presse contre la sienne. Puis il lèche le sang de sa blessure. Sa langue caresse sa peau, se promène le long de son bras, suce la plaie rougie.

— À ton tour.

Il tend sa main barbouillée de sang. Ilka a mal au cœur

et ferme les yeux, elle se détourne. Ruben l'attrape fermement par la nuque, puis il appuie sa paume contre sa bouche.

Elle sent le goût métallique sur sa langue. Se force à avaler.

L'étreinte de Ruben se relâche. Il se penche vers elle et l'embrasse.

— Toi et moi. Moi et toi. À tout jamais.

Il l'embrasse à nouveau.

— Répète.

— Toi et moi, dit Ilka. À tout jamais.

Ils restent ainsi, blottis l'un contre l'autre, et regardent les petites lucarnes sur lesquelles tambourine la pluie. La nausée d'Ilka cède la place à un sentiment de sécurité.

Ruben enfouit le visage dans ses cheveux. Elle sent son souffle sur son cuir chevelu.

— Tu m'appartiens, à présent…, chuchote-t-il. Personne ne nous séparera jamais.

— Sinon ? demande anxieusement Ilka.

— Je viendrai te reprendre. Et s'il le faut, je le tuerai.

Elle n'avait pas oublié ce moment. Elle l'avait juste enfoui profondément en elle. Et c'était arrivé. Il était venu la reprendre.

— Mike…, murmura-t-elle, désemparée.

Puis elle se raidit. Et si Mike la cherchait ? S'il entravait les projets de Ruben ?

S'il le faut, je le tuerai.

— Reste où tu es, le supplia tout bas Ilka. Ne me cherche pas.

À cet instant, elle entendit un bruit sourd, puis un cli-quetis, des pas qui s'approchaient. Vite, elle se recoucha, le visage tourné vers le mur, et remonta la couverture jusqu'à son menton.

Ruben.

Il l'épiait. Elle sentait sa présence à travers la porte fermée.

Ilka resta allongée sans bouger, retenant son souffle, tandis que son cœur battait la chamade. Si Ruben croyait qu'elle dormait toujours, il repartirait peut-être.

Mais ensuite ?

13

La voix de Jette était faible et hésitante, mais Bert Melzig ne s'y laissa pas tromper. Il savait que la jeune femme possédait une force insoupçonnée. Il l'écouta attentivement, sans l'interrompre.

— Et le policier a renvoyé la tante d'Ilka chez elle en lui conseillant d'attendre, conclut-elle.

À juste titre, pensa Bert. L'expérience prouvait que certaines personnes portées disparues réapparaissaient avec une simple gueule de bois. Il n'était pas rare non plus que des jeunes disparaissent quelques jours, le temps de changer d'air. Dans ces conditions, aucune raison de céder à la panique et de mettre en branle toute la machine policière.

Il n'empêche qu'il avait dressé l'oreille. Quelque part dans son subconscient, un témoin lumineux s'était mis à clignoter.

C'est une tante de la jeune fille qui disposait de l'autorité parentale. Une situation synonyme de complications. Bert contempla avec envie la bouteille de bordeaux qu'il venait d'ouvrir. Elle devrait attendre… Tout comme Margot, qui rentrait d'une fête d'anniversaire et mourait d'envie de lui raconter les dernières nouvelles.

— Bien. Donnez-moi vingt minutes.

Et il raccrocha. Margot fronça les sourcils.

— Je suis désolé, fit-il en déposant un baiser fugace sur sa joue. Je dois repartir.

— Tu sais quelle heure il est ?

Quand Margot était irritée, sa voix montait dans les aigus. Encore un peu, et elle se mettrait à brailler. *Comme une marchande de poisson*, se dit Bert avec lassitude. *Où est passée la jeune fille dont je suis tombé amoureux ?* Elle indiquait sa montre d'un air accusateur, comme si elle craignait que ses mots seuls n'aient pas suffisamment de poids.

— Tu te souviens de Jette Weingärtner ? reprit Bert, qui lui avait beaucoup parlé de l'affaire. Il semblerait qu'une autre jeune fille ait disparu.

— Encore ? Dans le même appartement ?

Bert n'avait aucune envie de se lancer dans de laborieuses explications. Il voulait s'entretenir rapidement avec Jette et Merle, pour pouvoir savourer le reste de la soirée devant un bon verre de vin.

— Pas exactement. Dans son entourage proche, en tout cas, expliqua-t-il.

— Très étrange.

— Ça arrive, ce genre de coïncidence. Rarement, mais ça arrive.

— Ça ne peut pas attendre demain ?

— À l'époque, je lui ai proposé de m'appeler chaque fois qu'elle aurait besoin de mon aide. Je n'ai pas exigé qu'elle s'en tienne aux heures de bureau.

Margot le laissa en plan, vexée. Bert attrapa son manteau

en soupirant. Elle se calmerait peut-être en son absence, peut-être pas. Après toutes ces années, il n'était toujours pas en mesure d'anticiper ses réactions.

Le trajet dura moins de dix minutes. Il y avait très peu de circulation. Comme si tous les habitants en avaient assez du froid hivernal et restaient chez eux. Il trouva une place de parking juste devant l'immeuble, se hâta de rejoindre la porte d'entrée et sonna.

Le faible éclairage de la cage d'escalier lui donna le cafard, comme les murs miteux et tachés de graisse. Les marches usées craquaient sous ses pieds. Sur les appuis de fenêtre entre chaque étage, des plantes vertes dépérissaient.

Bert s'efforça de les ignorer. Il se fraya un passage entre les poussettes et les trottinettes encombrant les paliers, et se réjouit d'en avoir fini avec ce genre de vie.

Jette l'attendait à la porte. Elle le conduisit dans la cuisine, où Merle était occupée à préparer du café. Un jeune homme dégingandé versait des gâteaux secs dans une coupelle.

— C'est Mike… Hendriks, ajouta Jette en réalisant que Bert savait encore très peu de chose sur leur nouveau colocataire.

Le jeune homme l'accueillit avec un regard si implorant que Bert le prit aussitôt en amitié. Il ôta son manteau et Mike alla le suspendre dans l'entrée.

Merle apporta le café, ils s'installèrent à table et Bert sortit son carnet et son stylo-bille.

— Je vous écoute.

*
* *

— Je veux juste parler avec toi, affirma Ruben en refermant la porte.

Ilka était accroupie sur le lit, enveloppée dans la couverture en laine comme si elle avait froid, alors qu'une température agréable régnait dans la chambre.

— Pourquoi suis-je ici ?

Elle repoussa la couverture, tira sur son pull et se redressa. Comme pour lâcher du lest avant de bondir, si nécessaire. Les gouttes de somnifère renversées pendant leur lutte avaient collé ses cheveux, sa peau était terne. Elle avait l'air pitoyable.

— Ce que tu es méfiante ! lança Ruben.

Il se tenait toujours près de la porte, pour ne pas l'effrayer.

— Ça t'étonne ?

Il ne réagit pas à sa remarque. Il n'avait pas envie de s'engager dans une discussion. Il voulait savourer la joie que tout soit derrière lui.

— Tu sais bien que tu peux me faire confiance. Je ne te ferai jamais de mal.

— Et ça, alors ? fit-elle en tendant ses poignets, où l'adhésif avait laissé des marques rouges.

— On ne pouvait pas l'éviter.

Ruben fit prudemment un pas dans sa direction. Elle sursauta et se plaqua au mur. Il fut bouleversé de la voir si pleine de rejet. Il s'était imaginé les choses autrement.

— Montre-moi tes poignets, que je puisse te soigner.

Ilka glissa en bas du mur. Le somnifère faisait encore effet. Elle pouvait à peine garder les yeux ouverts.

— Non, souffla-t-elle. S'il te plaît… pas ça.

Sa tête tomba en avant. Ruben se dirigea lentement vers

elle et la releva. Puis il l'étendit sur le lit. Elle gémissait faiblement. Une douleur diffuse avait envahi son crâne.

Il étala un peu de crème sur ses poignets, puis déplia soigneusement la couverture sur elle. Ilka s'était presque rendormie et ne réagit pas. Il l'embrassa sur le front, sortit de la chambre et referma derrière lui. Il laissa la lampe allumée pour qu'elle n'ait pas peur si elle se réveillait en pleine nuit.

Tandis qu'il remontait au rez-de-chaussée, il se sentit moins abattu. Il ne devait rien précipiter. Rien ne pressait. Ils avaient toute la vie devant eux.

*
* *

La lueur de la lune pénétrait dans la pièce et donnait aux meubles un air d'étrangeté. J'observais les ombres sur le plancher et sur les murs, pour ne pas devoir supporter l'éclat froid de la lumière sur les objets.

J'étais parfaitement réveillée.

Le commissaire avait écouté attentivement et pris des notes. J'étais incapable de me rappeler ce petit carnet noir aux coins rouges. L'avait-il, avant ?

— Pourquoi écrire tout ça ? avait demandé Merle sans chercher à dissimuler son inquiétude. Vous pensez qu'Ilka…

Il ne restait plus aucune trace de son ancienne méfiance. « C'est quelqu'un de bien, pour un flic », m'avait-elle confié un jour. Il avait su gagner son respect. Beaucoup ne pouvaient pas en dire autant, surtout avec ce genre de métier.

— Simple habitude, avait souri le commissaire d'un air rassurant. Je retiens mieux ce que j'ai noté. Ça ne signifie rien de particulier.

Mike lui parla d'Ilka. Il réussit à brosser d'elle un portrait précis, en quelques phrases. Non sans mal.

De temps en temps, sa voix se brisait.

La thérapie d'Ilka intéressait particulièrement le commissaire.

— Quels problèmes rencontrait votre amie ?

Sa question s'adressait à nous trois, mais aucun de nous ne connaissait la réponse. Les sourcils du commissaire se soulevèrent brièvement, puis son visage reprit une expression neutre.

— Elle se dévoile très peu, expliqua Mike. Nous venons tout juste d'apprendre que sa mère vit encore. Ilka a toujours laissé croire que ses parents étaient morts tous les deux dans cet accident, il y a trois ans.

— Et la tante d'Ilka, cette Mme… Täschner l'a alors accueillie chez elle ?

Mike hocha la tête.

— Comment Ilka s'entend-elle avec elle ?

— Plutôt bien. Sa tante lui laisse une grande liberté.

— Par exemple ?

— Elle peut dormir ici quand elle veut, passer autant de temps avec moi qu'il lui plaît.

Le commissaire fronça pensivement les sourcils, avant de poser la question suivante.

— Que pouvez-vous me dire sur votre relation ?

Mike rougit et fixa ses mains.

— Je ne veux pas vous embarrasser, ajouta le commissaire. Vous n'êtes pas obligé de me répondre. Ce n'est pas un interrogatoire.

— Il y a un problème, répondit Mike sans lever les yeux. Ça fait trois ans qu'on est ensemble et on n'a encore jamais… couché.

Le commissaire attendait. Sans le bousculer.

— Nos… caresses nous emmènent toujours jusqu'à un certain point, ensuite elle est prise de panique.

— De panique ?

— Complètement. Au point qu'elle finit par s'enfuir au beau milieu de la nuit. Dans ces moments-là, je n'ai pas le droit de la toucher. Après, elle se met à trembler et à crier.

— En avez-vous parlé avec elle ?

À présent, Mike le regardait.

— Qu'est-ce que vous croyez ? Bien sûr que j'ai essayé, mais elle esquive toutes mes questions. Vous savez, Ilka n'est faite que de secrets. Il arrive qu'elle soulève le voile et qu'elle me montre une partie d'elle-même, mais dessous, on découvre un autre voile qui cache le secret suivant.

Il fit la grimace.

— Je n'ai pas encore avancé assez loin. Sinon, je saurais peut-être où elle se trouve en ce moment…

Le commissaire posa encore quelques questions, mais nos réponses n'avaient pas grand intérêt. Finalement, il se leva et rempocha son carnet de notes.

— Je vais m'en occuper. En attendant, vous devriez cesser de broyer du noir. Essayez de vous changer les idées. Tout s'expliquera peut-être dès demain.

Mike lui avait serré la main, reconnaissant. Son visage avait repris des couleurs. La confiance affichée par le commissaire lui avait rendu espoir.

Pourquoi n'avait-elle eu aucun effet sur moi ? Allongée dans le noir, les yeux grands ouverts, je ne pouvais m'empêcher d'imaginer Ilka errant dehors, dans le froid. Ou même… Non. Il ne fallait pas y penser. Cela n'avait aucun sens de se torturer. Peut-être y avait-il une explication tout à fait anodine à la disparition d'Ilka. Je me blottis sous ma couverture et fermai les yeux.

Où était Ilka à cet instant ? Comment se sentait-elle ? C'était peine perdue… Je ne pourrais jamais dormir.

*
* *

Lorsque Ilka se réveilla, c'était le matin. Elle s'en rendit compte en regardant sa montre. Le temps ne semblait pas exister dans cette chambre. Les volets roulants étaient toujours baissés, excluant le monde extérieur. À condition qu'il y ait bien un monde extérieur… La situation était si irréelle qu'Ilka avait perdu toute certitude.

Oserait-elle monter les volets ? Ruben l'entendrait-il forcément ?

Ce que le silence était profond ! Comme s'il n'existait que cette pièce au monde.

Ilka écouta attentivement. Puis elle se redressa lentement et tendit le bras. Elle attrapa la sangle et tira prudemment dessus. Rien ne se passa. Un mécanisme devait empêcher qu'on actionne les volets.

Déprimée, elle laissa retomber son bras. Elle descendit du lit et fit le tour de la chambre. En d'autres circonstances, le secrétaire l'aurait tentée. Il lui aurait peut-être donné envie de s'asseoir et de rédiger une lettre. Ou un poème.

Il lui arrivait d'en écrire. Elle ne les avait jamais montrés à personne, pas même à Mike qui les aurait peut-être compris. Elle n'en avait pas parlé à Lara non plus. Parce que Lara aurait fait son boulot en épluchant chaque vers. Elle avait sûrement suivi des séminaires savants sur ce thème. *De l'importance de l'inconscient dans la poésie...* Ou l'inverse.

Quelle était au juste la différence entre *inconscient* et *subconscient* ? Elle aurait aimé poser la question à Lara.

Mon Dieu, pensa-t-elle. *Faites que je me réveille et que rien de tout ça ne soit arrivé.* Mais Dieu n'avait jamais entendu ses prières. Pourquoi se montrerait-il subitement compréhensif ?

Elle rêvait de prendre une douche. Elle se sentait sale. Souillée. Par les mains de Ruben. Par le somnifère renversé sur elle. Par la nuit agitée dans des vêtements trempés de sueur.

Elle aurait donné n'importe quoi pour pouvoir enfiler des vêtements propres. Respirer l'air frais. Voir la lumière du jour. Il était un peu plus de huit heures. Faisait-il déjà clair, dehors ?

La peur rôdait en elle. Elle ne voulait pas lui être livrée. Alors, Ilka s'assit par terre dans la position du lotus et ferma les yeux. Le yoga l'aidait toujours quand elle se sentait acculée.

Elle se concentra sur sa respiration. Laissa le calme gagner sa tête et son corps. Rassembla ses pensées et les enfouit profondément. Elle n'était pas obligée de rester dans cette pièce. Elle pouvait disparaître à l'intérieur d'elle-même. Où personne ne pourrait lui faire de mal.

*
* *

Il était allé la voir deux ou trois fois pendant la nuit. Elle dormait profondément, recroquevillée en chien de fusil. Il avait presque été jaloux de son sommeil. Ilka s'abandonnait à lui sans réserve, sans peur.

La nuit avait été courte, pour Ruben. Allongé sur le canapé, il avait somnolé un moment, prêt à bondir si Ilka l'appelait. Il n'avait pas besoin de beaucoup de sommeil, quatre heures lui suffisaient.

Il avait fait cuire des petits pains. Ilka aimait qu'ils soient encore chauds. Pour son petit déjeuner, elle adorait les oranges pressées et les œufs à la coque. Elle aurait tout cela. Elle ne devait manquer de rien.

Ruben avait acheté de la vaisselle au motif fleuri démodé, semblable à celle qu'ils avaient chez eux. Ce détail familier l'apaiserait peut-être. Quand saisirait-elle que son entêtement ne pouvait que lui nuire ?

— Elle finira bien par comprendre, dit-il tout haut, en posant sur un plateau la corbeille à pain et des couverts. Elle n'a plus le choix.

Il avait pris l'habitude de parler tout seul. Mais cela allait changer. Il n'aurait plus jamais à endurer les souffrances de la solitude. Plus jamais.

Il referma le couvercle de la Thermos et vérifia une dernière fois qu'il avait pensé à tout. Petits pains, beurre, miel, confiture, fromage, jus d'orange, œuf, salière, sucrier et petit pot de lait. Parfait. Il souleva le plateau, prit les clés et descendit.

Assise sur le lit, elle le regardait.

— Bonjour, dit Ruben. Comment vas-tu ?

— Où suis-je ?

— À la maison, répondit Ruben qui n'avait pas l'intention de céder à la provocation. J'ai préparé ton petit déjeuner.

— À la maison ?

Ruben posa le plateau sur le secrétaire et approcha le fauteuil.

— Voilà. Sers-toi.

— Je dois aller aux toilettes.

— Je peux te faire confiance ? Tu vas te montrer raisonnable ?

Elle hésita, puis hocha la tête. Ruben la conduisit à la salle de bains, de l'autre côté du couloir. Il appuya sur l'interrupteur, à côté de la porte.

— J'aimerais être seule.

— Bien sûr, fit Ruben en s'adossant au mur et en croisant les bras. J'attends ici.

— Il n'y a pas de clé dans la serrure.

Il ne répondit pas. Elle ne s'attendait quand même pas sérieusement à ce qu'il lui remette la clé !

— O.K., dit-elle doucement. O.K.

Elle prit tout son temps, mais cela ne le dérangea pas. Il l'avait attendue trois ans, quelques minutes ne comptaient pas.

— Tu pourras te doucher après le petit déjeuner, proposa-t-il lorsqu'elle sortit de la salle de bains. Et te changer aussi.

— Me changer ? fit-elle en regardant ses vêtements. Comment veux-tu que je fasse ? Tu ne m'as pas vraiment laissé le temps de faire mes valises.

Ruben sourit. Elle n'avait pas perdu son sens de la répartie.

— Tu as tout ce qu'il te faut. Je te montrerai ça quand tu auras terminé ton petit déjeuner.

Sans faire de difficultés, elle retourna avec lui dans la chambre, s'installa devant le secrétaire et se versa du café. Elle mangea un petit pain, but le jus d'orange et fit honneur à l'œuf à la coque. Ruben la regardait. Tout était presque comme avant, si ce n'est qu'elle ne disait pas un mot.

— Parle-moi, lui demanda-t-il.

Elle le regarda. Son visage lui était si familier. Mais il y avait dans ses yeux une expression qu'il ne connaissait pas.

— Ruben, pourquoi suis-je ici ?

*
* *

Mike était parti en cours pour lutter contre le cafard. La tante d'Ilka devait faire une déclaration de disparition le matin même. C'était son affaire, pas la sienne.

Naturellement, elle ne l'avait pas exprimé ainsi. Mais elle le lui avait fait sentir. Il ne lui en tenait pas rigueur. Elle le connaissait à peine, finalement. Ilka l'avait présenté un jour à sa famille, ils avaient échangé quelques mots sans importance entre deux portes.

Il se frayait un chemin dans la cour du lycée. Brusquement, il se sentit agressé par la foule. Le bruit. Les cris lui écorchaient les oreilles. On le bouscula et il éprouva le besoin de donner des coups. Sa propre réaction l'effraya. Il se rendit compte qu'il ne voulait pas aller en cours. Mais il ne voulait pas rentrer chez lui non plus. Il voulait avoir de nouveau cinq ans et croire aux miracles.

Les crimes ne survenaient pas que dans les journaux, l'expérience de Jette et de Merle l'avait prouvé. Depuis la veille, la peur s'était ancrée en eux. Elle collait aux murs de l'appartement, les assaillait dès qu'ils y mettaient les pieds. Elle s'accrochait à leurs vêtements comme une odeur tenace. Impossible de s'en défaire.

Ils évoluaient dans un mauvais rêve. Chaque mot semblait receler un double sens caché, chaque pensée menait à Ilka.

— Mike ! Attends !

Charlie se détacha d'un groupe de filles. Aussitôt, une étincelle d'espoir jaillit en lui.

— Je voulais juste savoir s'il y avait du nouveau.

L'étincelle s'éteignit.

Charlie mâchait du chewing-gum. Comment pouvait-elle mâcher tranquillement du chewing-gum, alors qu'elle aurait dû être folle d'angoisse pour son amie ? La veille au soir, Mike l'avait cuisinée au téléphone, pour constater qu'elle connaissait Ilka encore moins que lui.

— Non, répondit-il, à cran.

— C'est terrible, quand il se passe un truc du genre dans ton entourage. Quelqu'un qui disparaît. On lit ça dans les journaux, d'habitude.

Il n'avait encore jamais remarqué à quel point ses paroles étaient creuses. Il la fixa sans rien dire. Elle commença à se sentir mal à l'aise sous son regard et se mit à tortiller ses longs cheveux. Son chewing-gum sentait la menthe.

— Fais bien gaffe à ne pas te laisser étouffer par l'inquiétude ! lança-t-il.

Ses yeux bleu délavé prirent une expression étonnée. L'espace d'un instant, elle s'arrêta de mâcher.

— Qu'est-ce que tu veux dire ?

— Réfléchis un peu.

Il lui tourna le dos et la laissa en plan. Il n'avait plus rien à faire ici. Il ne retournerait au lycée que lorsqu'il saurait ce qui était arrivé à Ilka.

14

Épouvantée, Imke fixait le téléphone. Luttant pour se ressaisir. Elle n'arrivait pas à y croire. La voix de Jette résonnait encore dans ses oreilles, très enfantine et si proche. Imke devait résister à l'envie de monter dans sa voiture pour aller la voir.

— Laisse-la, lui avait conseillé Tilo. Tu vas la perdre.

Il avait raison, évidemment. Mais comment forcer le cœur à obéir à la raison ?

Ilka a disparu. Une simple phrase avait suffi à matérialiser ses craintes. Le cauchemar se répétait et sa fille se retrouvait au beau milieu.

Bien sûr, cela ne voulait rien dire... Les jeunes filles faisaient les choses les plus folles. Ilka était peut-être partie en auto-stop à Paris ou Amsterdam. Elle avait pu dégoter un vol bon marché pour Barcelone. À moins qu'elle ne soit partie, sac au dos. Les jeunes filles oubliaient d'appeler chez elles. Il ne leur venait pas à l'idée qu'on puisse se faire du souci. Cela n'avait rien d'inhabituel. On vivait ce genre de situation tous les jours.

Imke composa le numéro de sa mère. Elle avait l'étrange habitude de tout lui confier. Contrairement à Jette, elle ne deviendrait probablement jamais adulte.

— Doux Jésus ! lâcha sa mère. Comment vont les filles ?

— Elles oscillent entre espoir et inquiétude.

— Et toi ?

— Chez moi, l'inquiétude prédomine.

— Comment puis-je t'aider, mon enfant ?

Mon enfant. Quand sa mère l'avait-elle appelée ainsi pour la dernière fois ?

— Tu n'aurais pas envie de passer ?

— J'aimerais bien, mais je vais avoir mon cours de dessin. Je suis désolée.

Imke avait oublié que sa mère avait un agenda de ministre. Et une énergie inépuisable. Elle prenait des cours de russe (avec sa femme de ménage, un jeune professeur), suivait depuis des années des cours de danse de salon et avait commencé à apprendre le yoga à l'âge de soixante-dix ans. Âgée maintenant de soixante-quinze ans, elle s'était découvert une passion pour la peinture et avait vendu deux de ses toiles lors d'une exposition organisée par son école.

— Pas de problème, maman.

Il faut que je lâche la bride, songea Imke. *À ma fille, mais aussi à ma mère.* Elle se rassit devant son ordinateur. Travailler était le meilleur remède. Contre les chagrins d'amour, la douleur et la peur.

Elle relut attentivement la page qui l'occupait lorsque Jette avait appelé. Tapa en hésitant la phrase suivante. Moins de dix minutes plus tard, elle était à nouveau plongée dans son roman. Ses doigts dansaient sur le clavier. L'espace d'un moment, elle oublia ses soucis et ce qui l'entourait. L'espace d'un moment, seul comptait ce qui apparaissait sur son écran.

*
* *

— Pourquoi tu es ici ? demanda Ruben avec étonnement. Parce que tu m'appartiens.

Il désigna en souriant la tasse dans sa main.

— Tu te rappelles ce motif ?

Ilka l'examina.

— On dirait presque… le service qu'on avait autrefois à la maison.

Ce n'est qu'à cet instant qu'elle se rendit pleinement compte du sens de sa présence dans ces lieux. Elle reposa brusquement sa tasse.

— Tout est comme avant, expliqua Ruben. Tout. Tu vas de nouveau être heureuse, je te le promets.

Ilka se leva et s'éloigna lentement de lui. Elle s'assit lourdement sur le bord du lit. La lumière du jour lui manquait.

— Mais je *suis* heureuse, dit-elle doucement.

— C'est pour ça que tu suis une thérapie ?

La voix de Ruben s'était faite coupante. Comme pour indiquer à Ilka qu'il y avait des limites à ne pas franchir.

— Combien de temps vas-tu me retenir ici ? demanda-t-elle, alors qu'une part d'elle connaissait déjà la réponse.

Ses mains étaient froides et tremblaient. Elle les glissa sous ses genoux. Ruben ne devait pas remarquer sa faiblesse.

— Je ne veux pas te retenir. J'aimerais que tu restes de ton plein gré.

— Combien de temps, Ruben ?

— Quelle drôle de question ! Pour toujours. Tu dois rester avec moi pour toujours.

Le tremblement de ses mains s'empara de tout son corps. Ilka tendit les muscles pour le réprimer. La peur diffuse de ces derniers mois l'avait rattrapée. Ne savait-elle pas au plus profond d'elle-même que Ruben ne la laisserait pas en paix ?

Il prit le plateau et le posa sur la commode, dans le couloir.

— Si tu me promets de ne pas faire d'histoires, je t'emmène visiter ton petit royaume.

Ton petit royaume… Il était fou.

Ilka hocha la tête. Le principal, c'était qu'elle ne soit plus enfermée dans cette chambre. Ruben la précéda. Bouleversée, elle le suivit de pièce en pièce. Une cuisine, un salon, la salle de bains qu'elle connaissait déjà. Le tout équipé de façon moderne et décoré avec goût. Un parfait petit appartement. Il n'y manquait qu'une chose – de la vie. Chaque pièce semblait totalement inhabitée. Les meubles étaient posés là, comme sortis d'un catalogue. Pas une griffe, pas un défaut. Personne n'avait jamais ouvert les portes des armoires, ni les tiroirs. Personne n'avait jamais utilisé la douche ou la baignoire. Le coussin avait été posé sur le canapé et on n'y avait plus touché.

— Dis-moi ce dont tu as besoin et je te le fournirai, déclara Ruben.

Le regard d'Ilka glissa sur les produits de toilette dans la salle de bains. Du shampooing. Du savon. Un peigne et une brosse. Des crèmes, du parfum et des lotions. Il avait même pensé au rouge à lèvres et au mascara.

Il y avait des plantes sur l'appui de fenêtre.

— Elles sont vraies ?

— Tu me crois capable de t'imposer quelque chose d'artificiel ? sourit Ruben.

— Mais il leur faut de la lumière !

— Très juste, répondit Ruben qui sortit dans le couloir.

Le volet roulant monta avec un léger ronronnement… et la déception fit venir les larmes aux yeux d'Ilka. La lumière entrait bien dans la pièce, mais la fenêtre était dotée de vitres opalines striées.

— Du verre de sécurité, précisa fièrement Ruben, à qui son regard n'avait pas échappé. Dans toutes les pièces. Impossible de le briser. C'est le meilleur sur le marché.

Barreaux en fer et verre de sécurité… Ilka se frotta les yeux du dos de la main. Elle n'avait encore jamais ressenti une telle impuissance. Elle se faisait l'effet d'un scarabée, tombé sur le dos et incapable de se retourner. Mais elle ne se débattrait pas dans tous les sens. Elle n'offrirait pas ce triomphe à Ruben.

— Je suis ta captive, donc.

— Ne le prends pas comme ça !

Il s'était adossé au chambranle de la porte de la salle de bains, parfaitement détendu, comme s'il s'agissait d'une conversation normale entre gens normaux.

— Alors, laisse-moi partir.

Son attitude décontractée se modifia imperceptiblement. Il était sur ses gardes.

— S'il te plaît, Ruben ! Laisse-moi partir !

— Tu aimerais sûrement prendre une douche et te changer, maintenant.

Dans la salle de bains, il ouvrit une étroite armoire blanche.

— Voilà des gants et des serviettes de toilette.

197

Soigneusement empilés et classés par couleurs. C'était surréaliste. Une vraie maison de poupée.

Ruben la reconduisit dans la chambre.

— Dans cette armoire, tu trouveras des vêtements.

Il observa Ilka en plissant les yeux.

— Trente-huit, c'est bien ça ?

Il avait pensé à tout. Tout planifié dans les moindres détails. Sa froide perfection lui causa un choc. Cet appartement n'avait été aménagé que pour elle. Lui-même ne paraissait pas avoir l'intention d'y vivre. Rien ne semblait l'indiquer.

Remplie de panique, Ilka s'enfuit de la chambre. En courant, elle traversa le couloir et se dirigea vers la seule porte que Ruben n'avait pas ouverte.

Fermée à clé.

Ilka secoua la poignée. Elle frappa la surface en métal des deux poings et se mit à crier :

— Je veux sortir d'ici ! Sortir ! Sortir !!!

Ruben ne fit rien pour l'en empêcher. Il la suivit calmement, se planta derrière elle et croisa les bras sur la poitrine.

Les cris d'Ilka faiblirent. Elle était à bout de forces. Ne parvenait plus à retenir ses larmes. Elle posa le front contre la porte et se mit à pleurer.

— Elle est en acier, l'informa Ruben sur un ton très factuel. L'appartement a été insonorisé. Il se trouve dans une villa isolée. Aucun voisin. Tu peux t'égosiller tant que tu veux, personne ne t'entendra.

Les larmes d'Ilka se rassemblèrent sur son menton et tombèrent goutte à goutte sur son pull. Quelques-unes dégoulinèrent dans son cou et atterrirent sur son tee-shirt.

Elle ne les essuya pas, ne toucha pas au mouchoir que Ruben lui tendait.

— Comme tu voudras, conclut Ruben en replaçant le mouchoir dans sa poche. Tu peux aller et venir comme tu veux à cet étage. Appelle si tu as besoin de moi. Avec ça.

Il indiqua une sonnette près de la porte. Sa voix était froide et maîtrisée.

Ilka le planta là. Elle retourna dans la chambre, referma la porte et se jeta sur le lit. Il fallait qu'elle réfléchisse à ce qu'elle pouvait faire. Au lieu de cela, elle pleura tellement qu'elle finit par s'endormir d'épuisement.

*
* *

Ruben remonta le plateau, excessivement déçu. Il ne s'était pas imaginé ainsi leurs retrouvailles. Il s'attendait bien à des difficultés, mais il n'était pas préparé à ce qu'Ilka soit si différente. Sa voix avait changé. Son regard aussi. Où étaient passés son rire ? Sa tendresse ?

Elle l'évitait ! Comme si elle avait une peur panique qu'il la touche. Elle qui savourait autrefois ses caresses… Il lui suffisait de fermer les yeux pour sentir à nouveau sa peau sous ses mains. Sa peau et ses cheveux.

Furieux, il remplit le lave-vaisselle. Ces trois années avaient fait d'Ilka une jeune femme qu'il avait peine à reconnaître.

Il monta l'escalier menant à son atelier. Depuis qu'il vivait dans cette maison, il n'avait pas touché un seul pinceau. Il lui tardait de se retrouver en tête à tête avec la peinture, seul avec son imagination. De brefs moments où il était à peu près heureux.

Les dernières mises au point avant l'arrivée d'Ilka avaient occupé tout son temps. Il avait espéré pouvoir désormais tout conjuguer ; travail, vie quotidienne et amour. Il avait rêvé de toiles monumentales.

Mais pour cela, il avait besoin d'Ilka.

Il était en pleins préparatifs pour une exposition à Londres. Il avait effectué un choix préliminaire et aligné les tableaux contre le mur de l'atelier. Dès qu'il se serait décidé, il les ferait encadrer dans la petite boutique où il avait ses habitudes. Dans un premier temps, il voulait se montrer le moins possible dans son nouveau quartier.

Il examina les toiles. Elles représentaient toutes un homme et une femme. Les thèmes pouvaient également faire office de titres. *Au marché. Dans la rue. Au café. En société. Seul. En terrasse. À table. Sur le lit.*

Les critiques allaient raffoler de ce nouvel aspect de son travail… Il voyait déjà les gros titres : *Le peintre et sa muse.* Ou, mieux encore : *Le peintre et l'amour.*

Ruben eut une grimace méprisante. Que savaient-ils de l'amour ! Ils ne comprenaient rien à la passion.

Il songea aux interviews données au fil des ans. C'était surtout sa vie amoureuse qui intéressait les gens. Il les avait menés en bateau, les lançant de fausse piste en fausse piste. Leur avait jeté de la poudre aux yeux pour détourner leur attention.

Il se sentit mal en pensant au nombre de femmes avec lesquelles il avait flirté, pour tordre le cou à la rumeur selon laquelle il portait le deuil d'un grand amour. Il avait même passé la nuit avec certaines. Elles étaient amoureuses du célèbre peintre, pas de lui. Quelques-unes avaient trompé leur mari avec lui. Le risque d'être découverts l'avait excité, plus que les femmes elles-mêmes.

Seule Judith avait pu l'approcher véritablement. Elle était comme une sœur. Comme la sœur qu'Ilka n'avait jamais pu être. Il l'aimait d'une façon simple et sincère, qui n'avait rien à voir avec du désir.

Il lui avait expliqué qu'il avait besoin de davantage de tranquillité pour travailler. Qu'il s'était aménagé un refuge où se réfugier pour un temps. Elle devait continuer à s'occuper de la maison et de ses rendez-vous. Il la contacterait régulièrement. Il avait ajouté qu'il comptait sur sa discrétion.

Judith l'avait approuvé. Il ne s'attendait pas à autre chose. Il n'aurait jamais mis en doute sa loyauté. Alors seulement, il avait pris conscience de tout ce dont elle l'avait déchargé. Peut-être la ferait-il venir, une fois que la situation se serait décantée.

Une demi-heure plus tard, il se tenait enfin devant le chevalet. Comme tout cela lui avait manqué, l'odeur de la peinture, le grain rugueux de la toile en lin ! Il voulait peindre Ilka en train de dormir, mais brusquement, il ne savait plus à quoi ressemblait son visage.

Comment pouvait-il oublier son visage !

Il lâcha un juron et ferma les yeux pour se concentrer. Cela ne servit à rien. Les traits d'Ilka semblaient s'être effacés. Désespéré, il trempa son pinceau dans du rouge et traça un trait grossier. On aurait dit une traînée de sang.

Ruben poussa un gémissement. Prit un pinceau plus épais. Écrasa plus de rouge sur la toile. Puis du noir, du bleu, du jaune. Tira des lignes. Les brouilla de ses mains nues. Les gratta avec ses ongles. S'empara d'une paire de ciseaux et perça des trous dans le noir. Des trous semblables à des yeux, des yeux pâles et aveugles au milieu du néant. Il haleta. Jura. Les yeux le fixaient.

Bert roulait lentement dans la zone trente en observant les environs. La première impression était déterminante. La matinée touchait à sa fin. Une vieille dame balayait le trottoir devant chez elle, une camionnette d'UPS effectuait une livraison, un joggeur traversait la rue.

Voilà donc où habitait Ilka Helmbach… Des maisons indépendantes ou mitoyennes, bâties principalement dans les années soixante-dix. On le reconnaissait à la solidité des constructions et aux tentatives de modernité, ici et là. Beaucoup de noir et de blanc, de bois et de verre.

Les jardins avaient une taille respectable, le prix des terrains étant moins élevé à l'époque. Bert remarqua un cèdre immense étendant ses branches puissantes au-dessus d'un toit. Tous les arbres étaient remarquablement hauts, si bien qu'on avait un peu l'impression d'évoluer dans une forêt.

C'était ce qu'on appelait un *bon quartier*. Mais Bert savait que sous des dehors lisses, ici comme ailleurs, le crime bouillonnait avec violence. Sans idées reçues, il ratissait large. Il ne se limitait pas aux HLM des parties de la ville qualifiées de « marginales ».

Il trouva une place de stationnement et se gara. En descendant, il trouva pesant le calme qui régnait autour de lui. *Arrête avec ces préjugés !* se dit-il en se dirigeant vers la maison portant le numéro 17 en chiffres argentés. Bien entretenue, même si elle présentait d'évidentes traces d'usure, elle ne se distinguait pas énormément des autres habitations.

Au-dessus de la porte du garage, il remarqua un panier de basket-ball qui avait visiblement beaucoup servi. Dans le renfoncement de la porte d'entrée, était fixée une plaque en terre cuite affichant le nom des occupants. *Ilka, Rhena, Leo, Marei et Knut*. Dessous, on pouvait lire : *Täschner* et *Helmbach*.

La porte s'ouvrit avant que Bert ne puisse presser la sonnette.

— Monsieur le commissaire ? Marei Täschner. Entrez, je vous en prie.

Il s'essuya les pieds sur l'épais paillasson brun et pénétra dans l'entrée. Le portemanteau croulait sous les manteaux, vestes, écharpes et bonnets, mais Marei Täschner parvint néanmoins à trouver un crochet libre pour son manteau.

— Du café ?

— Avec plaisir.

Le froid hivernal semblait ne pas devoir prendre fin, s'insinuant jusque sous la peau. La perspective d'un café chaud était réconfortante.

Marei Täschner le fit s'asseoir dans la cuisine. Elle avait fait du café et posé sur la table des tasses, du lait, du sucre et une coupelle remplie de petits gâteaux secs. Avant de le servir, elle alluma une bougie placée à côté d'un vase garni de branches d'arbre fruitier.

Bert regarda autour de lui. Dans cette pièce, on faisait la cuisine et on vivait. Des baskets aux semelles couvertes de terre traînaient près de la porte. On avait accroché aux murs des photos d'enfants et un tableau, sur lequel des mains différentes avaient griffonné une liste de courses. Sur le plan de travail trônait un panier débordant de provisions.

203

— Des nouvelles ? lui demanda Marei Täschner, pleine d'espoir.

— Malheureusement pas.

Il avait souvent vu l'espoir s'effriter, céder la place à une profonde déception. Marei Täschner sortit un mouchoir de la poche de son pantalon et se moucha bruyamment.

Comme un enfant qui fait du bruit dans la cave pour chasser sa propre peur, pensa Bert. Il trouvait cette femme sympathique. Son regard était franc et amical, et les plis aux coins de ses yeux indiquaient qu'elle aimait rire.

— Je souhaiterais me faire une image de votre nièce, déclara Bert. Puis-je vous poser quelques questions ?

Elle hocha la tête et entoura sa tasse de ses deux mains, comme pour s'assurer un appui.

— Bien sûr. Si ça peut vous aider.

— Ilka est-elle une jeune fille insouciante ?

Marei Täschner n'eut pas à réfléchir longtemps.

— Non. Certainement pas. Il y a plus de trois ans, ses parents ont eu un grave accident de voiture. Mon beau-frère en est mort. Ma sœur n'a pas supporté cette épreuve et vit depuis dans un centre pour malades psychiques. Ilka est très courageuse, mais elle ne parvient pas à le surmonter.

— Quel âge a votre sœur ?

— Cinquante et un ans. Deux de plus que moi.

— Pouvez-vous m'en dire davantage sur sa maladie ?

— Depuis l'accident, elle n'a plus prononcé un seul mot. Elle végète entre des tas de déments.

— Votre nièce a-t-elle gardé le contact ?

— Elle va lui rendre visite régulièrement. Ilka est persuadée que ma sœur a conscience de tout et qu'elle retrouvera la parole un jour.

— Comme si elle s'était simplement repliée dans son corps…

Marei Täschner regarda Bert, surprise. Il s'imaginait sans peine l'idée qu'elle se faisait des fonctionnaires de police. Comme la plupart des gens. Il suffisait de sortir des questions de routine pour les dérouter.

— Oui, répondit-elle. C'est exactement comme ça qu'Ilka exprime la chose.

— A-t-elle de la famille à part vous ? demanda Bert en ouvrant son carnet.

— Juste… son frère. Ruben.

Son hésitation n'avait pas échappé à Bert. Que signifiait-elle ? Il se remémora la plaque en terre cuite dans l'entrée.

Le nom de *Ruben* n'y figurait pas.

— Il ne vit pas chez vous ?

— Non.

Cette fois, elle avait répondu si vite que Bert était obligé de creuser la question.

— Pourquoi pas ?

Ses doigts jouaient avec la cuillère à café, la retournant sans cesse tandis qu'elle réfléchissait. Finalement, elle le regarda dans les yeux et Bert y lut quelque chose qu'il ne put analyser.

— Ilka ne voulait plus entendre parler de lui.

Bert se tut, une méthode éprouvée pour pousser son interlocuteur aux confidences. Qui fit mouche, une fois de plus. Marei Täschner ne put supporter le silence.

— Elle ne nous a jamais dit pourquoi. Au début, nous n'avons pas voulu lui poser la question, parce qu'elle avait

205

assez de chagrin comme ça. Ensuite, nous hésitions à lui rappeler des choses douloureuses. Et puis, finalement, elle a le droit de décider elle-même qui elle veut avoir dans sa vie.

Ruben... Le nom lui semblait familier. Ruben Helmbach. Bert l'avait peut-être lu dans le journal ?

Marei Täschner semblait avoir deviné ses pensées.

— Il est peintre.

Voilà, cela lui revenait ! Margot l'avait traîné un jour à une de ses expositions. Bert revoyait les tableaux. Ils lui avaient fait penser à Gauguin, et il s'était disputé avec Margot qui trouvait la comparaison totalement absurde. Gauguin était pour elle inégalé. Aucun peintre contemporain ne lui arrivait à la cheville. Elle l'avait même qualifié de « dieu ». Bert avait éclaté de rire, elle l'avait traité d'idiot arrogant, et planté au beau milieu de l'exposition.

— Je me souviens... C'est déjà une prouesse d'avoir un succès aussi énorme à un âge mûr. Quelle relation entretenez-vous avec votre neveu célèbre ?

Marei Täschner secoua la tête d'un air de regret.

— Je ne l'ai pas revu depuis l'accident. Pour être honnête, je n'en ressens pas le besoin. Ruben est quelqu'un de difficile. Quelque chose en lui m'a toujours fait peur, même quand il était encore enfant.

— Peur ?

Elle haussa les épaules.

— Je serais incapable de l'expliquer. Quand il vous regardait... ça vous donnait la chair de poule. Mais ça n'a plus d'importance. C'est du passé.

Bert finit son café.

— J'aimerais voir la chambre d'Ilka. Est-ce que ça vous pose problème ?

— Bien sûr que non. Si ça vous permet de retrouver Ilka... Venez.

Elle se leva. Elle avait brusquement l'air très fatiguée. Comme si leur conversation l'avait épuisée.

Bert en avait l'habitude. La plupart des gens se contrôlaient quand ils parlaient avec un policier. Ils avaient peur de commettre une erreur et d'entraver l'enquête. Mais il n'y avait pas que cela. Marei Täschner donnait l'impression d'avoir mené un long combat et de comprendre à présent qu'il était perdu.

15

La journée s'était écoulée. Ilka l'avait seulement devinée à travers les vitres troubles. À présent, il était un peu plus de dix-huit heures et il faisait de nouveau sombre, dehors.

Son estomac criait famine. Dans la cuisine, elle avait découvert tout un assortiment de thés, ainsi que du café, du miel, du sucre, du lait concentré et une bouilloire. Dans le réfrigérateur, elle avait trouvé deux bouteilles d'eau minérale. Mais elle avait fouillé en vain les armoires à la recherche de quelque chose de comestible. Elle se demandait à quoi pouvait bien servir une cuisine, s'il n'y avait rien à cuisiner.

Elle avait fini par ouvrir l'armoire de la chambre. Elle débordait littéralement de vêtements. Pantalons, robes, jupes, tee-shirts, pulls, chemisiers, chaussures, bottes, sous-vêtements, chaussettes, écharpes… Tout était neuf. Et très, très cher. Gucci. Versace. Dolce & Gabbana. Joop. Ce n'étaient pas vraiment les marques auxquelles Ilka était habituée. Pour le prix d'un seul habit, elle renouvelait facilement toute sa garde-robe dans un grand magasin.

Elle ne pouvait pas s'imaginer être riche. Il lui était arrivé de souhaiter avoir un peu plus d'argent, mais l'idée de la fortune lui avait toujours paru inquiétante. Les riches ne remarquaient plus le cynisme qu'il y avait à organiser un banquet de bienfaisance contre la faim dans le monde.

Ilka s'était emparée d'un jean et d'un pull, douchée et habillée. Cela l'avait dérangée de ne pas pouvoir fermer à clé la porte de la salle de bains. Puis elle avait constaté qu'il n'y avait pas une seule clé dans tout l'appartement.

Pas de clé, cela signifiait qu'elle était à la merci de Ruben, à tout instant.

Elle avait réfléchi. Repoussé les souvenirs indésirables qui l'assaillaient. Regretté Mike. Pleuré. Compté les livres dans la bibliothèque du salon, les carreaux dans la salle de bains. Dans le tiroir supérieur du secrétaire, elle avait trouvé du papier et un stylo-bille, et écrit une lettre.

Cher Mike.

Elle avait déchiré la lettre en mille morceaux qu'elle avait jetés dans les toilettes. S'était sentie misérable. Et elle avait eu peur. Une peur si grande qu'il lui semblait pouvoir la sentir.

Cher, cher Mike...

Elle savait ce dont Ruben était capable quand on l'irritait. Elle savait avec quelle facilité il se mettait en rogne. Même les adultes le craignaient, autrefois. Sauf leurs parents. Cela le rendait fou.

Ilka s'était allongée sur le lit et avait enfoui son visage dans l'oreiller. Elle devait réfléchir à la façon de sortir de là. Il était important qu'elle connaisse son environnement au mieux. Il fallait aussi qu'elle amène Ruben à lui faire confiance. Peut-être finirait-il par se montrer imprudent.

Voilà comment la journée s'était écoulée. La lumière s'était retirée et Ilka se sentait abandonnée. Elle avait bu thé sur thé pour tromper sa faim. Mais elle commençait à être hantée par la vision de cuisses de poulet et de tartes à la crème.

Elle avait levé plusieurs fois la main pour presser la sonnette à côté de la porte d'entrée. Chaque fois, elle l'avait laissée retomber. Elle n'était pas encore prête à affronter Ruben, car elle ne savait toujours pas comment se comporter.

*
* *

Ruben attendait. Quand allait-elle enfin faire marche arrière ? Elle avait forcément faim. Elle n'avait rien avalé depuis le petit déjeuner.

Il avait préparé un repas simple, qu'il puisse réchauffer et apporter rapidement en bas. De la viande hachée avec du fromage de brebis et des tomates, accompagnée de riz. De la salade attendait dans l'égouttoir, une vinaigrette dans le frigo.

Les talents de cuisinier de Ruben étaient assez limités. Il maîtrisait quelques recettes, mais il n'avait jamais aimé se trouver dans une cuisine. Il manquait de patience. Judith affirmait que préparer à manger la détendait, et elle prenait grand plaisir à le surprendre sans cesse avec de nouveaux plats. Il ne parvenait pas à le comprendre.

Après son explosion de colère devant le chevalet, il avait fait une longue promenade dans la forêt. Il avait inspiré

210

l'air froid et épicé, senti le sol gelé sous ses pieds, et s'était peu à peu repris. Cela l'épouvantait de sortir de ses gonds à ce point. De se comporter comme avant, quand il s'accrochait avec son père et qu'il se ruait hors de la maison, désespéré. Alors, il passait sa colère impuissante sur tout ce qu'il trouvait sur son chemin. Il arrachait des plantes, écrasait des scarabées et des escargots, déchargeait son lance-pierres sur les oiseaux. Avant… Il y a longtemps. Il aurait dû pardonner à son père, depuis.

Plus facile à dire qu'à faire. Ruben ne pouvait ni pardonner ni oublier. Son père était mort, mais même cela ne pouvait les réconcilier.

Toutes sortes de pensées l'avaient envahi. Ruben avait marché de plus en plus vite, jusqu'à se mettre à courir. Au bout de quelques minutes, il avait été pris d'un violent point de côté. Il s'était arrêté au bord d'une clairière pour reprendre son souffle. Sa respiration forte et saccadée avait troublé le calme régnant entre les arbres hauts et droits. Elle convenait tout aussi peu au lieu que son désespoir.

Son point de côté avait disparu. Son désespoir était resté. Et la seule personne au monde capable de le lui ôter était assise en bas, dans la cave, et ne donnait pas signe de vie. Ruben regarda l'heure. Il lui tardait d'entendre retentir la sonnette, mais il redoutait aussi ce moment.

*
* *

La piste menant à Ilka devait débuter là où elle s'était arrêtée, avait réfléchi Mike. Il avait donc parcouru à nouveau les rues en regardant attentivement autour de lui. Il avait même inspecté les arrière-cours, pour le plus grand mécontentement des propriétaires qui l'avaient injurié et menacé d'appeler la police.

La police ! songea Mike avec amertume. *Il leur faut une éternité pour se mettre en route.* Mais il savait qu'il se montrait injuste envers le commissaire. Après tout, il avait été immédiatement disposé à s'entretenir avec eux. Ses questions avaient prouvé qu'il était intelligent, mais aussi sensible. Et surtout, il s'était abstenu de prononcer les généralités si commodes auxquelles Mike s'attendait.

Mais Mike aurait aimé activer les recherches. Chaque heure qui passait pouvait signifier une nouvelle heure de supplice pour Ilka. Ces images ! Impossible de s'en débarrasser. Ilka pieds et mains liés. Dans un trou sordide et humide. Peut-être était-elle blessée. Peut-être l'avait-on battue. Ou même...

Mike accéléra le pas. Il fallait qu'il arrête de se passer en boucle ces scénarios catastrophe. Cela n'aidait pas Ilka. Il devait garder les idées claires. Et rester confiant. Il se demanda pour la centième fois ce qu'il avait bien pu se passer. Ilka pouvait avoir été enlevée. (Mais pourquoi ? Sans être pauvre, sa famille n'était pas suffisamment riche pour payer une rançon.) Elle pouvait errer dans les rues, désorientée. (Mais pourquoi personne ne la remarquait-il ?) Quelqu'un pouvait l'avoir renversée avant de s'enfuir. (Mais dans ce cas, on l'aurait retrouvée depuis longtemps.)

Et si elle n'était plus en vie ?

Il se força à réfléchir de façon logique. Un suicide ? Ilka ne donnait pas l'impression de vouloir en finir. Au contraire. Elle lui avait promis de passer la nuit avec lui.

« Oui », avait-elle répondu à ses questions. Par trois fois.

Un meurtre ?

Mike shoota violemment dans une pierre qui traînait sur le trottoir. Il la vit heurter le mur d'une maison et rebondir sur la chaussée. Un automobiliste klaxonna et se frappa le front de l'index. Mike ne réagit pas.

À quoi bon user ses semelles sans but ? Il devait chercher de manière ciblée. Avec une photo, par exemple. Interroger les gens. Quelqu'un avait forcément vu Ilka.

Il reprit aussitôt courage. Il lui fallait un plan concret. Alors seulement, il remarqua qu'il faisait sombre. Les passants se hâtaient de rentrer chez eux. Dans la lumière blême des lampadaires, on aurait dit des zombies. Mike s'arrêta net, indécis. Une femme qui le suivait de près le bouscula malgré elle.

— Pardon !

Il avait eu le temps d'entrevoir son visage. Elle lui faisait penser à Lara Engler. Et brusquement, il sut ce qu'il devait faire.

*
* *

Bert aimait être assis dans son bureau quand la plupart de ses collègues étaient rentrés chez eux. Aucune sonnerie de téléphone pour interrompre ses pensées, personne pour faire irruption avec une requête. Le fond sonore se modifiait. Le silence s'installait.

Les femmes de ménage arrivaient, porteuses d'autres bruits qui ne le dérangeaient pas. Il quittait brièvement la pièce, le temps qu'elles fassent leur travail. Plus tôt elles avaient fini, mieux c'était.

Lorsqu'il n'y avait plus aucune source de distraction, il éteignait le plafonnier et allumait la lampe posée sur son bureau. La concentration de la lumière en un point unique, au milieu de l'obscurité, exerçait une influence bienfaisante sur ses pensées.

L'heure n'était pas encore venue. Bert entendait des pas à l'étage, des voix, des rires. Peu importe. Il avait l'intention d'étudier ses notes dans l'affaire Ilka Helmbach, car c'était désormais une affaire, et d'ordonner ses impressions. Cela l'occuperait un moment.

Il avait appelé Margot pour la prévenir qu'il rentrerait tard.

— Bon, avait-elle simplement répondu. On n'aura pas besoin de t'attendre pour manger, alors.

Son froid désintérêt avait sidéré Bert. Il avait l'habitude qu'elle se plaigne et lui fasse des reproches. Après douze ans de mariage, elle le surprenait encore. Il ne savait toujours pas sur quel pied danser. Que ressentirait-il si elle avait un amant ?

Bert se leva. Il avait besoin d'un café. Depuis qu'il ne fumait plus, sa consommation de café avait pris des proportions alarmantes. Au fond, il avait juste troqué sa dépendance à la nicotine contre une dépendance à la caféine.

Voilà ce que c'est d'être un drogué, pensa-t-il en ouvrant le tiroir dans lequel il conservait tout un stock de pièces de cinquante cents. Finalement, il s'en tirait à bon compte. Il aurait tout aussi bien pu finir poivrot ou camé.

C'est à son médecin, partenaire de tennis et meilleur ami, Nathan, qu'il devait d'avoir arrêté de fumer. Il lui devait aussi les quelques kilos en trop qu'il traînait depuis. Et se demandait ce qui était le plus nocif pour sa santé...

Nathan ne voulait pas entendre ce genre de raisonnement.

214

— Tu prépares ta rechute, voilà tout, avait-il déclaré récemment. Tout argument est bon, même cousu de fil blanc.

Effectivement, Bert était régulièrement pris de l'envie de se griller une cigarette. Ces crises ne duraient que quelques secondes, mais elles couvraient son front de sueur.

Il traversa le couloir, inséra une pièce de monnaie dans le distributeur et fit son choix. Le café avait particulièrement bon goût. Même le cappuccino et le café au lait étaient buvables. Un gobelet en plastique brun tomba avec un claquement, puis le liquide se mit à couler, chaud et odorant.

L'étage était calme. Les femmes de ménage n'allaient pas tarder. Leur lutte contre la saleté ne différait pas beaucoup de sa lutte contre le crime. Il fallait toujours recommencer à zéro et on ne gagnait jamais.

Bert but son café dans son bureau. Il ouvrit son carnet et fit le tri parmi ses souvenirs.

La chambre d'Ilka était étonnamment bien rangée.

— Elle venait de mettre de l'ordre ? avait-il demandé à sa tante.

— Non, avait-elle répondu en souriant affectueusement. C'est toujours comme ça.

Bert savait que certaines personnes avaient besoin d'ordre pour repousser un chaos intérieur. Mais il arrivait que le chaos l'emporte malgré tout et qu'elles cèdent à la panique. Elles se livraient alors aux actes les plus insensés. Réduisaient leur mobilier en miettes. Donnaient leur démission. Demandaient le divorce.

Aime l'ordre, avait-il noté.

Sur l'appui de fenêtre se dressaient deux plantes, un

lierre aux feuilles dentelées de blanc et un hibiscus rouge. Une petite grenouille en terre cuite était assise au pied du lierre.

— Ilka aime bien les grenouilles, indiqua Marei Täschner qui avait suivi son regard. En été, elle passe des heures à les observer, au bord de l'étang. Elle les trouve fascinantes. Parfois, je me dis qu'elle pourrait avoir un avenir en biologie…

Sa voix ne venait-elle pas de prendre un ton plaintif ?

Aime les grenouilles, avait inscrit Bert. *Intéressée par les sciences naturelles.*

À la fenêtre étaient accrochés des cristaux polis qui tournaient doucement dans l'air chaud montant du radiateur. Près des pots de fleurs étaient posées des pierres, principalement des galets ronds, noirs et blancs. Entre deux, des verres colorés garnis de bougies. Deux cartes postales étaient appuyées contre le cadre de la fenêtre. L'une montrait une petite maison dans un champ de lavande. L'autre, un océan de tournesols. Bert n'y toucha pas. Il le ferait peut-être plus tard. Il ne voyait pas encore la nécessité de s'immiscer davantage dans la sphère intime de la jeune fille.

Créative, avait-il noté. *Sens du beau.*

Le même ordre régnait sur son bureau. Un ordinateur portable. Une imprimante. Une lampe. Un pot en terre cuite, dans lequel Ilka gardait ses stylos. Une pile de lettres, maintenues par un gros cristal de roche.

Sens pratique ? avait inscrit Bert. *Ou volonté de maîtrise ?*

Une commode, une armoire, une petite table placée face à un canapé rouge occupaient toute la pièce. Sur la commode était posé un miroir à trois pans au cadre doré, agrandissant la perspective. Devant, reflété sous plusieurs angles, un vase en verre rempli d'eau accueillait des pierres. Sur la table, des livres épars constituaient le seul signe de « désordre ».

Harmonie, avait noté Bert. *Livres.*

Essentiellement des polars, constata-t-il en jetant un coup d'œil à la bibliothèque. Il trouva plusieurs romans d'Imke Thalheim et son cœur se mit à battre plus vite. Mais Ilka s'intéressait aussi à la psychologie. À côté d'un simple ouvrage de référence, Bert repéra quelques textes scientifiques et plusieurs travaux de vulgarisation. Un des livres traitait de schizophrénie et utilisait un langage abscons. Ces deux éléments le troublèrent. Pourquoi une jeune fille de dix-huit ans se penchait-elle sur ces phéno-mènes psychologiques, et quelle avance devait-elle avoir prise sur les jeunes de son âge pour se frotter à une litté-rature spécialisée aussi complexe ?

Intérêt pour la psychologie, avait-il inscrit. *Intelligente. Rapport avec la schizophrénie ?*

Ilka possédait effectivement plusieurs livres portant sur ce thème. Certains présentaient des annotations de sa main. Bert découvrit un point d'exclamation, ici et là.

— D'où vient la fascination de votre nièce pour la psy-chologie ? C'est très inhabituel.

Marei Täschner haussa les épaules.

— De son expérience traumatisante, je suppose. Elle cherche peut-être des réponses.

— Et pourquoi la schizophrénie plus particulière-ment ?

Marei Täschner le regarda avec une expression qu'il ne put interpréter.

— J'ai souvent réfléchi à la réaction de ma sœur après

la mort de son mari. L'attitude d'Ilka vis-à-vis de l'accident et de ses conséquences me semble aussi quelque peu... excessive.

— Pensez-vous que votre famille puisse être sujette... aux troubles psychiques ?

Après toutes ces années dans la police, Bert avait appris à s'exprimer avec prudence. Et à ménager des pauses.

Marei Täschner se tordait les mains. Bert sentit qu'ils abordaient un sujet qui lui inspirait une peur profonde. Elle hocha la tête. Ses yeux se remplirent de larmes, elle lutta mais elles finirent par couler sur ses joues. Elle les essuya avec ses doigts.

Bert comprenait l'épreuve qu'elle traversait. Il se doutait qu'elle se faisait des reproches. Qu'elle se rappelait toutes les occasions ratées, celles où elle avait négligé de poser des questions, d'insister, de se montrer opiniâtre.

— On laisse les enfants aller à leur guise, déclarait-elle justement, et soudain, ils sont si loin qu'on ne peut plus les atteindre.

Elle venait d'appuyer sur un point sensible. Bert avait souvent l'impression que ses enfants lui échappaient, imperceptiblement. Il avait parfois peur de se tenir un soir au pied de leur lit et de ne plus les reconnaître.

Il tendit un mouchoir en papier à Marei Täschner. Il avait toujours un paquet sur lui. Il en utilisait rarement mais, cette fois, il en prit un et se moucha vigoureusement.

Une heure plus tard, Marei Täschner le raccompagnait à la porte. Il avait pris congé avec soulagement, était monté dans sa voiture et parti. Quelques centaines de mètres plus loin, il avait eu honte de ce sentiment et s'était promis de tout faire pour éclaircir rapidement cette affaire et retrouver Ilka. Vivante.

Son gobelet était vide. Bert lutta contre l'envie d'aller se chercher un nouveau café. Les femmes de ménage avaient quitté le bâtiment. Calme absolu. Il éteignit le plafonnier et alluma la lampe sur son bureau. Même le bruit de la circulation, un grondement permanent en journée, sans cesse interrompu par des coups de klaxon rageurs, se calmait peu à peu. Bert se replongea dans ses notes avec un soupir. Cette histoire ne lui disait rien qui vaille.

*
* *

— Tu t'es calmée ? demanda Ruben.

Le plateau dans les mains, il referma la porte avec son épaule.

Ilka ne répondit pas. Adossée au mur, elle s'efforçait de ne pas fixer le plateau, d'où montait un délicieux fumet.

— Viande hachée et fromage de brebis, annonça Ruben. Tu as toujours aimé ça.

— Beaucoup de temps a passé, depuis, dit prudemment Ilka.

Il lui jeta un regard noir.

— Tu veux dire que tes goûts ont changé, peut-être ?

Ne discute pas avec lui, pensa Ilka. *Sois aimable.* Elle posa la main sur son estomac douloureux et suivit Ruben dans la cuisine.

— Je te tiens compagnie, ce soir, déclara Ruben en mettant la table. J'ai cuisiné pour nous deux.

Ilka le regardait faire. Ses mains sombres et étroites. Ses avant-bras nerveux. Sa façon de bouger. Tout cela lui avait plu, un jour. Il avait les cheveux plus courts qu'avant, mais ses boucles étaient restées.

En revanche, elle ne l'avait jamais vu porter de lunettes. La monture en plastique tirait sur le roux. Elles avaient de petits verres hexagonaux légèrement teintés de gris.

— Je n'en ai pas besoin en permanence, expliqua Ruben. Juste pour conduire et de temps en temps, quand mes yeux sont fatigués.

Ilka tressaillit. Pouvait-il toujours lire ses pensées aussi facilement ?

— Elles te vont bien. Tu as l'air d'un professeur, avec.

— J'espère bien que non, sourit-il. Les professeurs n'ont qu'un cerveau. Le reste de leur corps ne semble pas les intéresser.

Il approcha une chaise.

— Allez, assieds-toi.

Installé en face d'elle, Ruben la servit. Ilka avait l'impression de n'avoir jamais aussi bien mangé. Elle se donnait beaucoup de mal pour ne pas engloutir son repas, mais savourer chaque bouchée. Ruben qui mangeait très peu l'observait, amusé.

Ilka avait l'intention de ne pas le provoquer, de ne lui poser aucune question. D'attendre, simplement. L'expérience lui avait appris ce qu'il se passait quand elle l'irritait. Il battait en retraite et la laissait mariner en bas. Et s'il n'était pas revenu ?

— Encore un peu ?

Ilka hocha la tête et tendit son assiette. Non, elle ne devait surtout pas le mettre en colère. Il fallait qu'elle essaye de se montrer coopérative.

— Je suis content que ça te plaise, déclara Ruben. Je me suis vraiment donné de la peine.

Cet échange mettait les nerfs d'Ilka à rude épreuve. Ils ne pouvaient quand même pas continuer à bavarder autour de cette table comme un vieux couple ! « Comment s'est passée ta journée, mon chéri ? » « Fatigante, ma chérie. Conférence sur conférence. Et la tienne ? »

Elle décida de faire fi de ses bonnes résolutions.

— Ruben, avança-t-elle avec précaution, si tu veux me voir, on peut se rencontrer de temps en temps. Tu n'es pas obligé de me retenir ici.

— Te voir ? De temps en temps ? fit-il avec une grimace dédaigneuse. Et tu crois que ça suffirait ?

Ilka but une gorgée d'eau. Pour gagner du temps. Elle s'aventurait en terrain glissant.

Ruben se pencha en avant.

— Je veux t'avoir près de moi. Vivre avec toi. Je veux m'endormir en te serrant dans mes bras et me réveiller à tes côtés. Je veux prendre le petit déjeuner avec toi. Faire des promenades avec toi. Et te peindre, encore et encore. Je veux que tu fasses partie de ma vie.

— Mais ça ne marche pas comme ça, objecta Ilka en posant la main sur sa joue. Tu ne peux pas effacer ces dernières années, Rub.

Il avait sursauté à son contact. Lorsqu'il entendit le surnom affectueux qu'elle lui donnait autrefois, il sourit. Il y avait tant de douleur et de tendresse dans ce sourire qu'Ilka prit peur.

— Pourquoi pas, ma chérie ? Donne-moi une seule bonne raison.

16

Il n'émanait plus la moindre chaleur de la petite maison jaune, bien qu'elle soit éclairée. Elle avait même quelque chose de menaçant, dressée dans l'obscurité, porte et fenêtres verrouillées, comme si elle ne voulait dévoiler ses secrets pour rien au monde.

Sans hésiter, Mike tambourina du poing contre la porte.

Lara Engler portait un pantalon bouffant gris clair et un ample pull-over noir. Mike en prit note avec un certain soulagement. Elle l'avait intimidé dans sa robe rouge.

— Encore vous ?

Elle avait laissé la main sur la poignée. Son corps plantureux lui bouchait le passage. Que craignait-elle ? Qu'il soit venu la voler ?

— Cette maison a une sonnette, jeune homme. Je n'ai pas l'habitude que mes visiteurs s'octroient un droit d'entrée à coups de poing.

— C'est une question de vie ou de mort, affirma Mike qui se demanda aussitôt s'il n'avait pas regardé trop de westerns. Je veux dire qu'il y a urgence, ajouta-t-il.

— Ilka n'est toujours pas réapparue ?

Lara Engler paraissait préoccupée. Mais elle n'abandonna pas sa prudence pour autant. Elle maintenait la poignée de la main droite, tout en s'appuyant au mur de la gauche.

Mike secoua la tête.

— Je suis désolée.

Elle hocha la tête, comme pour conférer plus de poids à ses mots.

Mike n'avait pas élaboré le moindre plan. Sans réfléchir, il poussa la porte et écarta Lara Engler. Elle perdit l'équilibre et faillit tomber.

— Un moment ! Vous ne pouvez pas pénétrer de force chez moi !

— Je n'ai pas l'intention de vous faire de mal. Je voudrais juste vous parler.

Elle hésita, puis referma la porte.

— Cinq minutes.

Elle le précéda dans le cabinet, prit place derrière son bureau et lui indiqua un fauteuil bleu, dans lequel Ilka avait dû souvent s'asseoir.

Mike s'y installa. Pendant quelques secondes, il se sentit très proche d'elle. Une impression trompeuse.

— Alors ?

Lara avait retrouvé toute son assurance. Comme si cette nouvelle configuration avait opéré sur elle une métamorphose. Autour de ce bureau, les rôles étaient clairement répartis.

— De quoi Ilka vous a-t-elle parlé avant de s'enfuir ?

— Je ne peux pas vous le dire. Je vous l'ai déjà expliqué : en tant que psychothérapeute, je suis tenue au secret professionnel.

— Mais il est arrivé quelque chose à Ilka. Vous êtes peut-être la seule à pouvoir l'aider.

— Vous ne comprenez pas…

Lara Engler se leva et se mit à aller et venir dans la pièce.

— Le secret professionnel vaut quelle que soit la situation. Je n'ai pas le droit de le trahir.

— Même si vous pouvez sauver une vie ?

— Même dans ce cas de figure. Je suis désolée.

Mike se leva à son tour, restant debout près du bureau.

— Arrêtez de répéter que vous êtes désolée ! Ça n'apporte rien à Ilka.

Lara Engler se frotta les bras, comme si elle avait froid.

— Vous perdez votre temps. Et vous me faites perdre le mien. Allez-vous-en !

Mike ignora son injonction. Pas question d'abandonner.

— Ilka ne m'a jamais parlé du contenu de vos séances. Est-ce que sa disparition peut avoir un rapport avec ses problèmes ?

— Allez-vous-en !

Il s'appuya contre le bord du bureau.

— Pas avant que vous m'ayez répondu.

La réserve de Lara Engler s'était peu à peu transformée en indignation. Ses joues étaient écarlates. En quelques pas, elle fut près du téléphone.

— J'appelle la police.

Elle osait se retrancher derrière la déontologie ! Le sort d'Ilka lui était complètement égal. Elle ne lui révélerait rien, même s'il devait camper toute la nuit dans son bureau. Mike s'écarta de quelques pas.

— Bon, vous voilà redevenu raisonnable !

Elle pensait sans doute qu'elle avait remporté la partie.

Mike sentit une colère mêlée de désespoir l'envahir. Il se pencha en avant, lui arracha le téléphone des mains et le projeta de toutes ses forces contre le mur. L'appareil vint se fracasser sur le sol.

Lara Engler eut un mouvement de recul. Mike l'empoigna aux épaules et se mit à la secouer. La peur qu'il lut dans ses yeux le rendit encore plus furieux.

— S'il arrive quelque chose à Ilka, je te tue.

Il la lâcha et la vit chanceler, le visage couleur cendre. Il se détourna lentement et sortit.

Dehors, il fourra les mains dans les poches de son blouson et prit le chemin de l'appartement. Sa tête était vide. Mais il savait une chose : ses dernières paroles n'étaient pas une menace en l'air.

*
* *

Ruben pressait la main d'Ilka contre sa joue, comme s'il ne devait jamais la lâcher. Ilka n'osait pas la retirer.

Ruben ferma les yeux et embrassa la zone meurtrie de son poignet.

Ilka remarqua avec effroi que le duvet de ses bras se dressait. Ruben leva les yeux. Il ne souriait plus. Ilka était incapable de détacher son regard du sien. Tout était comme avant. Comme si le temps d'après n'avait jamais existé.

Elle avait la bouche sèche. Et si Ruben avait bel et bien le pouvoir de remonter le temps ? Ou simplement de le court-circuiter ? Peut-être avait-elle juste eu l'illusion d'être délivrée de lui. Peut-être Mike n'avait-il été qu'un rêve, lui aussi.

Non ! Elle arracha sa main. Aussitôt, le regard de Ruben changea. Ilka put y reconnaître de l'impatience et les premiers signes de colère.

— Tu ne peux pas effacer ces années parce qu'elles font partie de ma vie, déclara-t-elle. Comme de la tienne.

Il secoua la tête.

— Ces années n'ont servi qu'un objectif : te ramener. Elles ne signifient rien d'autre pour moi.

— Mais elles ont un sens pour moi, objecta Ilka en s'adossant à sa chaise pour mettre le plus de distance possible eux.

— Ah bon ? fit Ruben en fronçant les sourcils. Et quel sens ?

— Je suis… tombée amoureuse.

Elle s'attendait à un accès de colère, certainement pas à ce que Ruben se mette à rire. Il frappa la table des deux mains, si violemment que la vaisselle cliqueta, et il jeta la tête en arrière. Mais c'était le rire d'un homme qui avait appris à considérer le monde avec mépris et cynisme.

Le rire cessa aussi brusquement qu'il avait commencé. Les yeux de Ruben se réduisirent à de simples fentes. Il se leva et se pencha au-dessus de la table, si près qu'elle pouvait sentir son souffle sur sa peau.

— Amoureuse de ce stupide gamin ?

— Il s'appelle Mike ! lança Ilka, oubliant toute prudence. Et c'est la meilleure chose qui me soit jamais arrivée.

Ruben la fixait sans rien dire. Il prit son élan. Et la frappa au visage.

*
* *

Ruben quitta la cave en courant. Il ne pouvait supporter plus longtemps de voir Ilka dans cet état. Il attrapa son blouson et sortit la voiture du garage. Il avait besoin de prendre le large ! Et vite ! Sans quoi il perdrait totalement le contrôle.

Le thermomètre extérieur indiquait cinq degrés au-dessous de zéro. Dans la lumière des phares, le paysage ressemblait au décor d'un conte de Noël. Tout était si blanc, si pur et parfait.

Il se gara à la lisière d'une forêt et se mit à marcher. Le froid mordant sa peau lui fit du bien. Il lui prouvait qu'il était vivant, que cela valait la peine de se battre. Peu à peu, il s'apaisa.

Ilka ne pouvait s'en prendre qu'à elle-même. Pourquoi le provoquer à ce point ? La meilleure chose qui lui soit jamais arrivée ! Il eut une grimace méprisante. Ce gosse !

Le givre crissait sous ses pieds. Ruben entra dans la forêt. Immédiatement, l'obscurité l'enveloppa.

Il fait noir comme dans un four. Ils se tiennent par la main. La forêt familière leur est brusquement devenue étrangère. Comme si un millier d'yeux les transperçaient. Ruben se sent si mal à l'aise qu'il commence à transpirer.

Mais Ilka ne doit pas le remarquer. Il a cinq ans de plus. Il l'a toujours protégée.

— Rentrons à la maison, chuchote Ilka. J'ai peur.

— Il ne faut pas. Je veille sur toi.

Elle resserre sa main autour de la sienne et fredonne un air pour se donner du courage. Elle n'a pas voulu cette aventure. Elle est quand même partie avec lui. Au beau milieu de la nuit.

Il a besoin d'éprouver de temps en temps des sensations

fortes. Les jours sont si monotones ! Demain sera comme aujourd'hui, qui était comme hier. Il ne peut pas suivre bien gentiment les sentiers battus. Il ne veut pas se réveiller un matin et constater qu'il s'est transformé en pierre, dure, froide et immuable.

Ilka est comme un papillon, elle volette çà et là, légère et insouciante. Elle est chaque jour différente, se réjouit de tout. Ruben pense parfois que le bonheur et elle ne font qu'un.

Ils font leur tour habituel dans la forêt, si calme qu'ils peuvent entendre le souffle de l'autre. Ruben s'arrête dans la clairière. La lune dépose sur l'herbe des reflets argentés. Elle est si claire qu'on distingue ses cratères à l'œil nu.

À côté de lui, Ilka respire comme un oiseau.

Ils restent ainsi un moment, puis elle se risque une seconde fois avec lui dans les ténèbres qui règnent entre les hauts arbres.

Autrefois, elle avait une confiance absolue en lui. C'est alors que leur histoire avait débuté. Il tenait la main d'Ilka et savait qu'il n'y aurait jamais de place pour une autre.

Voilà ce dont il devait se souvenir quand il était sur le point d'exploser. Ce n'était pas la faute d'Ilka. C'était la faute des autres. Ils l'avaient montée contre lui. Et puis ce garçon était arrivé et lui avait fait tourner la tête.

Ilka était facilement influençable. Il devait jouer de la guitare. Ou du piano. À moins qu'il n'écrive des poèmes. Ilka admirait le talent.

Elle l'avait souvent regardé peindre. Avait posé pour lui, des heures durant. Elle le vénérait pour son don.

L'obscurité était si dense que Ruben décida de rebrousser chemin. Il avançait en mettant prudemment un pied devant l'autre. Le froid traversait son épais blouson et le faisait frissonner. Il aurait dû se maîtriser. Il n'avait encore jamais frappé une femme. Il se sentait minable. Et terriblement seul.

Ces trois dernières années avaient été si mouvementées qu'elles avaient parfois renforcé sa solitude. Il s'était imposé dans le milieu. Les galeristes s'étaient bousculés et il n'avait eu qu'à choisir à qui confier ses tableaux. On l'invitait à toutes les fêtes importantes, il était le clou de la soirée.

Le prix de ses toiles n'avait cessé de grimper. Il était devenu riche. Seul le succès lui avait permis d'exécuter le plan qu'il nourrissait depuis longtemps.

Et maintenant qu'il avait accompli tout cela, Ilka était plus inaccessible que jamais.

Ruben sortit de la forêt, s'installa dans sa voiture et fit demi-tour. Demain était un autre jour. Il demanderait pardon à Ilka. Rien n'était encore perdu. Il fallait juste qu'il se montre patient.

*
* *

Il était presque minuit lorsque les pas de Mike résonnèrent enfin dans la cage d'escalier. Je me précipitai à la porte, Merle sur les talons, et je lui ouvris avant qu'il puisse introduire la clé dans la serrure.

— T'étais où ? Tu te rends compte de l'angoisse que…

Merle se tut. Mike se tenait devant nous mais on le sentait ailleurs. Son visage semblait vidé de tout son sang, la peau tendue sur les os.

— Fais-le entrer, au moins.

Je pris la main de Mike et l'attirai dans le vestibule. Il se laissa faire, les bras pendant le long du corps.

Merle referma la porte.

— Donne-moi ton blouson.

Elle avait la voix rauque, comme quand elle s'adressait aux animaux traumatisés que nous remettions sur pied, après leur séjour dans des laboratoires d'expérimentation.

Mike ouvrit sa fermeture Éclair. Il dut s'y reprendre à trois reprises. Puis il laissa son blouson glisser de ses épaules. Merle le rattrapa et l'accrocha dans la penderie.

J'entraînai Mike dans la cuisine et le fis s'asseoir sur le canapé. Le froid avait bleui ses mains. Il les frotta prudemment. Ce dont il avait besoin maintenant, c'était d'un Earl Grey bien fort.

— Je suis une ordure, affirma-t-il alors.

— C'est sûr ! lança Merle qui revenait avec un plaid dont elle lui couvrit les jambes. Mais pour l'instant, tu restes assis et tu te reposes. Jette va te faire du thé, et quand tu te seras réchauffé, tu nous expliqueras pourquoi tu es une ordure.

Mike posa les mains sur ses genoux, paumes en l'air. On aurait dit un vieillard au visage bien trop jeune. Ses yeux allaient et venaient dans la pièce, comme s'ils ne savaient pas où se fixer. Ils se posèrent finalement sur les chats, qui avaient réclamé des croquettes avec acharnement et nettoyaient maintenant leur gamelle.

— Je l'ai menacée, reprit Mike. Comme un sale voyou.

— Qui ça ?

Je m'étais assise près de lui en attendant que l'eau bouille.

— Lara Engler.

Il me regarda comme si ma présence le surprenait. Ma présence, ou la sienne.

— La thérapeute d'Ilka.

— Tu étais chez elle ?

— Elle sait forcément quelque chose. Je me suis dit qu'il suffisait de lui demander.

— Secret professionnel, déclara Merle en posant du pain et du fromage sur la table.

Quand quelqu'un se sentait mal fichu, elle était aux petits soins pour lui. Ça n'arrangeait pas le problème, mais ça détendait l'atmosphère.

— C'est ce qu'elle a invoqué ! soupira Mike en étendant les jambes.

— Et elle a eu raison.

Merle s'y connaissait. Elle avait souvent affaire à la police et s'était déjà retrouvée au tribunal. Dans son groupe de protection des animaux, il y avait quelques juristes dont les connaissances leur avaient évité la dissolution.

— Elle n'a pas le droit de divulguer la teneur des séances. Ça fait partie des règles destinées à protéger les patients.

— Tu parles ! lâcha Mike en se débarrassant rageusement du plaid, qu'il fourra entre le canapé et l'étagère. C'est pour protéger Ilka que cette abrutie garde pour elle ce qu'elle sait !

L'eau bouillait. Je remplis directement toute une théière. Je sentais que nous en aurions besoin aussi, Merle et moi.

— Je connais des histoires qui vous feraient tomber à la renverse, poursuivit Merle en s'asseyant à sa place. Des hommes qui espionnent leur femme et cherchent à connaître leurs secrets en passant par leur thérapeute. Des cas de chantage. De parents qui intriguent pour dominer leurs enfants. Des trucs vraiment violents.

Je me mis à grignoter, aussitôt imitée par Merle. Mike ne touchait même pas à son thé.

— Peut-être que cette Lara ne sait rien du tout, avançai-je, réfléchissant tout haut. Je veux dire, rien qui puisse nous aider.

— Nous ? fit Mike en me regardant.

Il y avait tant de résignation dans ses yeux que j'eus envie de le secouer.

— Qu'est-ce que tu crois ? Que tu es le seul à te faire du souci ?

— Alors là, tu nous connais mal ! dit Merle la bouche pleine. Et maintenant, bois ton thé avant qu'il soit froid !

Mike en avala une gorgée, hésitant.

— Je ne sais pas trop si j'ai le droit de vous entraîner là-dedans.

Merle avala de travers et se mit à tousser.

— Tu plaisantes ? Tu n'as pas le choix.

Les yeux de Mike se remirent à briller. Il prit une tranche de pain dans la corbeille.

— Juste pour préciser le tableau, demanda Merle dès qu'elle put reparler normalement, de quoi tu l'as menacée exactement, cette Lara Engler ? De la tuer, c'est ça ?

Et elle grimaça pour le faire rire.

Mais Mike ne rit pas. Il hocha la tête.

J'échangeai un regard avec Merle. Pas besoin de parler. Mike était claqué. Il avait besoin de dormir. Et si c'était un meurtrier, j'étais la reine d'Angleterre.

*
* *

Ilka était réveillée depuis quatre heures du matin. Il était maintenant un peu plus de sept heures. Elle se leva, enfila le peignoir et ouvrit la porte de l'armoire. Elle n'aimait pas les vêtements que Ruben lui avait achetés, même si beaucoup lui plaisaient. Elle ne les aimait pas, parce qu'elle ne voulait pas être sa créature.

Elle aurait préféré rester au lit. Elle était épuisée et se sentait faible. Mais elle ne voulait surtout pas se retrouver en pyjama devant Ruben. Les habits étaient comme une seconde peau qui la protégeait. Et compte tenu de la situation, elle avait plus que jamais besoin de soutien.

Il l'avait frappée !

Ses yeux se remplirent à nouveau de larmes. Mais elle ne voulait pas pleurer. Ruben ne devait pas voir à quel point il l'avait blessée.

Elle choisit un pantalon large en laine noire et le pull-over le plus épais qu'elle put trouver. Elle avait terriblement froid.

Sous la douche, elle se détendit enfin. Laissa l'eau chaude couler sur son visage et s'imagina qu'elle était à la maison. Ou chez Mike.

Peut-être ne sortirait-elle jamais de là. Peut-être n'apprendrait-il jamais ce qu'il lui était arrivé.

— Mike…, murmura-t-elle. Mike. Mike. Mike.

Que lui conseillerait-il ?

Il avait un esprit logique. Il lui conseillerait d'analyser la situation et de s'y adapter.

Ilka s'habilla. Elle se peigna et décida de laisser sécher ses cheveux à l'air libre. Puis elle se rendit dans le salon et s'assit sur le canapé.

Elle se trouvait dans la cave d'une villa isolée. L'appartement était insonorisé. Les vitres en verre de sécurité.

Cela signifiait qu'elle ne pouvait ni appeler à l'aide, ni s'enfuir.

Il lui restait trois possibilités. Elle pouvait s'opposer à Ruben, ce qui ne servirait qu'à envenimer la situation. Elle pouvait espérer que le secours vienne de l'extérieur – tante Marei avait dû prévenir la police, mais les choses risquaient de traîner en longueur. Elle pouvait jouer le jeu de Ruben et tenter d'obtenir davantage de libertés, qui lui permettraient de sortir de l'appartement (et plus tard, peut-être, de la maison).

Ilka n'eut pas à réfléchir longtemps avant d'opter pour la troisième solution. De là découlerait tout un plan qui ne faisait que s'ébaucher.

Sa décision était prise. Elle se leva, alla dans l'entrée et appuya sur la sonnette. Ses chances étaient minces, mais elle devait agir.

17

Ruben était déjà douché et habillé lorsque la sonnerie retentit. Il avait passé la moitié de la nuit à peindre, et perdu toute notion du temps en feuilletant un livre de peinture. Léonard de Vinci. Le plus grand génie de tous les temps. À côté de lui, il se sentait minable.

Il avait fini par s'endormir sur le canapé. Au matin, il s'était aperçu qu'il avait négligé d'éteindre la lumière. Il avait jeté un regard dégoûté sur la table du salon. Un fond de vin rouge dans un verre maculé de traces de doigt, une bouteille vide et une assiette où traînaient des miettes, des croûtes de fromage et une poignée de grains de raisin. Un cendrier rempli à ras bord trônait au beau milieu. Pas étonnant que son crâne le lance.

Ruben avait un goût désagréable dans la bouche et se sentait souillé de la tête aux pieds. Après avoir pris une douche et enfilé des vêtements propres, il s'était mis à ranger.

Il s'apprêtait à préparer le petit déjeuner lorsqu'il entendit la sonnerie. Il courut aussitôt en bas, la clé à la main, et ouvrit prudemment.

Ilka se tenait derrière la porte et lui souriait. Elle souriait !

Les affaires qu'il lui avait achetées lui allaient parfaitement. On l'aurait dit sortie de ses rêves. Ses cheveux humides prenaient des reflets de jais sous l'éclairage de la lampe. Ruben faillit tendre la main pour les toucher, mais il se maîtrisa.

— J'ai faim, déclara Ilka. On petit-déjeune ensemble ?

C'était beaucoup trop beau pour être vrai. Ruben plissa les yeux.

— C'est sans arrière-pensée, précisa-t-elle en écartant les mains, comme pour prouver qu'elle ne manigançait pas un mauvais coup. Sincèrement. Je me suis dit qu'on ne pouvait pas continuer comme ça.

Il ne demandait qu'à la croire.

— Je suis désolé de t'avoir… de t'avoir frappée.

Elle rougit et détourna le regard.

— Je ne voulais pas en arriver là. Tu me pardonnes ?

Le sourire réapparut sur son visage.

Ruben s'avança lentement vers elle. Il s'attendait à ce qu'elle recule. Mais elle ne bougea pas. Il l'attira contre lui et elle posa la tête sur son épaule.

Ses cheveux sentaient le shampooing. L'argousier. Il n'avait pas oublié ses préférences.

Elle se détacha doucement de lui.

— Donne-moi un peu de temps, chuchota-t-elle.

Il hocha la tête, incapable de parler.

— Je peux t'aider à préparer le petit déjeuner ? proposa-t-elle.

Attention ! l'avertit une petite voix. *C'est peut-être un piège.*

— Pas d'embrouilles, c'est promis.

N'est-ce pas ce qu'il souhaitait ? Elle et lui, dans cette maison ?

Il avait tellement envie de lui faire les honneurs de la villa ! Il était si impatient d'assister à sa réaction. S'il se montrait prudent, il ne pourrait rien se passer.

*
* *

Lara Engler prétendait être en danger. Bert Melzig avait peine à la croire. Elle paraissait si pleine d'assurance, si forte et affirmée. Repensant à Mike, il avait beaucoup de mal à imaginer que ce jeune homme dégingandé, plutôt maladroit, puisse inspirer de la peur à ce genre de femme.

— Il m'a menacée, répéta Lara Engler. Il a dit qu'il me tuerait.

Elle avait demandé à le voir en tout début de matinée car elle pouvait difficilement décaler ses rendez-vous, et Bert avait accédé à sa requête. Il aimait rouler dans les premières lueurs du jour, quand la plupart des gens dormaient ou venaient de se lever. Il avait proposé à Lara Engler de la rencontrer dans son cabinet, pour se faire une idée du cadre dans lequel Ilka était suivie. Lara Engler avait réagi avec soulagement. Elle n'avait manifestement jamais eu affaire à la police.

Elle lui avait proposé un café et il avait accepté avec plaisir. Être assis autour d'une tasse de café détendait l'atmosphère. Sans compter qu'il avait besoin d'une dose de caféine pour mettre son cerveau en route.

— Pourquoi vous a-t-il menacée ?

— Il voulait savoir si je connaissais la raison de la disparition d'Ilka Helmbach.

— Et alors ? La connaissez-vous ?

Elle lui adressa un demi-sourire.

— Je ne peux pas davantage vous le dire.

— Secret professionnel...

— Inutile que je vous explique ce que cela signifie.

Inutile, en effet. Même si Bert maudissait souvent ce secret auquel médecins, psychologues et prêtres étaient tenus, il savait qu'il était nécessaire. Indispensable pour que les gens se sentent en sécurité et s'expriment librement. Qu'ils reçoivent l'aide dont ils avaient besoin.

— Mais pouvez-vous me dire s'il s'est passé quelque chose de spécial lors de votre dernière séance ?

— Belle tentative, monsieur le commissaire, lança-t-elle en souriant de son petit tour de passe-passe.

— Lors de la première visite de Mike Hendriks, n'avez-vous pas laissé filtrer une remarque ?

— De façon très générale, oui.

— Pourrais-je bénéficier moi aussi de cette remarque générale ?

Bert se demandait si Ilka s'était sentie en confiance avec cette femme. Elle se montrait si autoritaire qu'il commençait à trouver leur entretien désagréable.

— Je lui ai dit qu'Ilka était partie très énervée. À cause d'un souvenir.

Elle repoussa sa tasse et regarda ostensiblement sa montre.

— D'autres questions ?

Ridicule ! songea Bert. *Elle n'y répondrait pas, de toute façon.* Il se demanda s'il ne devait pas faire traîner la conversation en longueur, juste pour l'irriter, puis il choisit finalement de se lever.

— Non. Ce sera tout pour l'instant.

Dans l'entrée, elle lui tendit son manteau et lui tint la porte.

On dirait qu'elle est pressée de se débarrasser de moi, pensa Bert. *Aurait-elle quelque chose sur la conscience ?*

— Merci, dit-il avec une pointe d'ironie. Vous m'avez beaucoup aidé.

Mais son ironie manqua sa cible.

— Je vous en prie, répondit aimablement Lara Engler, avant de refermer la porte en souriant.

*
* *

Ilka se croyait revenue des années en arrière. Ruben lui faisait visiter une demeure étrangère qui lui rappelait en tout point la maison de leurs parents. Elle le suivait de pièce en pièce, incrédule. Il y avait le salon aux magnifiques fenêtres Art nouveau et au parquet chaud, la salle à manger donnant sur le jardin d'hiver et enfin, la grande cuisine au carrelage noir et blanc.

Le pâle soleil hivernal pénétrait à l'intérieur et Ilka ressentait ses rayons sur son visage comme une promesse. Elle accueillait avidement toutes ces impressions, cherchait à les graver dans sa mémoire. Chaque détail pouvait avoir son importance.

L'attitude de Ruben indiquait la plus grande vigilance. Un mouvement de travers, et il la ramènerait aussitôt en bas. *Tout mais pas ça !* pensa Ilka. *Je ne supporterai pas de me retrouver cloîtrée derrière ces barreaux.*

239

Elle n'eut pas le droit de se rendre dans le jardin, mais Ruben lui permit de regarder un moment par la fenêtre du salon. Elle vit un grand étang et de vieux arbres élancés. Des feuilles jonchaient encore l'herbe, les buissons n'étaient pas taillés. Une unique rose jaune s'épanouissait près d'un banc en pierre.

— On se croirait dans un conte. La Belle au bois dormant a dû dormir ici, s'émerveilla Ilka.

Aucune autre maison à perte de vue.

— Et c'est là que le prince l'a réveillée d'un baiser, compléta Ruben.

Ilka continua à regarder droit devant elle. Même ainsi, elle savait que les yeux de Ruben s'étaient assombris.

Et ils vécurent heureux jusqu'à la fin des temps.

Le bras de Ruben frôla son épaule. Cela suffit à la paniquer. Elle ne supportait pas de le savoir proche. Mais elle supportait encore moins l'idée d'être à nouveau enfermée dans la cave. Elle se tourna vers la porte suivante.

— Non, fit Ruben en la retenant. Ça suffit pour aujourd'hui. Je te montrerai le reste une autre fois.

Elle avait tellement espéré en apprendre davantage en regardant par les fenêtres du haut ! Il devait bien y avoir une rue, ou au moins un chemin. Qu'y avait-il derrière le jardin ? Pouvait-on voir au-delà des arbres, du premier étage ?

— Bon..., dit Ruben comme s'il lisait dans ses pensées. Les portes sont fermées à clé, les fenêtres équipées d'un triple vitrage. Ça ne sert à rien de tenter quoi que ce soit. D'accord ?

Ilka hocha la tête.

— Dis-le.

— Je vais me tenir tranquille. Promis.

Dans la cuisine, il la laissa jeter un coup d'œil dans les armoires, les tiroirs, le cellier et le frigo, lui expliqua comment fonctionnait la cafetière et lui permit d'allumer les bougies sur la table. Ilka pressa des oranges, disposa des tranches de fromage sur une assiette et mit des petits pains à cuire dans le four.

Ruben évita habilement de laisser à sa portée couteau ou tout objet potentiellement dangereux. Il coupa lui-même les oranges en deux. Il avait tout prévu et possédait toujours une longueur d'avance, tandis qu'Ilka était encore sous le coup de la surprise.

Elle se faisait l'effet d'une marionnette. Comment arracher les ficelles alors qu'elle avait les mains liées ?

*
* *

Mike appuya sur la sonnette, qui retentit tristement dans la maison. Ilka avait disparu et tous les lieux lui semblaient désolés.

Sa tante se contenta d'entrebâiller la porte. Mais dès qu'elle reconnut Mike, elle l'ouvrit toute grande.

— Mike ! C'est bon de te voir.

— Je voulais savoir s'il y avait du nouveau.

Il se tenait sur l'épais paillasson, mal à l'aise. Il n'était jamais venu sans Ilka et il ne se sentait pas du tout à sa place.

Apparemment, la tante d'Ilka se réjouissait vraiment de sa visite. Son sourire était chaleureux, sa poignée de main ferme. Elle referma rapidement la porte. Sa famille devait être le principal sujet de conversation du quartier. Les gens étaient avides de sensations.

Ils s'installèrent dans la salle à manger, où régnait un chaos inhabituel. Comme si la tante d'Ilka avait décidé d'arrêter de ranger. Des albums photos traînaient par terre, tout un bric-à-brac s'entassait sur la table.

— J'ai cherché. Partout. Parce qu'il doit bien y avoir une explication.

Ses yeux cernés de rouge paraissaient irrités. Un trait sombre barrait sa joue gauche. Comme si elle avait passé la nuit à fouiller dans des caisses poussiéreuses.

— Et puis, je me suis mise à regarder de vieilles photos. À me souvenir.

Ilka n'aimait pas qu'on la photographie. Tous les clichés que Mike possédait d'elle, même ceux pris sur le vif, dégageaient une impression d'étrangeté.

— Tiens ! fit la tante d'Ilka en lui tendant une boule à neige. Ilka me l'avait offerte parce qu'elle savait que j'en avais toujours rêvé, enfant.

D'épais flocons de neige tombaient en tourbillonnant autour du loup et du Petit Chaperon rouge.

— Parce que j'aime les contes de fées, aussi. Elle avait remarqué ça. Elle n'avait pas oublié.

Elle porta brusquement la main à sa bouche, effrayée.

— Oh, mon Dieu ! Je parle d'elle comme si elle était…

Elle se leva d'un bond et quitta précipitamment la pièce. Mike ne la suivit pas. Elle était bouleversée et avait besoin de rester seule un moment. Lorsqu'elle revint, elle semblait s'être ressaisie.

— J'ai toujours pensé que j'étais forte, mais maintenant je me rends compte que je me racontais des histoires.

— On va retrouver Ilka, déclara Mike.

Elle hocha la tête, luttant à nouveau contre les larmes.

Mike se leva et vint s'asseoir à côté d'elle sur le canapé. Il lui passa doucement le bras autour des épaules. Elle se cramponna à lui et se mit à pleurer.

*
* *

Ilka m'avait parlé un jour de son amie Charlie. Elle avait aussi évoqué son nom de famille. Weiss.

Charlie n'était pas seulement l'amie d'Ilka, elle allait dans le même lycée. Beaucoup d'élèves des écoles de Bröhl venaient de localités voisines, mais avec un peu de chance, je trouverais son nom dans l'annuaire.

Mike était sorti. Je ne pouvais pas l'interroger au sujet de Charlie. Merle, elle, participait à une opération avec son groupe de protection des animaux. Et je ressentais tellement le besoin d'agir que je ne voulais pas attendre leur retour.

Il y avait un Friedrich Weiss, un Thorsten Weiss, une Johanna Weiss, un ou une L. Weiss, une Birthe Weiss ainsi qu'un couple, Inga et Dieter Weiss. Sans oublier un Ferdinand, une Sabine et une Hildrun Weisz, et un Markus Weis. Je n'avais aucune idée de la façon dont on écrivait le nom de famille de Charlie.

Je me doutais qu'elle devait encore habiter chez ses parents et ne disposerait pas de son propre numéro. Je fus malgré tout déçue. Il ne serait pas aussi facile de la dénicher que je me l'étais imaginé.

Je restai un moment à fixer les prénoms en me demandant si un Friedrich Weiss était plus susceptible d'appeler sa fille Charlie qu'une Birthe Weiss. Puis je songeai que

« Charlie » était probablement un diminutif, plutôt qu'un prénom. De Charlotte ? Charlene ? Carlotta ? Cela ne servait à rien de rester assise en attendant l'inspiration. Je décidai de composer les numéros, l'un après l'autre.

J'avais pris le parti de ne pas me lancer dans de longues explications. Chaque fois, je demandais juste à parler à Charlie.

Johanna Weiss me pria d'épeler mon nom avant d'appeler Charlie. Je me réjouissais d'avoir tapé dans le mille dès le troisième appel, lorsque j'entendis une voix d'homme à l'autre bout du fil :

— Allô ?

Alors que j'expliquais à Charlie Weiss que je cherchais en réalité une amie, il me demanda brusquement, si bas que j'eus du mal à le comprendre, si ça ne pouvait pas être un ami.

— Pardon ?

— Je me proposerais volontiers, poursuivit-il, si vous êtes aussi séduisante que votre voix le laisse supposer.

— Pas étonnant que votre femme se fasse épeler le nom des inconnues qui vous appellent ! ripostai-je.

Il se mit à rire.

— Ce n'est pas ma femme ! Mon amie. On ne me passe pas la corde au cou comme ça !

Tout pour plaire… J'abrégeai la conversation et composai le numéro suivant.

Ce n'est qu'en appelant chez Hildrun Weisz que je fus récompensée de mes efforts. Charlie décrocha elle-même. Lorsqu'elle apprit de quoi il retournait, elle fut aussitôt prête à me rencontrer. Je lui donnai rendez-vous au Dolce Vita, le glacier sur la place du Marché.

Nous n'étions pas convenues d'un signe de reconnaissance et le Dolce Vita était plein à craquer. C'était le seul glacier de Bröhl ouvert les mois d'hiver. Pendant la saison froide, ils proposaient des gaufres avec toutes sortes de garnitures. Les parfums étaient à tomber par terre et je fus tentée de m'en prendre une portion avec des cerises chaudes et de la crème chantilly.

Je parcourus du regard les petites tables rondes en me demandant à quoi Charlie pouvait bien ressembler. Nulle part je ne vis une fille de mon âge assise seule. Un nuage de fumée flottait dans l'air surchauffé. Le niveau sonore des conversations dépassait les limites du supportable.

Chaque fois qu'on ouvrait la porte, une bouffée d'air rafraîchissante s'engouffrait dans la salle bondée. En plein passage, je dérangeais tout le monde et je m'en voulais de ne pas avoir mieux préparé notre rencontre.

C'est alors qu'on me tapota l'épaule.

— Jette ?

Charlie était très mince. Elle portait un jean noir près du corps et un pull noir encore plus moulant, dévoilant un nombril orné d'un piercing. Ses cheveux teints en noir, noués sur la nuque, la faisaient paraître plus âgée.

C'était le genre de fille « trop cool » qui affichait son ennui, partout et tout le temps. Même ses mains étroites – posées artistiquement sur la table, parées de longs ongles de synthèse et d'une bague en argent surmontée d'une énorme pyrite rouge – semblaient s'ennuyer.

Je n'y allai pas par quatre chemins :

— Je voulais te poser des questions au sujet d'Ilka. Tu sais peut-être quelque chose qui pourrait nous aider à avancer.

— Nous ? fit-elle en me regardant d'un air méfiant.

— Mike et moi, on habite dans le même appartement.

Elle haussa les épaules. Était-ce tout ce qu'elle avait à offrir ? Je comprenais mieux pourquoi Mike avait été si frustré par leur discussion...

— C'est ton amie, non ? insistai-je. Elle t'a probablement confié des choses dont elle n'a parlé à personne d'autre.

— On n'était pas copines à ce point, répondit-elle en trempant ses lèvres dans son café au lait. On a traîné ensemble de temps en temps, bavardé un peu.

J'aurais vraiment pu me passer de la voir... Pour me consoler, je commandai une gaufre avec des cerises et de la crème chantilly. Charlie grignotait le biscuit fourni avec son café au lait, tout en observant le serveur qui évoluait avec nonchalance entre les tables.

— Ces Italiens ont vraiment une allure dingue ! Les autres mecs ne leur arrivent pas à la cheville.

— Est-ce qu'Ilka a déjà évoqué des problèmes ? Sa thérapie par exemple ?

— Ilka suivait une thérapie ? s'étonna Charlie en ouvrant de grands yeux.

Tous mes espoirs s'effondraient. Encore un coup d'épée dans l'eau ! J'aurais mieux fait d'aller au lycée. Charlie aussi, d'ailleurs. Avait-elle l'habitude de sécher, ou était-ce un pur hasard que j'aie réussi à la joindre chez elle ce matin ?

— J'ai cours en troisième heure seulement, ajouta-t-elle, comme si j'avais pensé tout haut. Et toi ?

Le serveur à l'allure « dingue » apporta ma gaufre. Charlie en oublia sa question. Elle me regarda manger avec des yeux avides. Charlie... Son prénom ne lui allait pas. Il était trop vivant, trop spirituel et chaleureux pour elle.

— Tu as une amie véritable ? Quelqu'un avec qui tu

ne te contentes pas de traîner ? Quelqu'un qui ne te fait jamais faux bond ?

— J'ai la bande, répondit-elle d'un ton indifférent avant de finir son café au lait. Désolée si je n'ai pas pu t'aider.

Elle fit signe au serveur, paya et s'en alla. Je ne savais pas pourquoi elle était venue. Puis je commençai à comprendre. Elle n'avait absolument rien à me dire. Elle voulait juste apprendre quelque chose.

Ilka, pensai-je, *tu n'as vraiment pas tiré le bon numéro...*

*
* *

C'était presque comme dans ses rêves. Presque. Car Ilka gardait ses distances et quand il la touchait, elle prenait peur. Mais la maison lui plaisait. Ruben l'avait observée attentivement pendant leur visite. Les ornements Art nouveau des fenêtres de la salle de séjour lui avaient particulièrement plu. D'ailleurs, elle avait été attirée comme un aimant par toutes les fenêtres. Ce devait être horrible pour elle de ne pas pouvoir profiter de la lumière directe du jour.

— Tu peux décider toi-même de la façon dont tes journées vont se dérouler, déclara-t-il. Je ne veux pas te retenir prisonnière, Ilka. J'aimerais que tu vives avec moi de ton plein gré.

Les lèvres d'Ilka se mirent à trembler, mais elle ne répondit pas. Elle continua de regarder par la fenêtre.

— Les pièces du haut ne sont pas complètement aménagées. Je voudrais choisir les meubles avec toi. La maison doit être exactement comme tu le souhaites.

— À quoi sert l'appartement dans la cave, alors ?

Ilka se reversa du café. Ses mouvements étaient si naturels et détendus que Ruben put s'imaginer un moment qu'ils étaient un couple d'amoureux qui venaient de prendre le petit déjeuner.

Ils n'avaient pas beaucoup parlé, mais ce n'était pas nécessaire non plus. Quand on ne disait rien, on ne risquait pas de mentir.

— Tu n'es pas encore prête. Tu dois d'abord… t'habituer. Et tu comprendras que je ne puisse pas te laisser aller et venir librement dans la maison quand je suis absent. Je dois de temps en temps sortir faire les courses. Et puis, j'ai mon travail.

Ilka le fixa avec effroi.

— Tu veux me laisser seule en bas ?

— Jusqu'ici, tu ne m'as pas donné l'impression d'apprécier tellement ma compagnie, sourit-il amèrement.

— Mais s'il t'arrivait quelque chose ? Je moisirais dans la cave sans que personne sache où je suis !

Il n'avait pas réfléchi à cela, pendant tous ces mois de préparation. Un accident sur l'autoroute était vite arrivé. Combien de temps faudrait-il pour que les membres de sa famille en soient avertis ? Et qui savait qu'il avait une sœur ? Il avait si soigneusement brouillé les pistes qu'il ne serait pas facile de la retrouver.

— Ruben ! protesta Ilka en se penchant par-dessus la table et en lui attrapant le bras. Tu n'as pas le droit de me laisser seule ici !

Elle le mettait à la torture. Chaque problème avait sa solution. Mais il fallait du temps pour cela. Ilka ne pouvait pas lui poser une question aussi lourde de conséquences et s'attendre à ce qu'il lui réponde immédiatement. Il se dégagea.

— L'appartement est là pour ça, après tout. Je vais te fournir suffisamment de provisions pour tenir un siège. Tu ne mourras pas de faim.

Il sourit, soulagé. Elle avait presque réussi à lui faire peur, la fine guêpe ! Il était tombé dans le panneau.

— De toute façon, il va falloir attendre encore un peu. Pour l'instant, je ne peux pas me permettre de te laisser un couteau ou une fourchette.

— Tu crois que je chercherais à te tuer ?

Elle le fixait comme si elle le voyait pour la première fois. Elle maîtrisait diablement bien ce regard ! Mais il était armé, désormais. Elle ne l'attirerait plus dans ses filets.

— Tu ferais n'importe quoi pour sortir d'ici.

Il venait d'en prendre conscience. Toute faiblesse lui serait fatale, il devait être en permanence sur ses gardes.

— Et si tu avais un accident ?

Elle ne voulait pas en démordre. Ne voyait-elle pas qu'elle le faisait souffrir en s'entêtant ?

Il sentit un calme froid se répandre en lui. Oh non ! Il ne se laisserait pas ébranler par ses craintes insensées. Il faudrait bien qu'elle se fasse une raison.

— Ça suffit, trancha-t-il en se levant. Je te ramène en bas.

— Attends, Ruben ! le supplia-t-elle. Je pourrais t'aider à débarrasser la table. Et à préparer le déjeuner. Laisse-moi rester encore un peu !

Il la prit par le bras et la força à se lever. Il devait être seul, retrouver sa sérénité. Et réfléchir. Peut-être cela lui ferait-il du bien de travailler quelques heures. Ou de rouler au hasard.

Elle se donna beaucoup de mal pour ne pas éclater en

sanglots. C'était sa faute… Pourquoi avait-il fallu qu'elle envenime la situation ?

Il la raccompagna en bas, sans un mot. Et l'enferma, sans un mot. Il abandonna la vaisselle sale sur la table, attrapa son blouson, monta dans sa voiture et démarra en faisant crisser les pneus.

18

Bert n'avait pas annoncé sa venue. Cela avait parfois du bon de prendre les gens par surprise. Dans ce cas précis, le temps lui était compté. Il devait absolument dissuader ces jeunes de jouer les détectives avant qu'ils ne se fourrent dans un guêpier.

Merle lui ouvrit la porte, surprise. Il demanda à voir Mike.

— Mike s'est couché. Il ne se sentait pas très bien. Vous voulez que je le réveille ?

— S'il vous plaît.

Bert lui donna son manteau et entra dans la cuisine, la seule pièce commune de l'appartement.

— Il serait bon que vous soyez présentes lors de notre entretien, Jette et vous.

Merle le considéra d'un air soupçonneux.

— Pour quelle raison ?

Bert s'était renseigné. Il savait qu'elle militait pour la protection des animaux. Il avait également découvert qu'elle s'était retrouvée plusieurs fois au tribunal. On n'avait rien pu lui reprocher jusqu'à présent, mais ce n'était qu'une question de temps. Il pouvait donc comprendre que ses visites ne lui fassent pas particulièrement plaisir.

Avec les années, il avait appris à faire la part des choses. Les activités de Merle dans ce domaine ne le regardaient en rien. À vrai dire, il espérait le lui avoir clairement signifié.

— C'est la sonnette que j'ai enten…

Jette sortait de sa chambre, d'où s'échappait de la musique. Un sourire passa sur son visage.

— Quelle bonne surprise !

Bert la salua et lui demanda d'aller chercher Mike. Jette eut aussitôt l'air alarmée, elle aussi. Elle quitta la cuisine, on entendit des murmures, et peu après, tous étaient assis autour de la table.

Mike dormait encore à moitié, les cheveux en bataille. Bert n'avait aucune peine à se représenter le petit garçon qu'il avait dû être. Difficile de croire qu'il avait impressionné à ce point Lara Engler.

— J'ai entendu dire que vous aviez entrepris vos propres recherches ? attaqua Bert.

Ils lui adressèrent tous les trois un regard innocent.

— J'étais chez Mme Engler, poursuivit Bert.

Mike rougit. Des plaques cramoisies apparurent sur ses joues, contrastant violemment avec la pâleur de sa peau.

— Qu'avez-vous à me dire à ce sujet ?

— Elle sait quelque chose ! protesta Mike en agrippant le bord de la table. Mais elle se cache derrière le secret professionnel.

— Il le faut !

Bert n'avait aucune envie de lui passer un savon. Il ne le comprenait que trop bien. Lui-même avait eu de la peine

à se maîtriser pendant son entretien avec Lara Engler...
Mais Mike avait clairement dépassé les bornes.

— Il le faut ?

— Parfaitement. Trahir le secret professionnel est puni
par la loi. Elle n'a pas le choix.

— Et Ilka ? Vous croyez qu'elle a le choix ?

— Cela n'a rien à voir, Mike. Vous devez faire la part
des choses.

— Facile à dire ! Ce n'est pas votre petite amie qui a
disparu.

Le rouge sur les joues de Mike s'était accentué. Il devait
se sentir incompris, peut-être même trahi. Cela pouvait
renforcer son intention de faire cavalier seul.

— Ai-je bien saisi ce que Mme Engler m'a rapporté ?
L'avez-vous réellement menacée de la tuer ?

Mike semblait avoir du mal à se contenir. Bert lut de la
colère dans ses yeux. Cela lui rappela sa jeunesse. Il faisait
partie de ceux qui sortaient parfois de leurs gonds. Ce
n'étaient pas des souvenirs agréables.

— On dit ça comme ça, intervint Merle. Il ne faut pas
tout prendre au pied de la lettre.

Au pied de la lettre... Jolie expression ! songea Bert. Il
faudrait qu'il se penche un jour sur l'origine de ces tour-
nures.

— Vous devriez plutôt expliquer ça à Lara Engler.
L'accès de violence de Mike l'a terrifiée.

— Je suis désolé, murmura Mike.

Merle se remit à respirer, visiblement soulagée. Mais si
elle croyait que Bert allait reprendre son manteau et s'en
aller, elle se trompait.

— Encore une chose. Je vous mets expressément en
garde contre la tentation de mener votre propre enquête.

Tous les trois, ajouta-t-il en les regardant sévèrement, l'un après l'autre. En plus d'entraver notre travail, vous risquez de vous mettre en danger.

— En danger ?

Le rouge disparut brusquement des joues de Mike.

— Je parle de façon générale. Pour le moment, rien n'indique que votre amie soit en danger. Elle peut toujours avoir décidé de partir, quelle qu'en soit la raison.

— Impossible, le contredit Mike. Pas sans moi. Sans compter qu'elle ne serait certainement pas partie précisément ce soir-là.

Cette réflexion mit la puce à l'oreille de Bert.

— Pourquoi pas ?

— Parce qu'elle m'avait promis… Elle m'avait promis de faire l'amour avec moi.

Le vacillement dans ses yeux révélait qu'il avait dû se faire violence pour terminer sa phrase.

Bert sortit son carnet. Voilà qui éclairait cette affaire d'un jour totalement nouveau.

*
* *

La sensation de menace dont Imke ne parvenait pas à se défaire depuis des semaines s'intensifiait de plus en plus. Jette ne parlait pas beaucoup d'Ilka. Chaque fois qu'Imke abordait le sujet au téléphone, elle détournait la conversation.

Depuis que Mike avait emménagé chez Merle et Jette, c'est à peine si Imke voyait encore sa fille. Elle se demandait quelle pouvait bien en être la raison, tout en craignant la réponse. Elle ne voulait surtout pas admettre que Jette puisse à nouveau fourrer le nez dans ce qui ne la regardait pas.

— Cette tendance à se mêler de tout ! se plaignit-elle à Tilo. Ce côté tête de mule, cette opiniâtreté... Je me demande de qui elle tient ça.

Tilo lui sourit. Il avait pris son après-midi et était occupé à assembler un puzzle. Il prétendait que cela le calmait. Imke avait du mal à le croire. Elle s'était assise près de lui et l'avait regardé faire. Pour constater, au bout de dix minutes seulement, qu'elle n'avait pas la patience nécessaire.

Ces derniers temps, elle était incapable de trouver le repos. La nuit, elle restait éveillée des heures et son cœur battait la chamade. La campagne alentour était parfaitement silencieuse. L'air dans sa chambre se faisait lourd et dense.

Tilo passait parfois la nuit chez elle. Alors, elle se blottissait contre lui, écoutait sa respiration et se laissait gagner par la chaleur de son corps. Son cœur battait régulièrement et paisiblement, et elle pouvait écarter pendant un temps les pensées qui la taraudaient.

— Pas la peine de sourire bêtement ! Elle ne tient pas ça de moi.

— Ah non ? fit Tilo en mettant en place une petite pièce de puzzle bleue.

Il faisait souvent office de miroir pour elle. En posant une question, il lui dévoilait son vrai visage. Et il exigeait d'elle une vérité sans fard.

Elle avait demandé à Jette quelles recherches la police avait entamées pour retrouver Ilka.

— Aucune idée. Je crois qu'ils ont toujours dans l'idée qu'Ilka est partie quelque part.

— Et vous ?

— Elle n'aurait jamais fait ça à Mike.

— Tu crois qu'Ilka pourrait s'être…

— Sûrement pas. Elle a Mike, et elle nous a. On ne renonce pas à tout ça aussi facilement.

Elles se turent un moment, puis Jette reprit :

— Mike est convaincu qu'Ilka a été enlevée.

La peur assaillit Imke sans prévenir. Elle était en sueur et tremblait. Elle mit la main devant sa bouche pour ne pas gémir.

— Est-ce qu'il a… des indices ?

— Non, mais il a exclu toutes les autres possibilités.

— Jette, promets-moi que vous ne ferez pas de bêtises !

Elle entendait la respiration tranquille de sa fille, à l'autre bout du fil.

— Promets-le-moi ! S'il te plaît !

Pourquoi diable ne répondait-elle pas ?

— Comment va grand-mère ?

Imke n'était pas disposée à abandonner aussi facilement.

— Ne change pas de sujet, Jette. J'attends.

— Laisse-moi, maman. Fais-moi confiance.

Elle n'en dirait pas plus. Imke sentait qu'elle ne pourrait rien contre sa détermination. Une fois de plus, elle souhaita que Jette ait encore l'âge d'aller à la maternelle, une époque où sa vie possédait des contours définis, des limites bien visibles. Elle mit fin à leur conversation et tenta d'écrire un peu.

Tout cela lui traversait l'esprit tandis qu'elle observait Tilo, penché sur son puzzle. Il avait raison. L'entêtement de Jette semblait être un trait de caractère dont les femmes de sa famille héritaient, de génération en génération.

— Que puis-je faire pour protéger Jette ? lui demanda-t-elle.

— Sois là quand elle a besoin de toi.

*
* *

Assise sur le canapé, les jambes repliées contre elle, le menton posé sur les genoux, Ilka pensait à Mike et se demandait comment il s'expliquait sa disparition.

Et tante Marei ? Elle devait être morte d'inquiétude !

La police avait forcément ouvert une enquête. Ils cherchaient sûrement des pistes à droite et à gauche. Mais en trouveraient-ils ?

Ses yeux brûlaient d'avoir trop pleuré. Si seulement elle n'avait pas sans cesse repoussé le moment de parler de Ruben à Mike ! Mais elle avait si peur de sa réaction… Comment espérer qu'il comprenne ce qu'elle avait fait ?

Elle ne s'était pas davantage confiée à tante Marei. Personne ne connaissait son secret. Comment la police pourrait-elle le découvrir ?

Ilka se massa les tempes. Avec sa chance, son mal de tête se transformerait en migraine. Quand elle était enfant, sa mère l'envoyait au lit, tirait les rideaux et lui appliquait des compresses froides sur le front.

— Maman…, chuchota Ilka. Tu me manques tellement.

Manquerait-elle à sa mère ? Ou ne remarquerait-elle même pas qu'elle ne venait plus lui rendre visite ?

Lorsque Ilka se pencha pour prendre un livre dans l'étagère, une douleur fulgurante vrilla son crâne. Mieux valait se tenir tranquille et fermer les yeux.

Où Ruben pouvait-il bien se trouver à cet instant ? Et

si un incendie éclatait en son absence ? S'il avait effectivement un accident ? Il ne fallait pas qu'elle commence à imaginer tout ce qui pouvait lui arriver dans cette cave.

Ruben n'avait jamais accepté aucune forme de résistance. Les hommes comme les circonstances devaient se conformer à ses projets. Enfant, Ilka avait admiré son intransigeance. Plus tard, elle l'avait redoutée.

Ils marchent dans le bois. Le chien les devance de quelques mètres, le museau collé au sol, le corps tendu par l'excitation. Il a flairé une piste.

— Plus bouger ! ordonne Ruben.

Le chien a obéi. Ses oreilles se sont brièvement tournées en arrière. Puis il a repris son exploration, concentré.

— Pourquoi tu ne le tiens pas en laisse ? s'étonne Ilka. Il y a trop de tentations pour lui, ici.

— Il doit m'obéir.

Deux fois par semaine, ils vont chez l'agriculteur bio. Leur mère ne jure que par le lait non pasteurisé, les fruits et les légumes non traités. Peu importe à Ilka d'où viennent les produits, mais elle aime se rendre à la ferme. Un jour, elle a pu assister à la naissance d'un veau. C'était si terrible et si beau qu'elle en a pleuré.

Ruben porte le panier, Ilka le bidon.

— Fuchs ! Plus bouger !

La voix de Ruben s'est faite plus tranchante.

Le chien est tiraillé entre instinct de chasse et obéissance. Il tremble, fébrile. L'instant d'après, il détale à une vitesse folle. On dirait qu'il ne touche plus terre.

— Fuchs ! Au pied !

Ruben crie. Hurle. Les oiseaux perchés dans les arbres sombres s'enfuient à tire-d'aile.

Ilka n'ose pas adresser la parole à Ruben. Elle n'ose même pas le regarder. Elle a peur de son silence.

Au bout d'un moment, le chien revient, langue pendante, haletant. Il fixe Ruben en remuant la queue. Ruben l'attrape par le collier et lui donne un violent coup de laisse. Le chien pousse un hurlement. Ruben se remet à le frapper, encore et encore. Le chien geint, pleure, s'aplatit devant lui.

— Non, Ruben ! Arrête !

Ilka essaie de s'interposer. Ruben la repousse et bat le chien jusqu'à ce que son bras soit lourd. Puis il le libère.

— Dégage !

Le chien disparaît dans le sous-bois.

Ilka lève les yeux vers Ruben, épouvantée. À seize ans, il est presque aussi grand que leur père. Son corps projette sur le sol une ombre démesurée.

— Il ne m'a pas obéi, déclare Ruben.

Ilka regarde son ombre et la sienne. Et brusquement, elle éprouve le besoin de les fuir, à la suite du chien, de traverser le jardin pour rentrer à la maison où elle sera en sécurité. Mais elle n'ose pas. Elle sait que les ombres la rattraperont toujours.

Non. Elle ne parviendrait pas à convaincre Ruben de la libérer. Elle ne pourrait même pas lui faire comprendre qu'il avait tort de la retenir captive. Ruben était Ruben, et cela le rendait dangereux.

*
* *

Mike avait erré toute la journée. Il avait parcouru des kilomètres et des kilomètres à la recherche… de quoi ? Il n'aurait su le dire. Il ne cessait de se répéter que ce qu'il faisait n'avait aucun sens. Pas la moindre logique. Mais il ne pouvait s'empêcher de continuer.

Ses pas l'entraînèrent dans tous les lieux où il s'était rendu avec Ilka. Comme si cela pouvait les rapprocher, ou lui apprendre quelque chose qui le mettrait sur sa piste. Il alla jusqu'au lac de Kiessee, où ils s'étaient baignés l'été précédent. Fit un détour par leur forêt préférée. Il se rendit dans les deux cafés où il avait passé des heures avec Ilka. Marcha dans la ville. Puis il finit par se sentir fatigué et un peu réconforté.

Ni Ilka ni lui n'étaient fana de sorties en boîte. Ils préféraient aller au cinéma. Voilà pourquoi Mike se retrouva devant les caisses du multiplexe, à la fin de la journée, se demandant quel film aurait plu à Ilka.

Les titres sur les affiches dansaient devant ses yeux. Il n'avait rien avalé depuis le petit déjeuner. Un peu plus tard, il poussait la porte du Pizza Hut. Il choisit la table à laquelle ils s'étaient assis la fois précédente, commanda la pizza qu'ils avaient commandée et rêva de pouvoir embrasser Ilka comme il l'avait fait.

Sa pizza n'avait aucun goût, mais il se força à manger. Cela ne servait à rien de se laisser dépérir. Ensuite, il se sentit au bord de l'écœurement. Il but un verre d'eau et prit un billet pour *Troie*.

En réalité, il n'aimait pas les superproductions à grand spectacle. Ilka n'aurait pas voulu y aller non plus. C'est pour cette raison précise que Mike l'avait retenu. Il n'aurait pas supporté de voir un film susceptible de le toucher.

Assis dans la salle obscure, entouré de gens grignotant du pop-corn, il sentit sa gorge se nouer. Au beau milieu des bandes-annonces, il se leva, se fraya un passage entre les genoux, les sacs à dos et les parapluies, et quitta précipitamment le cinéma.

Dehors, il regarda autour de lui sans savoir où aller. Une femme l'apostropha parce qu'il lui bloquait le passage. Un ivrogne chercha à le prendre dans ses bras. Il tombait une pluie fine. Mike essaya de prier, mais cela faisait si longtemps qu'il ne trouva pas les mots. Il tourna à droite et se laissa emporter par le flot des passants.

*
* *

Après l'avoir cherché partout, nous avions fini par tomber sur lui à la gare. J'avais les doigts et les orteils engourdis et je n'osais pas toucher mon nez ou mes oreilles, de peur qu'ils cassent net.

Assis dans un café comme un alcoolo solitaire, une tasse vide devant lui, Mike fixait le mur où étaient accrochés quelques tableaux constructivistes violemment colorés. Il salua notre présence avec un faible sourire.

— Salut…

— Tu pourrais trouver mieux ! lui reprocha Merle. On a retourné la moitié de la ville pour toi.

— Je suis désolé, lâcha Mike en tirant pensivement sur les pétales des fleurs séchées qui décoraient la table. Je me suis juste baladé.

Je le comprenais… Ilka avait disparu et il ne pouvait rien faire. Cela devait le rendre dingue. Il était peut-être passé dans leurs endroits favoris, dans l'espoir absurde de la trouver quelque part. J'aurais probablement fait la même chose à sa place.

Merle hocha la tête, radoucie.

261

— C'est bon.

Tant qu'à être là, autant prendre un cappuccino. L'endroit était très fréquenté. Des voyageurs, assis au milieu de leurs bagages, attendaient leur correspondance. Des clochards se cramponnaient à leur café pour emmagasiner le plus de chaleur possible pour la nuit. Des amoureux chuchotaient, comme si c'était la dernière fois.

Je rapportai ma conversation avec Charlie.

— Tu aurais pu t'épargner cette peine, déclara Mike. Même si elle savait quelque chose, elle serait trop stupide pour s'en rendre compte.

Il sortit de sa poche un billet de dix euros et fit signe à la serveuse. Nous étions manifestement dans une impasse.

19

Ruben avait apporté son dîner à Ilka et l'avait laissée seule. Elle avait réussi à le perturber. Cela ne devait pas se reproduire. Il s'était retiré dans son atelier le reste de la soirée pour continuer à préparer sa nouvelle exposition.

Le travail et la concentration lui avaient fait du bien. Il s'était vidé la tête et apaisé. Il se sentait ramené à l'époque où il ne vivait que pour son rêve, où rien ne le déstabilisait.

Les rêves s'altéraient-ils toujours en devenant réalité ? Perdaient-ils de leur force avec cette transformation ? Dans ses rêves, Ilka l'aimait toujours. Leur amour s'en trouvait même renforcé.

Vers vingt-trois heures, Ruben se sentait si seul qu'il n'était pas loin de s'adresser à ses toiles. Il connaissait beaucoup de gens avec qui il entretenait une relation légère et superficielle, habituelle dans le milieu branché. On buvait un verre et on échangeait les derniers potins. Il arrivait que ces rencontres débouchent sur un contrat. Mais il ne fallait pas en attendre davantage. Parmi tous ces gens, il n'existait qu'une personne à qui Ruben témoigne une confiance aveugle. Une seule personne qui le connaisse par cœur. Qui lui manque. Une seule personne vers qui il puisse se tourner, à tout moment.

Une voix endormie lui répondit à l'autre bout du fil.

— Bonsoir, Judith. Je te réveille ?

Il n'avait pas besoin de se présenter. Elle le reconnaissait dès le premier mot.

— Oui. Mais ça me fait plaisir de t'entendre.

Il s'enquit du courrier, des appels téléphoniques, lui expliqua où il en était des préparatifs pour l'exposition. Elle l'écouta et répondit à ses questions. Puis elle lui raconta qu'un journaliste l'avait contactée pour réaliser un portrait télévisé.

— Pas pour l'instant, répliqua Ruben.

— Mais c'est la télé ! lança Judith, stupéfaite. C'est une chance inouïe !

— Pas pour l'instant, répéta Ruben. J'ai besoin de temps. Pour moi.

Elle resta silencieuse un long moment.

— Très bien. Je vais le décommander, alors.

Il entendait tant de tristesse et d'espoir dans sa voix qu'il succomba à la tentation.

— Tu aurais envie de me voir, Judith ?

Dix minutes plus tard, il se mettait en route.

*
* *

La nuit s'étirait à l'infini. À cause de la pleine lune, peut-être. À moins qu'elle n'ait bu trop de café. Quoi qu'il en soit, Ilka ne parvenait pas à trouver le sommeil. Vers deux heures, elle se releva.

Un film la hantait depuis des heures. *Le Comte de Monte-Cristo*, avec Richard Chamberlain dans le rôle principal. S'il avait pu creuser un tunnel dans d'épaisses murailles centenaires, cela devait être possible, à plus forte raison, dans les murs relativement minces d'une villa Art nouveau. Il avait fallu trente ans à Dantès, mais il ne disposait que d'une cuillère.

Il lui fallait un outil ; un ciseau, un burin, une lime. Elle inspecta une fois encore le contenu des tiroirs et des armoires, tout en sachant qu'elle ne trouverait rien. Elle referma la porte du dernier placard, déçue.

— C'était une idée fumeuse, de toute façon, murmura-t-elle.

Il serait peut-être plus facile de s'échapper en regagnant la confiance de Ruben. Elle se rendit dans le salon et sortit un livre de l'étagère. Elle le reposa au bout de quelques phrases. Elle n'arrivait pas à se concentrer. L'agitation qui l'empêchait de dormir faisait se chevaucher les lettres.

Elle avait la sensation de ne pas pouvoir respirer normalement. La fenêtre était bien entrebâillée, mais le volet roulant l'épousait si étroitement qu'il ne laissait pas passer le moindre souffle d'air. Ruben ne le monterait pas avant le lendemain matin.

Demain, il faudrait qu'elle sache comment se comporter. Elle devait réfléchir à un plan. Et prévoir un plan de remplacement, au cas où le premier ne fonctionnerait pas. Avec un plan, elle ne serait plus pieds et poings liés face à Ruben. Elle aurait un secret. Et un but bien défini : sa liberté.

Mais son euphorie fut de courte durée. Ruben n'était pas idiot. Elle n'avait encore jamais pu le contrôler. Personne n'y était parvenu. Il ne permettrait pas qu'un autre que lui prenne le pouvoir.

*
* *

Ruben était rentré à l'aube. Il avait trop bu pour se souvenir précisément de l'heure.

Judith avait cuisiné pour lui au beau milieu de la nuit. Elle était incroyable. Elle préparait des plats délicieux avec trois fois rien. Assis à table devant elle, Ruben s'était senti accueilli à bras ouverts par la maison si familière. Comme s'il retrouvait pour un temps son ancienne vie.

— Ça devient délicat d'expliquer aux gens pourquoi tu as disparu de la circulation, avait prudemment avancé Judith. Je fais patienter les journalistes en leur promettant des interviews.

— Ils auront leur interview, avait répondu Ruben. Plus tard. Laisse-les mariner encore un peu.

Ils s'étaient mis d'accord sur une version officielle : Ruben avait fui l'agitation pour pouvoir travailler dans le calme. Et Judith avait pour instruction de ne révéler à personne où il se trouvait.

— J'en ai assez de tout ce cinéma, lui avait-il expliqué. Ça me rend malade. Je dois me retrouver et pour ça, il me faut une solitude absolue.

Judith avait accepté, de même qu'elle respectait chacun de leurs accords. Mais il lui en coûtait. Ruben le remarquait à la façon dont elle l'observait. Elle étudiait son visage comme si elle voulait le graver à tout jamais dans sa mémoire.

Ensuite, ils prirent leur verre de vin et allèrent s'installer dans le salon. Assis dans le canapé, éclairés par le feu qui crépitait dans la cheminée, ils parlèrent. C'était facile avec Judith. Elle savait écouter et ses récits étaient toujours intéressants.

Lorsque Ruben se redressa en vacillant et prit son blouson, Judith le regarda avec étonnement.

— Tu ne passes pas la nuit ici ?

Il secoua la tête et chercha ses clés de voiture.

— Mais tu as bu, Ruben. Tu te mets inutilement en danger.

Elle se tenait debout, les yeux levés vers lui. Il la dépassait de la tête.

— Reste. S'il te plaît…

Il fut profondément touché par ce qu'elle disait. La façon dont elle lui parlait brisa quelque chose en lui. Il aurait tant aimé entendre ces mots de la bouche d'Ilka. Tant voulu qu'elle lui sourie de la sorte.

Judith attira son visage contre le sien. Il sentit ses lèvres sur les siennes. Légères et fraîches. Il ne répondit pas à son baiser, tenta mollement de la repousser. Puis le désir l'emporta et il céda.

Depuis son retour, il était assis dans le jardin d'hiver et le souvenir de la nuit passée prenait peu à peu forme dans son esprit. Judith l'avait aimé de manière muette et désespérée. Comme si elle avait conscience du fait qu'aucun baiser, aucune caresse ne lui permettrait vraiment de l'atteindre.

Ensuite, elle s'était blottie contre lui, la tête dans le creux de son cou. L'espace d'un instant, il aurait tout donné pour pouvoir aimer cette jeune femme et commencer avec elle une vie normale. Mais, aussitôt, il avait senti à nouveau l'image d'Ilka s'imposer à lui avec force.

Il s'était levé, douché et habillé. Judith l'attendait dans

la cuisine, enveloppée dans son vieux peignoir de bain bien trop grand. Il faisait froid et elle tremblait, mais Ruben était incapable de la toucher.

Ils avaient perdu quelque chose, cette nuit-là. Ruben avait remarqué que Judith aussi le sentait. Au moment de lui dire au revoir, elle avait évité de le serrer dans ses bras.

À présent, il était mort de fatigue. Il avait grand besoin de repos. De calme. Et d'Ilka. Elle était à quelques mètres de lui, et terriblement lointaine à la fois.

*
* *

Bert ne savait pas trop comment s'y prendre avec les femmes trop pomponnées. Celle qu'il avait devant lui donnait l'impression de s'être échappée des années soixante. Elle avait des cheveux noirs crêpés, striés de mèches vert électrique, et elle était comprimée dans une minijupe si étroite qu'il s'étonnait qu'elle puisse travailler dans cette tenue. Le décolleté plongeant de son chemisier le mit mal à l'aise. Ses ongles laqués de noir lui évoquaient les griffes d'un rapace. Elle était habillée tout en noir, mais une couche de fond de teint presque blanc couvrait son visage et un gloss violet faisait briller ses lèvres. En l'apercevant, Bert se demanda si la direction du centre était tolérante au point d'employer des adeptes du satanisme.

Puis elle ouvrit la bouche et il sut immédiatement qu'il avait affaire à une personne volontaire et énergique, qui connaissait son boulot. Elle se présenta comme étant Mme Hubschmidt et lui proposa de le conduire dans la chambre d'Anne Helmbach.

— Je ne sais vraiment pas ce que vous espérez de cette

visite. J'ai déjà tenté de vous expliquer au téléphone l'état de Mme Helmbach…

— J'aimerais m'en convaincre par moi-même, répondit Bert.

Il avait perdu l'habitude de justifier tout ce qu'il faisait. Autrefois, il saisissait la moindre occasion de rétablir l'image de la police dans l'opinion publique. Depuis, il avait compris que c'était un travail de Sisyphe, une dépense d'énergie inutile.

— Je présume que vous saurez faire preuve de délicatesse ?

Elle devait avoir eu une mauvaise expérience avec la police. Bert rencontrait souvent ce cas de figure chez ceux qu'il était amené à croiser. Il ne leur tenait pas rigueur de cette attitude de rejet. Il ne la prenait plus pour lui non plus.

— Bien entendu.

Elle lui adressa un nouveau coup d'œil scrutateur avant de le précéder dans le couloir.

Le centre était aménagé avec goût et paraissait propre et bien entretenu. Des aquarelles pleines de gaieté étaient accrochées aux murs. Elles faisaient visiblement partie d'une exposition. Certaines étaient porteuses d'un point rouge, indiquant sans doute qu'elles n'étaient plus à vendre.

Les sols étaient recouverts de dalles en terre cuite aux tons chauds, les murs peints dans un jaune discret. Ici et là se dressait une plante luxuriante dans un bac monté sur roulettes. De la musique classique s'échappait de haut-parleurs.

Seule l'odeur lui rappelait qu'il ne se trouvait pas dans un hôtel, mais dans un centre pour malades psychiques.

Un mélange typique de nourriture, de thé et de produits d'entretien qu'on retrouvait dans chaque clinique, chaque maison de retraite.

Une table avec deux chaises, une armoire, un lit, une table de nuit et un fauteuil placé près de la fenêtre meublaient la chambre qu'occupait Anne Helmbach. Assise dans le fauteuil, elle regardait en direction de Bert.

— Vous avez de la visite, annonça Mme Hubschmidt. Elle se pencha vers Anne Helmbach et lui posa la main sur l'épaule.

— Ce monsieur est de la police. C'est le commissaire principal Melzig. Il a quelques questions à vous poser.

Bert fut touché par la façon dont elle traitait sa patiente. Elle n'élevait pas la voix. Elle ne versait pas non plus dans le vocabulaire que certains adultes réservaient aux enfants en bas âge, aux malades et aux vieillards. Et surtout, elle ne commettait pas l'impardonnable grossièreté de tutoyer Anne Helmbach.

Elle se tourna ensuite vers Bert.

— Si vous avez besoin de moi, vous me trouverez à l'accueil.

Il fut étonné qu'elle le laisse seul avec Anne Helmbach. Il lui avait finalement inspiré confiance et s'en réjouit.

— Bonjour, madame Helmbach. Vous permettez ?

Il approcha une chaise et s'assit.

Anne Helmbach avait dû être une belle femme. Elle l'était encore, mais sa beauté avait perdu de son éclat. Ses cheveux blonds, défaits, lui arrivaient aux épaules. Ils paraissaient secs, ternes et électriques.

Sur la petite table de nuit, Bert découvrit une photographie encadrée. Il reconnut Ilka, Marei Täschner lui ayant remis plusieurs clichés de sa nièce.

Anne Helmbach le regardait sans paraître le voir. On aurait dit qu'elle fixait un point au-delà de ses yeux, au-delà du monde connu.

Mme Hubschmidt n'avait manifestement pas exagéré en le prévenant de son état de santé. Il fallait néanmoins qu'il joue cette carte. Il avait espéré qu'elle réagisse à ses questions, même faiblement. Ou tout au moins à sa présence. Un geste, un son... Il était prêt à exploiter le fait le plus insignifiant.

— Un bien joli jardin, déclara-t-il en regardant par la fenêtre. On pourrait presque s'imaginer qu'il y a la mer, derrière les arbres.

Rien dans ses yeux n'indiquait qu'elle avait compris. Il n'était même pas certain qu'elle ait entendu. Il demeura un moment silencieux face à elle. Puis il remarqua ses mains. Elles étaient restées posées tout ce temps sur ses genoux, immobiles. À présent, ses doigts fuselés étaient agités d'un faible tressaillement.

Il indiqua la photo.

— Vous avez une bien jolie fille. Son sourire est si gai !

Rêvait-il ou avait-elle penché légèrement la tête en arrière ?

— Je connais Mike, son petit ami. Un gentil garçon.

Mais qu'est-ce qu'il lui prenait ? Il devait en venir aux faits.

Sa démarche lui coûtait beaucoup. Il ne voulait surtout pas perturber cette femme. Au fond, il se demandait si sa présence la dérangeait... Que percevait-elle exactement de son environnement ? Que pouvait-il raisonnablement attendre d'elle ?

— Ilka n'est pas rentrée à la maison, avança-t-il prudemment. Mais ça ne veut rien dire. Il arrive que des jeunes femmes défrayent la chronique et réapparaissent quelques jours après, gaies comme un pinson.

Il l'observait attentivement, sans apercevoir la moindre émotion dans ses yeux, ni sur son visage. Elle lui faisait penser à une poupée géante. Il voyait son reflet dans ses pupilles.

Non, pensa-t-il. *Ça n'a aucun sens de rentrer dans les détails.*

— Il était important pour moi de vous en informer. Et de vous promettre que je mettrai tout en œuvre pour retrouver rapidement Ilka.

Il posa la main sur la sienne. Elle était froide. Pourtant, il faisait si chaud dans la pièce que sa nuque était couverte de sueur.

Avant de s'en aller, il s'entretint un moment avec Mme Hubschmidt, qui l'attendait près de la porte d'entrée.

— Une courageuse jeune femme, déclara-t-elle lorsqu'il l'interrogea au sujet d'Ilka. Elle rend régulièrement visite à sa mère depuis trois ans. Et elle n'abandonne pas. Si quelqu'un parvient un jour à tirer Mme Helmbach de son état, ce sera elle.

— Vous appréciez Ilka Helmbach ?

— Beaucoup. J'ai un grand respect pour elle. Elle n'a que dix-huit ans mais elle fait preuve d'une force de caractère incroyable, compte tenu de tout ce qu'elle a enduré… Vous ne m'avez toujours pas dit pourquoi vous teniez tant à parler à Mme Helmbach ?

— Ilka est portée disparue.

— Depuis quand ?

Elle n'avait pas l'habitude de tourner autour du pot. *S'il y avait plus de gens comme elle*, songea Bert, *mon travail en serait grandement facilité.*

272

— Trois jours. Avez-vous remarqué quoi que ce soit lors de son dernier passage ?

— Elle était comme d'habitude. Je suis désolée. J'aimerais pouvoir vous aider.

— Ilka est-elle parfois accompagnée ? De sa tante, d'un ami, d'une amie ?

— Non. Elle vient toujours seule. D'ailleurs, elle est la seule qui rende visite à Mme Helmbach. À part sa sœur, qui vient régulièrement elle aussi. Vous savez, le contact avec la famille et les amis est extrêmement important. Les visites sont pour nos patients comme des ponts entre la réalité et le lieu dont ils sont prisonniers.

Le lieu dont ils sont prisonniers… Une formulation terrible. Qui décrivait parfaitement l'état de la mère d'Ilka.

— Et qu'en est-il du fils de Mme Helmbach ? demanda Bert.

— Comment ? Mme Helmbach a un fils ?

Bert sortit son carnet et reprit :

— Je pensais que c'était lui qui réglait le séjour de sa mère dans ce centre ?

— Non. Pour autant que je sache, il est financé par la location de sa maison et par une pension.

Bert replaça le carnet dans son manteau et serra la main de Mme Hubschmidt.

— Appelez-moi si quelque chose vous revient.

Il lui tendit sa carte de visite et sortit. *Parfois*, pensa-t-il, *je parle vraiment comme un de ces flics au cinéma.*

Dehors, il se retourna une dernière fois. Il trouvait les lieux très paisibles. Mais les apparences étaient parfois trompeuses.

*
* *

Il était déjà dix heures lorsque Ruben vint la chercher pour le petit déjeuner. Ilka lui en fut reconnaissante. Elle avait l'impression d'étouffer, dans cette cave.

Il avait tout préparé. Allumé des bougies. Il y avait du pain, du fromage, des fruits, de la confiture et des œufs brouillés avec du lard.

Ils mangèrent en silence. Ruben lui sourit à plusieurs reprises et Ilka lui rendit prudemment son sourire. Elle s'était juré d'éviter à tout prix de le mettre en colère.

Puis Ruben la regarda, si longuement et si intensément que son estomac se noua.

— J'aimerais te peindre.

Ilka se mit à réfléchir à toute vitesse. Si elle refusait, il la renverrait en bas. Dans cette prison où aucun son ne pénétrait, où elle n'entendait rien d'autre que sa propre respiration. Peut-être la laisserait-il seule aussi longtemps que la veille. Elle ne supporterait pas de passer un jour de plus sans voir âme qui vive.

Si elle acceptait, il lui ferait peut-être visiter une autre pièce de la maison, son atelier. Et elle aurait la chance de regagner sa confiance. Ruben était en position de force. C'était le maître du temps. Elle, elle n'avait rien. Chaque jour qu'elle devait passer entre ces murs, chaque seconde d'angoisse était de trop.

— D'accord, répondit-elle.

Il l'observait en buvant son jus d'orange. Il était étonné mais essayait de le cacher, le visage fermé. Quand il adoptait cette attitude, plus personne n'était capable de décoder ses sentiments. Pas même elle.

Ils débarrassèrent la table ensemble. Ruben veilla à ce qu'elle n'ait aucun instrument dangereux en main. Aurait-elle la force de lui enfoncer le couteau à pain dans le

ventre ? Pourrait-elle le frapper avec le lourd chandelier ?
Elle était heureuse que Ruben l'empêche de découvrir la
réponse. Il la prit par le bras et lui fit monter l'escalier.

Trois portes, grandes ouvertes sur trois pièces. Le soleil
avait percé les nuages et répandait sa lumière jusque sur
le palier.

— Je peux entrer ? demanda Ilka.

Ruben hocha la tête. Le fait qu'elle soit disposée à accéder à son souhait l'avait désarmé. *Donnant donnant*, pensa
Ilka. Elle devait apprendre à être calculatrice. Elle ne pourrait gagner en liberté, et s'en servir pour fuir, qu'en utili-
sant sa matière grise.

Son cœur se serra lorsqu'elle entra dans la première
pièce. Elle eut la sensation qu'il lui suffisait de fermer les
yeux pour revoir son père vivant et sa mère en bonne santé.
Comme si une machine à remonter le temps venait de la
projeter dans le passé. Ce sentiment ne la quitta pas dans
les deux autres pièces. Bien au contraire. Il se renforça
même de pas en pas. Mais c'était un sentiment trompeur.
Son père était mort, et sa mère avait occulté le monde,
l'avait enfoui profondément en elle.

Ilka s'obligea à respirer calmement.

L'escalier.

L'escalier de la maison familiale menait à leurs chambres.
Et une seconde volée de marches, au grenier.

— Un jour, dit Ruben tout près d'elle, un jour, tu amé-
nageras ces trois pièces à ton goût. Je veux que tu sois
heureuse dans cette maison.

Il la poussa en direction de l'escalier.

Elle monta. Sa peur grandissait, marche après marche,
pas après pas. Elle revoyait le grenier, le plancher gris de
saleté, les toiles d'araignée dans les coins et devant les

petites fenêtres. Elle sentait l'odeur de la poussière, qui dansait dans la lumière du soleil.

« Non ! aurait-elle voulu dire. Pas le grenier, Ruben. Ne me fais pas ça. Il y a des souvenirs que je ne peux pas affronter. C'est pour ça que je suis une thérapie. Je ne peux pas interrompre la thérapie, Ruben. C'est atroce, mais il n'y a que ça qui puisse m'aider. Tante Marei avait raison de m'envoyer là-bas. Elle a souvent raison, Ruben, c'est une femme intelligente. »

Ruben ouvrit la porte. Ilka s'attendait à ce qu'elle grince, comme chez eux, mais elle pivota sans un bruit.

Elle aurait pu pleurer de soulagement. Elle se trouvait dans une pièce magnifique, éclairée par une baie vitrée.

L'odeur de peinture était très présente. Des toiles étaient disposées un peu partout. Il régnait un désordre agréable. Des pinceaux se dressaient dans des bocaux sales. Des couteaux étaient posés entre des craies et des tubes de peinture. Sur une corde tendue à un bout de la pièce étaient accrochées des esquisses.

Ilka ne put s'empêcher de regarder les tableaux.

Elle prit peur. C'était, chaque fois, comme si elle se regardait dans un miroir.

20

Voilà donc à quoi ressemblait la maison d'Ilka. C'était le genre de quartier où je ne mettais jamais les pieds. Le cadre me faisait penser à l'endroit où je vivais avant que mes parents ne se séparent. Jardins soignés et bonheur affiché.

Mike sonna.

— Sa thérapeute habite dans le coin ?

Il opina du chef.

— Alors, on devrait sonner à toutes les portes avec une photo d'Ilka. Les gens sont de vraies concierges, dans ce type de quartier. Quelqu'un a forcément vu quelque chose.

— Mike ! Je pensais justement à toi !

La tante d'Ilka me plut d'emblée. Avec un peu d'imagination, on pouvait retrouver Ilka dans son visage et son sourire. L'entrée n'était pas rangée. Il s'en dégageait une impression de vie, même s'il fallait faire attention à ne pas trébucher sur un sac de sport, un ballon de basket, une raquette de tennis ou une caisse de bouteilles vides.

— Je suis venu avec Jette, une de mes deux colocataires, expliqua Mike.

La tante d'Ilka sourit. Elle me serra la main, avant de nous conduire dans la cuisine.

— Vous ne devriez pas être au lycée ?

— Au lycée ? soupira Mike en se laissant tomber dans un fauteuil. On serait incapables de se concentrer, de toute façon.

Elle nous proposa à boire et j'en profitai pour regarder autour de moi. Sur une des photos accrochées au mur, Ilka nous souriait. Le cliché avait été pris sur le vif, au bord de la mer. Elle portait un bonnet noir enfoncé sur le front et une écharpe de la même couleur. Quelques mèches s'étaient échappées et balayaient ses épaules. Elle avait le nez rouge. La photo avait dû être prise un jour d'hiver.

— Où en est l'enquête de la police ? s'enquit Mike.

— Un commissaire est venu me poser des questions. Un certain Melzig. Je lui ai montré la chambre d'Ilka. Il a tout examiné en détail et pris des notes. On aurait dit un de ces polars… Et brusquement, j'ai compris que le polar était devenu réalité et qu'Ilka y jouait le rôle principal.

Elle se mit à hoqueter, des sanglots secs et violents, comme si elle avait déjà trop pleuré.

Mike lui tapota maladroitement le dos.

— De quoi avez-vous parlé ?

— De ma sœur, de l'intérêt d'Ilka pour la psychologie, de son frère…

— Son frère ? l'interrompit Mike, stupéfait. Ilka a un frère ?

— Elle ne t'en a jamais parlé ?

— Ilka est toujours restée très mystérieuse sur son passé, fit Mike en détournant le regard. Et moi, comme un idiot, je l'ai laissée faire. J'aurais dû l'obliger à me parler, et rien de tout ça ne serait arrivé !

— On ne sait pas ce qui s'est passé, lui rappelai-je doucement.

Contrairement à Mike, j'avais du mal à envisager qu'Ilka ait été enlevée. Les ravisseurs exigeaient une rançon, et cette famille ne possédait pas grand-chose. On le voyait à l'état des meubles, au fait que la maison aurait eu besoin d'importants travaux de rénovation.

— Ilka n'a pas encore surmonté toutes les horreurs qu'elle a vécues, reprit la tante d'Ilka. Cela peut expliquer son silence.

— Ce frère…, lâcha Mike qui avait manifestement beaucoup de peine à se dominer. Pourquoi il n'habite pas ici ?

— Il était déjà majeur quand ma sœur et mon beau-frère ont eu cet accident. Et il a tenu à subvenir lui-même à ses besoins. Je ne sais même pas où il vit aujourd'hui. Il est peintre. Je lis de temps en temps un article sur lui dans le journal, mais c'est le seul contact que j'aie encore avec lui.

— Et Ilka ?

— Elle ne voulait plus avoir affaire à lui. Elle refusait même de parler de lui. Elle l'a totalement rayé de sa vie.

— Il est peintre ?

Mike avait du mal à assimiler toutes ces informations.

— Ruben était un enfant très doué. Mais aussi terriblement difficile. Quand son père est mort dans cet accident de voiture et que sa mère a été admise dans ce centre…

— La mère d'Ilka vit dans un centre ?

— Tu ne le savais pas non plus ?

On aurait dit que Mike venait de voir un fantôme. J'aurais aimé le prendre dans mes bras mais je le sentais lointain, raide comme un piquet, prêt à accuser le prochain coup.

— Je sais juste qu'elle vit encore… Quel genre de centre ?

— Un établissement pour malades psychiques. Ma sœur n'a plus dit un seul mot depuis ce jour-là.

C'était affreux… Dire qu'Ilka avait enduré tout cela seule.

— À l'époque, Ruben est parti avec sa part de l'héritage. Nous n'avons plus jamais entendu parler de lui, sauf dans la presse. La maison a été louée et Ilka a emménagé chez nous.

Ruben Helmbach… Ma mère était abonnée à différentes revues pour se tenir informée de l'actualité artistique, et surtout littéraire. J'avais lu ce nom il n'y a pas si longtemps. Ruben Helmbach… Je n'avais pas fait le rapprochement avec Ilka.

— Je les soupçonne d'avoir eu une terrible dispute. Mais ne me demandez pas à quel sujet. Quoi qu'il en soit, Ilka avait tiré un trait sur lui. Définitivement.

— Ça ne lui ressemble pas… Ce n'est pas le genre à tirer un trait sur les gens.

Mike était blanc comme un linge. Il ne supporterait pas une autre mauvaise nouvelle.

Mme Täschner le remarqua.

— Tu veux un verre d'eau, Mike ?

— Non. Merci, ça ira. Mais j'aimerais bien l'adresse du centre où vit la mère d'Ilka.

— Pour quoi faire ? Vous ne comptez pas aller là-bas ?

— On ne peut quand même pas rester assis à se tourner les pouces !

Mme Täschner ne chercha pas à discuter. Elle n'en avait peut-être plus la force. Elle fouilla dans un tiroir, en sortit un petit bloc-notes et un stylo-bille, y inscrivit l'adresse et détacha la feuille. Puis elle me la tendit.

— Vous m'avez l'air raisonnable. Veillez bien sur Mike.

Raisonnable, moi ? Grand-mère aurait dit qu'elle venait de laisser entrer le loup dans la bergerie.

— Promis ! Je peux vous demander une faveur ?

— Tout ce que vous voulez.

— Vous accepteriez de me donner la photo d'Ilka accrochée au mur ?

Elle fronça les sourcils, comme si elle ne parvenait pas à s'en souvenir. Puis elle alla décoller le cliché. Elle le contempla et se mit à pleurer.

— Est-ce que vous croyez qu'elle… qu'elle s'est…

— Non, assura Mike en la prenant dans ses bras. Vous n'avez pas le droit de penser ça. Ilka ne ferait jamais ça.

— Qu'est-ce qu'il s'est passé, alors ?

— Quelqu'un a dû l'enlever, déclara Mike.

Elle le fixa, désemparée.

— Mais on n'est pas riches !

— C'est justement ce que je ne comprends pas.

Je quittai la tante d'Ilka avec une mauvaise conscience grandissante, mêlée d'un sentiment d'urgence. Ilka avait disparu depuis près de soixante-dix heures. Chaque heure qui passait voyait croître le danger qui la menaçait. Le temps pressait.

*
* *

Ruben vérifia la lumière et approcha une chaise. Puis il ouvrit une armoire et en sortit une robe en velours pourpre.

— Mets ça.

Ilka hésita avant de tendre la main. Puis elle chercha un endroit où se changer. Il le remarqua mais continua à mélanger les couleurs. Ilka finit par aller derrière le chevalet.

Ruben ne regarda pas. Il voulait seulement ce qu'elle lui donnerait de son plein gré. Il ne leva les yeux que lorsqu'elle se montra.

Son apparition lui coupa le souffle. La robe était faite pour elle. Elle enveloppait son corps comme une seconde peau. À col montant, elle avait de longues manches descendant en pointe sur le dos des mains. Fluide, elle tombait sur ses pieds nus.

Il aimait ses pieds. Très petits et blancs, ils contrastaient de façon troublante avec l'aspect strict de la robe. Ruben tourna la chaise.

— Et maintenant, assieds-toi à califourchon.

Ilka dut remonter la robe sur ses cuisses. Elle se pencha en avant, bras croisés sur le dossier, et posa le menton sur la main droite.

— Regarde-moi, ordonna Ruben.

Ensuite, il n'y eut plus pour lui qu'Ilka et les couleurs. Il travailla, calme et concentré, ignorant toute pensée, tout sentiment. Il ne désirait rien d'autre. Il y était parvenu. Enfin.

Lorsqu'il émergea, deux heures s'étaient écoulées. La pièce était chauffée mais Ilka devait avoir froid, jambes nues.

— Fini ? demanda-t-elle.

Il hocha la tête. Elle se redressa et lissa la robe.

— Je peux me rhabiller ?

Il ne l'avait jamais connue aussi conciliante, aussi… soumise. Il sentit l'irritation poindre. Il s'essuya les mains à un chiffon.

— Reste comme ça.

Elle se tenait là, telle une reine aux pieds de Cendrillon. Il fallait qu'il la touche. Il ne pouvait s'en empêcher. Il s'approcha lentement. Leva la main pour lui caresser la joue. Ilka tressaillit comme si elle s'attendait à un coup.

Pourquoi sa réaction déclencha-t-elle une telle colère en lui ? Il l'attrapa par les cheveux et tira sa tête en arrière. La regarda dans les yeux. Puis il l'embrassa.

*
* *

Vers midi, Bert se rendit chez Marcello. Il tenait une petite pizzeria dans Mühlenstrasse, à vingt minutes à pied du bureau, trop loin pour la plupart des collègues. L'endroit idéal pour décompresser. Il avait besoin de se changer les idées.

Il ne faisait plus aussi froid. Le thermomètre indiquait six degrés, ce matin-là. Après les gelées de ces derniers jours, Bert trouvait le vent presque tiède. Il avait aussi l'impression qu'après s'être tus, piégés dans un silence interminable et oppressant, les oiseaux s'étaient brusquement remis à chanter. Il y avait comme un parfum de printemps dans l'air.

Marcello le salua avec tant d'enthousiasme que Bert se sentit honteux de ne pas être revenu plus tôt. Chaque fois, le patron lui donnait la sensation de faire partie de sa grande famille italienne. Il conduisit Bert à la plus jolie table, près de la fenêtre, et lui servit un apéritif. Cadeau de la maison.

L'endroit idéal, le moment idéal pour donner libre cours à ses réflexions. Bert avait fourni à la presse une photo d'Ilka. Il fallait s'attendre à un flot d'appels qui ne lui faciliteraient pas la tâche.

C'était néanmoins une chance à saisir, pouvant apporter de précieuses indications.

Ilka n'avait pour toute famille que sa mère, son frère et sa tante. Ce qui réduisait fortement la possibilité de recueillir des informations. Bert allait se renseigner sur le frère. Il devrait peut-être aussi envisager de se rendre au lycée d'Ilka.

— *Prego ?* fit Marcello en souriant largement.

Il trouvait très rassurant d'avoir un commissaire pour client. Il interrogeait souvent Bert sur ses enquêtes. Les meurtres et les homicides semblaient le fasciner. C'était assez inhabituel, la plupart des gens rejetant tout ce qui leur rappelait la mort, comme si c'était une maladie contagieuse.

Bert commanda des lasagnes. Comme chaque fois. Et Marcello nota sa commande. Comme chaque fois. Ils étaient les comédiens d'une pièce de théâtre bien rodée.

— *E un aqua minerale ?*

— *Va bene.*

Ils tenaient tous les deux à ce rituel. Peut-être pour avoir acquis l'expérience que les habitudes de ce genre structuraient agréablement le quotidien.

Bert parcourut le journal en attendant son plat. Il attaqua les pages culturelles, le cœur battant. Pourtant, il ne s'attendait pas vraiment à y trouver un article sur Ruben Helmbach. Effectivement, il n'était absolument pas question de peinture, juste du concert de deux sopranos qui lui étaient inconnues, et d'une exposition photo qui ne lui disait rien.

Je devrais peut-être consacrer un peu plus de temps à ma culture générale, songea-t-il avant de sortir son portable et d'appeler chez lui.

— Allô ?

Margot avait l'air énervée. Comme souvent. Quand, pour la dernière fois, l'avait-il vue détendue et d'humeur égale ?

— C'est moi. Tu te souviens du peintre Ruben Helmbach ?

— Bonjour. Surtout, ne me demande pas comment je vais ! répondit-elle avec mordant.

— Excuse-moi. Je suis pressé. Alors, tu te souviens de lui ?

— Ruben Helmbach ? Tu plaisantes ? C'est la star du milieu branché.

— Cette expo, l'été dernier... Tu te rappelles de quelque chose en particulier ? demanda-t-il.

Margot soupira, comme si elle venait de découvrir qu'il était mentalement attardé.

— Juste qu'il ne peignait que des jeunes femmes. Des représentations parfois décalées, à la manière de Picasso, ou alors romantiques, un peu comme Chagall.

Margot avait toujours eu la capacité phénoménale d'emmagasiner toutes sortes d'impressions et de les cataloguer. Cela mettait souvent Bert mal à l'aise, mais cela lui rendait parfois d'inestimables services. Il la remercia et éteignit son portable avant qu'elle ne puisse lui reprocher à nouveau sa négligence.

Marcello lui apporta ses lasagnes. Tout en mangeant, Bert réfléchit aux renseignements qu'il avait obtenus de

Margot. Et peu à peu, la mémoire lui revint. À l'époque, il s'était étonné que les jeunes femmes des tableaux se ressemblent autant. Et il avait pensé que le peintre ne devait avoir qu'un modèle.

Mais entre-temps, tout avait dû changer. Maintenant qu'il était reconnu, les filles devaient se bousculer pour poser pour lui. Bert sentit ce chatouillement dans le ventre qui le prenait toujours quand ses idées mûrissaient, quand il flairait quelque chose. Il y avait des moments où il aimait son métier.

*
* *

Ruben la lâcha brusquement. Ilka n'y était pas préparée et chancela. Elle buta contre la chaise qui bascula en arrière. Le bruit résonna dans la pièce lourde de silence.

— Pas comme ça, dit Ruben à voix basse, pas comme ça.

Il reprit le chiffon, ouvrit une bouteille de térébenthine et se mit à se laver les mains.

— Rhabille-toi.

Ilka disparut derrière le chevalet et enfila son jean et son pull-over. Elle était incapable de réfléchir posément. Elle ne savait qu'une chose : elle ne voulait pas retourner dans la cave.

— Parlons, dit-elle pour gagner du temps. S'il te plaît, Rub.

En entendant son surnom affectueux, il sursauta.

— On a toujours parlé de tout, poursuivit Ilka. Tu ne te souviens pas ? On n'avait pas de secret l'un pour l'autre, on se confiait tout.

Soudain, elle se rendit compte que cela ne valait que pour elle. Ruben lui était toujours apparu comme un magicien entouré de secrets. Elle n'avait jamais pu deviner ses pensées, jamais su ce qu'il allait faire. Et elle avait toujours eu peur de provoquer son mécontentement. Rien n'était pire que l'idée de ne plus être aimée de lui.

Ruben se tourna vers elle. Ilka prit peur en voyant son visage, décomposé par des sentiments contradictoires.

— *Toi*, tu *me* demandes si je me souviens ?

Il éclata de rire. Mais il aurait tout aussi bien pu pleurer ou crier. Il avait l'air glacial, brusquement.

— *Je* me rappelle *chaque* mot, *chaque* caresse. Pendant notre séparation, toutes ces années, j'ai pensé à toi chaque jour, chaque heure et chaque minute. Et *toi*, tu *me* demandes si je n'ai pas oublié ?

Ilka recula, épouvantée. C'était de la folie. Il ne pouvait quand même pas avoir totalement occulté le temps qui s'était écoulé depuis l'époque où…

— Ça te fait peur ? lança-t-il en s'approchant lentement, après avoir laissé tomber par terre le chiffon imprégné de térébenthine. C'est si difficile que ça à concevoir ? La fidélité, Ilka. Ce n'est qu'un mot dans le dictionnaire, pour toi ? Est-ce qu'il faut que je t'explique ce qu'il signifie ?

Ilka sentit le froid de la baie vitrée dans son dos. Elle regarda par-dessus son épaule. Le ciel, des arbres… Rien d'autre. Personne. Ses épaules s'affaissèrent.

Ruben tendit la main et lui caressa les cheveux. La puissante odeur de térébenthine lui donna un haut-le-cœur. Elle se détourna et vomit.

*
* *

287

Lorsque Jette appela, Imke prenait le café avec sa mère dans le jardin d'hiver.

— Mais bien sûr, ma chérie, conclut Imke. Ta grand-mère aussi est ici. On sera toutes les deux heureuses de te voir.

— Elle vient ? demanda sa mère. Formidable ! J'ai rarement l'honneur de la voir.

— Elle devient adulte. La vie suit son cours…

Imke avait rarement la chance de comprendre sa mère. Ne se faisait-elle pas du souci pour Jette, qu'elles avaient failli perdre quelques mois plus tôt ? À moins qu'elle n'ait en elle une confiance absolue ? Des liens étroits unissaient grand-mère et petite-fille, balayant les malentendus qui pouvaient surgir. Imke ne leur avait jamais connu de conflit profond.

— Je soupçonne Jette et Mike d'enquêter de leur côté. Tu ne pourrais pas la raisonner, maman ?

Pour la première fois, Imke réalisa que sa mère avait vieilli. Le soleil éclairant son visage donnait à sa peau l'apparence du parchemin. Mais surtout, elle la sentit totalement désemparée par sa question. L'instant d'après, sa mère s'était ressaisie.

— Je crains que ça ne serve à rien, sourit-elle. Jette a hérité de ma tête de mule. Et elle n'aime pas qu'on lui tienne les rênes.

— Tu veux dire que je dois la laisser faire les quatre cents coups sans rien dire ?

— Bien sûr que non. Tu peux l'écouter. Et la conseiller. En douceur. Pas beaucoup plus… Ce Tilo ne pourrait pas intervenir ?

— Arrête de l'appeler *ce Tilo*, maman. Il fait partie de

ma vie. Et de celle de Jette, d'une certaine façon. Ils s'entendent très bien, tous les deux.

— Justement. Il est psychologue, non ? Est-ce que ces gens-là n'ont pas des facilités pour aborder les autres ?

Ce Tilo… Ces gens-là… Mais peut-être ne le disait-elle pas méchamment.

On sonna à la porte. Jette lui planta un baiser sur la joue et se précipita dans le jardin d'hiver pour aller serrer sa grand-mère dans ses bras.

— Tu as encore maigri, petite ! s'inquiéta celle-ci. Tu as toujours autant de chagrin ?

— Tout va bien, grand-mère, assura Jette avant d'attraper une part de tarte et de mordre dedans. Et comment ça va pour toi ? Tu as encore vendu un tableau ?

Ce qu'elle détourne habilement la conversation ! pensa Imke. *Et maman tombe dans le panneau.*

— J'en suis à quatre, maintenant. Ils partent comme des petits pains. Alors que je peins juste pour ne pas trop me rouiller les doigts. Je pourrais aussi bien nager, mais je déteste l'odeur du chlore et je n'ai jamais apprécié cette gymnastique pour vieux…

Jette lui adressa un sourire éclatant et se lécha les doigts.

— Au fait, maman, cette revue sur les peintres et les artisans…

— *Art et Artisanat* ?

— Oui. Il te resterait les deux, trois derniers numéros ?

Cette question éveilla aussitôt la méfiance d'Imke. Sa fille ne s'intéressait ni à la littérature, ni à la peinture. Que voulait-elle faire avec *Art et Artisanat* ?

Retiens-toi, se dit-elle. *Ne pose pas de questions. Aie confiance.* Cela n'avait peut-être rien à voir avec la jeune fille disparue. Elle alla dans son bureau, trouva les deux derniers numéros dans une étagère et redescendit.

— Merci. C'est gentil.

Jette posa les deux revues à côté de son assiette, sans leur accorder un seul regard. Elle prit une seconde part de tarte et se remit à discuter avec animation avec sa grand-mère.

— Pourquoi en as-tu besoin ? demanda brusquement Imke, alors qu'elle s'était juré de ne pas poser la question.

Jette afficha un air parfaitement innocent.

— Le frère d'Ilka est un peintre célèbre, et je me suis souvenue qu'il y avait un article sur lui dans un des derniers numéros. J'avais envie de voir ce qu'il fait.

S'il s'était agi du frère d'une autre amie, cette réponse aurait convaincu Imke. Mais il s'agissait du frère d'une jeune fille disparue.

— S'il te plaît, Jette… Ne te mets pas une nouvelle fois en danger !

— Maman. Je voudrais juste lire cet article.

Imke ne la croyait pas une seconde.

— Laisse-la respirer, lui avait conseillé Tilo. Sinon, tu la perdras.

Avait-elle le choix ?

— Encore un café ? proposa-t-elle.

— Avec plaisir, sourit Jette.

Son enfant. Une femme adulte.

21

La situation le dépassait. Il fallait qu'il réfléchisse. Qu'il retrouve son calme. En élaborant son plan dans les moindres détails, il n'avait pas pensé un seul instant qu'Ilka puisse opposer une telle résistance. Il était persuadé qu'il suffirait de laisser le champ libre à leur amour pour qu'il s'épanouisse à nouveau.

S'épanouir..., pensait-il en remontant l'escalier. *Aussi facilement qu'une fleur. Que les ailes d'un papillon.*

La résistance d'Ilka venait du plus profond de son être. Son corps se défendait.

Ce qu'elle était pâle ! Même ses lèvres paraissaient grises. Il eut la nausée à la pensée qu'il lui faudrait nettoyer le sol de l'atelier.

Elle avait prétendu que c'était à cause de la térébenthine.

Lorsqu'il lui avait annoncé qu'il la ramenait en bas, elle n'avait pas protesté. Cela l'avait troublé, mais il avait écarté cette pensée perturbante. Ilka était comme les chats. Malade, elle se terrait dans un coin.

Il défit le lit et tendit le bras pour l'aider à se déshabiller.

— Pas la peine, je peux me débrouiller seule.

Elle s'assit sur le bord du lit, rejeta ses cheveux en arrière, les noua en une tresse épaisse et prit une barrette posée sur le secrétaire.

— Non ! lança-t-il en retenant sa main. Tu ne dois pas les cacher.

Elle laissa retomber ses cheveux. Ils resplendissaient de santé et de vigueur. Elle avait la splendeur d'une sirène. Une sirène aux yeux marron.

Ruben entoura son visage de ses deux mains et le contempla. Longuement. Comme pour ne jamais l'oublier. Puis il se pencha vers elle et chuchota :

— Je t'aime...

Ilka se figea, brièvement. Puis il sentit ses doigts sur sa joue.

— Alors, laisse-moi partir, dit-elle doucement.

La déception le frappa de plein fouet. Il lâcha Ilka et se redressa.

— Ne me demande plus jamais ça. Plus jamais, tu m'entends ? Jamais !

*
* *

Une très jeune femme, presque une jeune fille encore. Quand bien même il la peint différemment chaque fois, on la reconnaît au second coup d'œil. Il a beau changer la couleur de ses cheveux et de ses yeux, déformer le corps et le visage ou les cacher sous des voiles et des tissus, il ne peut abuser l'observateur. Derrière tous ces artifices, c'est une seule et même jeune fille qui nous regarde, et l'artiste est obsédé par elle.

Je passai la revue à Mike. Pendant qu'il lisait l'article, j'essayais de me calmer.

— Ce type a l'air fêlé, conclut Mike. Peindre toujours le même sujet… Il est cinglé !

Je le fixai, incrédule. Il n'avait pas compris, ou quoi ?

— Tu ne la reconnais pas ?

— Qui ça ?

Je me penchai par-dessus la table et tapotai les photos.

— Là ! La fille sur les tableaux ! Tu ne vois pas qui il a peint ? Encore et encore et encore ? La ressemblance est frappante, pourtant !

— Ah oui !

Il me considéra à la manière d'un père durement éprouvé qui aide son enfant hyperactif à faire ses devoirs.

— Depuis quand Ilka a le nez au milieu du menton ? Arrête ton délire, Jette…

— Bien sûr qu'il a altéré son visage ! C'est une question de style. Cette toile s'inspire de Picasso. Et celle-ci de Klimt. Mais on la reconnaît quand même très facilement.

— Je n'ai peut-être pas la bonne tournure d'esprit, fit Mike en haussant les épaules.

Et il se mit à détailler la photo de Ruben Helmbach.

Il portait un veston noir et un jean. Appuyé contre un mur blanc, il avait les mains enfoncées dans les poches de son pantalon. Le visage étroit, presque émacié. C'était un homme incroyablement séduisant, grave et impénétrable. Le regarder faisait remonter en moi des souvenirs dont je ne voulais pas. Je cherchais dans ses traits des similitudes avec ceux d'Ilka, en vain. Peut-être apparaissaient-elles quand il bougeait, qu'il parlait, qu'il riait ou qu'il était triste.

— Pourquoi elle ne m'a jamais parlé de lui ? demanda Mike sans parvenir à lever les yeux de la photo. Pourquoi l'avoir rayé de sa vie ? Qu'est-ce qui s'est passé dans cette famille ?

Mes pensées m'avaient entraînée ailleurs depuis longtemps. Merle était partie avec la photo d'Ilka, pour interroger les gens dans son quartier et celui de Lara Engler. On ne pouvait pas se volatiliser comme ça. Quelqu'un avait forcément remarqué quelque chose.

Quant à Mike et moi, nous avions prévu de faire une nouvelle fois le tour des hôpitaux, et de ratisser tous les endroits importants pour Ilka. Ensuite, nous comptions bien nous pencher sur le cas Ruben Helmbach.

*
* *

Ilka attendit d'être certaine que Ruben ne reviendrait pas. Puis elle se leva et sortit la paire de ciseaux de sous son pull. Elle l'avait dérobée dans un tiroir de l'atelier, lorsque Ruben était allé lui chercher un verre pour qu'elle se rince la bouche.

Sans réfléchir, elle avait glissé les ciseaux dans la ceinture de son jean. Ils faisaient environ vingt centimètres de long et elle avait eu des sueurs froides à l'idée que Ruben les trouve. Il aurait suffi qu'il pose la main dans son dos.

Elle parcourut la chambre en regardant attentivement autour d'elle. Quelle serait la meilleure cachette ? Sous le linge ? Derrière le rembourrage du canapé ? Sous le matelas ?

Les ciseaux en main, Ilka se sentait presque protégée. Elle avait désormais la possibilité de se défendre contre Ruben.

Mais en serait-elle capable ?

Elle décida de conserver la paire de ciseaux là où elle serait le plus facilement accessible. Sous le matelas. Elle la coinça à la tête du lit, sous une des sangles passant autour des lattes, puis elle s'allongea pour se reposer un peu. La nausée avait fait place à l'épuisement.

Savoir les ciseaux si proches était un sentiment rassurant. Elle ferma les yeux et sombra aussitôt dans un profond sommeil.

— Tu crois vraiment qu'on a le droit de faire ça, Ruben ?

— On a le droit de tout faire, si ça vous rend heureux.

— Même si c'est un crime ?

— Ce n'est pas un crime. Et maintenant, tais-toi…

Ils ont prononcé ces phrases si souvent, déjà. Si souvent. Ilka aime Ruben. Et elle le déteste. Elle a du mal à concevoir que ces sentiments soient si proches. Cependant, c'est peut-être elle-même qu'elle hait, pas lui. Parce qu'elle est incapable de se détacher de lui.

Ce qu'elle peut aimer son corps ! Son odeur. Sa façon de bouger. Elle ne peut pas vivre sans son rire et ses chuchotements. Et elle veut toujours, toujours se refléter dans ses yeux.

Si proches l'un de l'autre… Et impossible d'en parler à quiconque.

Parce que ce qu'ils font est interdit.

Leurs parents s'étonnent qu'ils ne sortent pas, ou alors

ensemble. Ils se demandent pourquoi ils n'invitent jamais d'amis à la maison. S'ils savaient…

Cachotteries. Heures volées, rares. Leurs parents ont beaucoup d'obligations. Ils sont souvent absents. Mais pas assez.

Il arrive que Ruben se glisse dans sa chambre en pleine nuit. Cette peur ! Ils ne doivent pas s'endormir, pour que leur mère ne les trouve pas dans le même lit, au réveil.

— Chut…

Ses mains la consolent. Sa bouche murmure des mensonges et des vérités. Parfois, Ilka ne parvient pas à faire la différence. Elle sait juste qu'elle en redemande.

— Et s'ils le découvrent, Rub ?

— Alors, que Dieu les prenne en pitié.

Ilka se réveilla en sursaut, trempée de sueur. Ses larmes roulaient sur l'oreiller. Elle sentit un cri monter dans sa gorge. Elle se mordit le dos de la main, jusqu'à ce que la douleur devienne si intense qu'elle l'emplisse tout entière.

*
* *

Ce ne fut pas un problème de trouver l'adresse de Ruben Helmbach. Bert aurait pu demander à quelqu'un de s'en charger, mais il n'aimait pas beaucoup déléguer. Il ne jugeait fiables à cent pour cent que les renseignements qu'il avait recueillis lui-même. Il savait qu'il était en bonne voie pour devenir un excentrique. C'était de toute façon ce que pensaient de lui la plupart de ses collègues.

Il aimait tisser sa toile et prêter attention au moindre

fil. Après tout, elle devait être solide et ne pas rompre au moment décisif.

Je ne suis pas disponible pour l'instant. Laissez-moi un message et je vous rappellerai, le cas échéant.

Le cas échéant… Il ne manquait pas de culot ! Et il était conscient de sa valeur marchande. Bert ne laissa aucun message. Il décida d'aller voir Ruben Helmbach en personne. Il avait obtenu son adresse par l'intermédiaire d'un galeriste. Le peintre habitait Togstadt, à deux ou trois heures de route, en direction du sud.

Bert attrapa son manteau et quitta son bureau. Le vent avait forci. Il lui sifflait aux oreilles tandis qu'il traversait le parking pour rejoindre sa voiture. Une canette de Coca-Cola roula devant ses pieds. Il tapa instinctivement dedans. Il avait envie de se mettre à courir et de dribbler un peu, mais il se domina.

La vie lui apparaissait parfois comme une succession de tentatives pour se dominer. On se déshabituait péniblement et douloureusement de tout ce que l'enfance avait de bon. Pour se retrouver un jour adulte, les mains vides. Bert se promit de protéger ses enfants de ce danger. À condition que cela soit possible…

*
* *

Lorsque Merle rentra, il était un peu plus de vingt-deux heures. Mike et Jette l'avaient attendue pour manger. Il y avait du pain, du fromage et un thé chaud et bien fort, concocté par Jette. Merle avait marché des heures dans le froid.

— Alors ?

— Rien, dit Mike. Et toi ?

— Un coup d'épée dans l'eau ! lâcha Merle, frustrée, en posant le cliché d'Ilka sur la table. Dès qu'on leur présente une photo, les gens se prennent pour les trois singes : je n'ai rien vu, je n'ai rien entendu, je ne dirai rien. Certains m'ont même claqué la porte au nez.

Mike prit le cliché et le contempla. Ilka riait avec tant d'insouciance face à l'objectif que son cœur se serra. Derrière elle, on voyait la mer. Ils se réjouissaient tellement d'y aller ensemble, un jour ! Que lui était-il arrivé ?

— Certaines personnes dans le quartier de Lara Engler ont bien aperçu Ilka de temps en temps. Mais elles ne sont pas sûres de l'avoir croisée au moment de sa disparition. Et personne n'a rien vu de bizarre.

— Et dans la rue d'Ilka ? demanda Jette.

— Rien…, fit Merle, dont le visage reprenait peu à peu des couleurs. À part une certaine Mme Scheibner. Elle habite au début de la rue. Et elle m'a raconté qu'elle avait remarqué une voiture inconnue qui s'y garait parfois.

— Et c'est maintenant que tu accouches ? explosa Mike en se penchant en avant, comme électrisé. Quelle marque ?

— Mme Scheibner a plus de soixante-dix ans, elle n'a pas le permis et pour elle, les autos sont petites ou grosses, claires ou foncées…

— Et ? la pressa Mike en tambourinant nerveusement des doigts sur la table.

— Grosse et foncée. Et avant que tu ne m'interroges sur la plaque minéralogique… Figure-toi que la vieille dame ne l'a pas notée.

— Quelle merde ! jura Mike. Pourquoi les hommes qui s'y connaissent ne passent pas leur temps à la fenêtre ?

Puis il se mit à réfléchir tout haut :

— Le cousin d'Ilka, Leo, est dingue de bagnoles. Si quelqu'un sait quelque chose au sujet d'une voiture inconnue, c'est lui !

Il se leva aussitôt et alla chercher le téléphone. La tante d'Ilka décrocha dès la seconde sonnerie.

— C'est moi, Mike. Excusez-moi d'appeler si tard, mais il faut vraiment que je parle à Leo. C'est à propos d'Ilka.

Elle ne posa pas de questions. Il l'entendit monter l'escalier avec l'appareil, et entrer dans la chambre de Leo.

— Leo ?

Un gémissement indigné…

— Mike au téléphone. Il voudrait te demander quelque chose.

— Salut, Mike…

La voix de Leo était pâteuse de sommeil.

— Je te réveille ?

— Pas de problème. Qu'est-ce qu'il y a ?

— Tu aurais remarqué une voiture inconnue garée dans votre rue, dernièrement ?

— Juste une fois. Une Mercedes. Classe S. Vitres teintées. Des jantes de folie. Elle doit atteindre facile les deux cent cinquante.

Le cœur de Mike fit un bond.

— Tu te rappelles sa couleur ?

— C'était le matin et il faisait encore sombre. Mais les lampadaires étaient allumés et je sais qu'elle était grise.

— La plaque minéralogique ?

— Elle était cachée par l'auto de devant.

— Merci, Leo. Tu m'as beaucoup aidé.

— Pourquoi tu veux savoir ça, Mike ? C'est la voiture de celui qui a enlevé Ilka ?

Leo ne cesserait jamais de surprendre Mike. Lui non plus n'avait jamais cru une seconde à la théorie de la fugue ou du suicide.

— Peut-être.

— Et tu le cherches ?

Mike ne savait pas quoi répondre. Après une courte hésitation, il se décida pour la vérité.

— Oui.

— Je ne le dirai à personne. Bonne chance !

Un déclic. Leo avait raccroché.

Jette et Merle fixaient Mike, tendues.

— Ilka a été enlevée, déclara-t-il.

*
* *

Bert se glissa dans sa propre maison comme un voleur. Margot était partie se coucher. Elle ne lui avait laissé aucun mot, ce qui signifiait qu'elle lui en voulait pour son retard. Il soupira. Elle ne s'était jamais montrée très compréhensive vis-à-vis de son travail, mais ça, c'était nouveau.

La vie est une suite d'évolutions…, songea-t-il, et son cynisme l'effraya un peu.

Il prit une bière dans le frigo et alla s'installer dans le salon, si impeccablement rangé qu'il lui sembla froid. N'y avait-il pas, avant, des affaires qui traînaient partout ? Des jouets, des livres, des crayons de couleur, des vêtements ? Brusquement, les peaux de banane noircies, les pommes brunies portant les traces de petites dents, les che-

300

wing-gums durcis et les barres de chocolat entamées lui manquèrent.

Il remarqua avec étonnement que la pièce dansait devant ses yeux. Deviendrait-il trop sensible avec l'âge ? Payait-il le fait de ne pas être parvenu, comme la plupart des hommes, à se blinder pour survivre ?

Il but au goulot. Sortit son carnet et se repassa le film de son passage dans la maison de Ruben Helmbach.

Il y avait eu un accident sur l'A1 et Bert n'était arrivé à Togstadt que vers dix-huit heures trente. Le stress du trajet l'avait rendu irascible. Il s'était donc arrêté dans un snack pour avaler un sandwich et boire un café.

Un peu ragaillardi, Bert s'était rendu chez Ruben Helmbach et avait constaté avec soulagement que plusieurs fenêtres étaient éclairées.

Il avait étudié la maison en s'approchant. Verre et béton. Sans doute ce qui se faisait de plus moderne, vingt ans plus tôt. Aujourd'hui encore, il s'en dégageait une grande originalité.

La femme qui lui ouvrit était encore très jeune. Elle se présenta comme l'assistante de Ruben Helmbach. Elle le débarrassa de son manteau et le conduisit dans un salon immense, aux meubles froids et austères. Un canapé et des fauteuils en cuir blanc, des coussins en soie anthracite. Un tapis rouge vif sur du granit noir poli comme un miroir.

Il y avait très peu de portes. La vaste pièce réunissait plusieurs fonctions : salon, bureau, salle à manger et cuisine américaine. Les différents espaces étaient séparés par de simples cloisons blanches à mi-hauteur.

Quand il se retrouvait dans ce genre de maison, Bert se demandait toujours quelles répercussions ces espaces ouverts avaient sur la vie en commun. Il n'osait imaginer ce que cela donnerait si Margot et les enfants lui tournaient sans cesse autour, sans lui laisser la possibilité de s'isoler de temps en temps.

La jeune femme, Judith Kranz, lui expliqua que Ruben Helmbach n'occupait pas les lieux ces derniers temps. Qu'il était sans cesse distrait dans son travail et qu'il avait besoin de calme.

— Le milieu est complètement dingue. Les gens vampirisent les artistes. Ils les couvrent de récompenses, organisent manifestation sur manifestation, leur soutirent leurs toiles avant qu'elles sèchent, et quand ils en ont assez, ils oublient celui qu'ils idolâtraient et passent au suivant.

— Je ne m'y connais pas trop en peinture, déclara Bert en esquissant un geste d'excuse. Mais j'ai entendu dire que M. Helmbach était plutôt demandé…

— C'est bien en dessous de la réalité. Ruben est un artiste culte. Mais il prend du recul et mène le jeu à ses propres conditions. Il s'est fait rare dès le début. Ça aurait pu lui coûter cher. Heureusement, c'est l'inverse qui s'est produit. On se l'arrache.

Bert buvait ses paroles. C'était tout l'intérêt des visites à l'improviste – les gens se révélaient plus loquaces quand on ne leur permettait pas de se préparer.

Apparemment, Judith devait se faire la même réflexion… Elle se tut et lui adressa un regard inquisiteur.

— En quoi puis-je vous aider ?

— J'aurais besoin d'un renseignement, répondit Bert. Comment joindre M. Helmbach ?

— Je vais l'informer que vous souhaitez lui parler. Il vous appellera et vous pourrez convenir d'un rendez-vous. Puis-je vous demander de quoi il s'agit ?

— Sa sœur est portée disparue et j'aurais quelques questions à lui poser.

Elle tenta de cacher sa surprise, mais son froncement de sourcils et l'expression incrédule de ses yeux n'avaient pas échappé à Bert.

— Vous ignoriez qu'il avait une sœur ? hasarda-t-il.

Son étonnement pouvait aussi être dû à l'annonce de la disparition d'Ilka.

— Ruben est mon employeur. Sa vie privée ne regarde que lui.

Habile esquive… Mais les sentiments de cette femme n'étaient pas sa préoccupation première. Il en avait assez entendu pour le moment. Il réclama son manteau, tendit sa carte de visite à Judith, prit congé et dut affronter le second bouchon de la journée sur la route du retour.

Bert avait fini sa bière. Il se sentait agréablement fatigué. Il posa la bouteille bien en évidence sur la table. Il avait envie de laisser un signe de vie dans cette pièce, même si ce n'était pas le bon.

*
* *

Ruben s'était abruti de travail. Il avait emballé les toiles destinées à l'exposition pour qu'elles puissent être encadrées, et continué à travailler sur son nouveau tableau. Puis il avait cuisiné pour Ilka, lui avait descendu son repas à la cave et l'avait laissée manger seule.

Peu de temps après, Judith avait appelé. Son ton était très professionnel, comme si elle voulait oublier leur nuit au plus vite. C'était la meilleure chose qu'ils puissent faire et Ruben, soulagé, avait adopté le même ton.

— Je ne savais pas que tu avais une sœur, avait-elle dit.

Et dans cette simple phrase, des centaines de questions se bousculaient.

— Nous n'avons plus aucun contact, elle et moi.

Ruben lui avait répondu avec détachement. En réalité, il était en ébullition.

— Un commissaire est venu. Ta sœur a apparemment disparu, et il voulait te poser quelques questions.

L'effroi l'avait glacé. *Du calme*, avait-il pensé. *Tu n'as aucune raison de t'énerver. Tu savais que ce moment viendrait. Garde ton sang-froid.*

— Donne-moi son numéro. Je le rappellerai.

Depuis, assis dans son atelier plongé dans l'obscurité, il réfléchissait. Il fallait qu'il tienne la police à l'écart, le plus longtemps possible. Une fois qu'Ilka serait prête à vivre avec lui, il n'y aurait plus le moindre problème, plus de ravisseur ni de victime d'enlèvement. Elle était majeure. Elle pouvait décider elle-même où et avec qui elle voulait vivre.

Ruben se resservit du vin. Le calme était si absolu qu'il avait la sensation d'être seul au monde. Il but une gorgée. Même le vin avait meilleur goût. Peut-être parce que le silence et la solitude aiguisaient les sens.

Il s'était imaginé que les choses seraient plus faciles. Il avait cru qu'une fois débarrassée de l'influence néfaste de tante Marei, Ilka retrouverait rapidement son amour pour lui. L'appartement aménagé dans la cave ne devait être qu'un lieu de passage. Son plan reposait-il sur de mauvaises fondations ?

Attention ! Ses pensées l'entraînaient dans une direction dangereuse. Douter n'était pas constructif. Il fallait qu'il se concentre sur le commissaire.

Il ne pouvait pas avoir de soupçons concrets. Interroger tous ceux qui étaient liés à Ilka, de près ou de loin, faisait partie de la routine de l'enquête.

Et s'il lui venait l'idée de fouiller la maison ?

Il n'y avait aucune raison qu'il le fasse. Et quand bien même… La cave était insonorisée. Le commissaire n'entendrait rien.

Le vin lui montait à la tête. Il devait arrêter de boire. L'excès d'alcool avait un effet désastreux sur lui. Ruben se leva en titubant et sortit de l'atelier. Une fois dans sa chambre, il sut qu'il ne pourrait pas dormir. Son désir pour Ilka était trop puissant.

Il descendit lentement l'escalier, le pas hésitant. Ce n'est qu'à la troisième tentative qu'il parvint à introduire la clé dans la serrure.

Ilka dormait. Éclairée par la faible lumière provenant du couloir, on aurait dit un enfant.

Mais ce n'était plus un enfant. C'était une femme. Sa femme. Il était temps qu'elle s'en souvienne. Il se pencha et embrassa son cou.

Elle se redressa, paniquée, et tira la couverture devant sa poitrine.

Il l'écarta doucement et s'assit sur le bord du lit. Caressa le bras d'Ilka. Sa peau était douce et tiède. Il prit sa main et embrassa chacun de ses doigts. Puis il fit descendre les bretelles de sa chemise de nuit sur ses épaules.

Ilka était figée… La peur ? L'effroi ? La répugnance ? Le dégoût ?

— Laisse-moi t'aimer, murmura-t-il. Comme avant.

Il se faisait l'effet d'un chien s'abaissant à réclamer une caresse fugace, mais c'était plus fort que lui.

La peur enserrait la poitrine d'Ilka comme un étau. Ruben était imprévisible. Il pouvait se montrer très tendre, mais se sentir trahi et la frapper l'instant d'après.

— Rub…, fit-elle à voix basse en lui caressant le visage d'une main hésitante.

Il s'allongea près d'elle et la regarda. Elle avait remarqué qu'il était saoul. Mais cela ne le rendait pas moins dangereux. La situation était explosive.

— On a été si longtemps… séparés, reprit-elle prudemment. J'ai besoin de temps.

— Du temps ? demanda-t-il en fronçant les sourcils. On ne l'a pas.

— Pourquoi pas, Ruben ?

— On va te rechercher, expliqua-t-il d'un air presque rêveur, en promenant son index sur ses lèvres. Et on finira par te trouver, malgré mes efforts pour te cacher.

Comme si elle n'était qu'une poupée qu'il pouvait glisser sous le canapé ou fourrer dans l'armoire. La gorge d'Ilka se serra. Ruben ne permettrait jamais qu'on la retrouve.

Il jouait avec ses cheveux, faisant lentement glisser une mèche entre ses doigts.

— Si je te libérais, tu resterais avec moi ?

Un oui, juste un petit oui. Mais était-il sérieux ?

— Tu me libérerais si je te promettais d'essayer ?

Il éclata de rire. Si fort qu'elle sursauta.

— Bien sûr que non. Tu me promettrais n'importe quoi pour sortir d'ici.

Ce rire l'exaspéra. Ce rire et le sentiment d'être totalement à sa merci. Elle n'avait pas le choix, et c'était cruel de sa part de lui faire miroiter le contraire.

— Tu as raison, dit-elle froidement. Ne me fais pas confiance, Ruben. Je ne souhaite qu'une chose : me retrouver très loin de toi.

— Tu sais ce qui m'a le plus manqué, toutes ces années ? Tes cheveux.

Ne l'avait-il pas écoutée ?

— Les toucher… Les respirer… J'aimerais dessiner un autre portrait de toi. Demain. Me concentrer sur ton visage et tes cheveux.

— Non ! lui cracha-t-elle au visage.

Ruben l'attrapa brutalement par les épaules. Ses doigts s'enfoncèrent dans sa chair.

— Tu feras ce que je voudrai, dit-il avant de la repousser.

Elle remonta la couverture jusqu'à son menton. Mais Ruben était déjà sorti.

22

Je n'étais encore jamais entrée dans le bureau du commissaire. Une grande table trônait au milieu. Dessus étaient étalés des dossiers et un carnet ouvert, probablement celui que j'avais déjà vu. Le crayon posé à côté était mordillé au bout. Je trouvais que ça ne collait pas avec le commissaire que je connaissais.

Il se leva et vint nous serrer la main, à Mike et à moi.

— Bonjour ! Que puis-je faire pour vous ?

Puis il nous invita à nous asseoir.

— Ilka a été enlevée, lâcha Mike.

Le commissaire haussa les sourcils.

— Ah ?

— Une voiture inconnue a été remarquée plusieurs fois, garée dans la rue où elle habite, expliqua Mike. On le sait grâce à une voisine et à Leo, le cousin d'Ilka.

— Quelle marque ?

— Une Mercedes Classe S. Grise. Vitres teintées. Des jantes du tonnerre, d'après Leo.

— Et la plaque minéralogique ?

— Personne n'a pu la relever, malheureusement.

— Comment avez-vous obtenu ces informations ?

— Merle a montré une photo d'Ilka et…

— Dites-moi que ce n'est pas vrai !

Le commissaire n'avait pas élevé la voix, mais j'eus quand même envie de rentrer la tête dans les épaules…

— Dites-moi que vous n'avez pas recommencé à enquêter de votre côté !

Je fixais les trois gobelets en plastique brun empilés sur son bureau. Ce devait être un gros buveur de café.

— Vous n'avez pas tiré les leçons du passé ? Jette ! C'est *mon* boulot d'élucider les crimes et de rechercher les personnes disparues. Un boulot sacrément dur. Je n'ai pas besoin qu'une Miss Marple et un Hercule Poirot viennent me mettre des bâtons dans les roues.

— Mais Miss Marple et Hercule Poirot finissent toujours…

— … par résoudre les affaires, je sais. Dans la littérature, Jette ! Pas dans la vraie vie !

— Il y a autre chose, fis-je en déposant sur son bureau le numéro d'*Art et Artisanat*. Ilka a un frère qui est peintre.

— Vous croyez vraiment que vous m'apprenez quelque chose ? Que je me tourne les pouces dans ce bureau ?

— Page onze.

Le commissaire ouvrit la revue.

— *La jeune fille et le peintre* ! dis-je, comme s'il ne savait pas lire. Il ne représente que des jeunes femmes. Et si vous feuilletez plus loin…

Il me jeta un regard courroucé avant d'obéir, à contre-cœur.

— … vous vous rendrez compte qu'elles ressemblent toutes à Ilka. Je suis persuadée qu'il s'agit d'une seule et même jeune femme. Représentée chaque fois de manière différente.

Trois plis verticaux apparurent sur le front du commissaire. Signe de colère, d'étonnement ou de concentration ? Mike prit ma main et la serra.

— C'est l'année du bac… Vous devez avoir du travail jusque-là, non ? demanda le commissaire en refermant la revue.

Je hochai la tête, tout comme Mike.

— Alors, faites-moi plaisir…

Il se leva, indiquant que la discussion était terminée.

— … occupez-vous de vos livres et laissez-moi faire mon travail.

Il alla ouvrir la porte. On nous poussait sans équivoque vers la sortie.

— Si vous marchez sur mes plates-bandes, vous aurez des problèmes. C'est clair ?

Une fois dehors, Mike explosa.

— Quel branleur !

Il donna un violent coup de pied dans une poubelle qui se trouvait dans le passage. Elle se renversa et des ordures s'en échappèrent.

— Un vrai trou du cul !

— Tu es injuste, Mike. Il s'inquiète pour nous, c'est tout.

— C'est pour Ilka qu'il devrait s'inquiéter, cet enfoiré !

Et il tapa du poing dans une boîte aux lettres.

Je le pris par le bras pour éviter qu'il ne perde complètement les pédales.

— Réfléchis un peu… Il a gardé la revue. Ça veut dire qu'il va s'en occuper.

Mike me répondit par un grognement. Mais je le savais

comme lui – que cela plaise au commissaire ou non, nous marcherions sur ses plates-bandes.

*
* *

Imke traitait les formulaires de sa tournée de lecture, destinés à sa conseillère fiscale. Elle avait pris l'habitude de ne pas laisser traîner les choses pour y passer le moins de temps possible.

Elle s'ennuyait toujours atrocement quand elle n'écrivait pas. Elle fut donc heureuse que le téléphone sonne.

— Allô ?

Elle n'entendit rien pendant un moment. Comme si son interlocuteur devait d'abord trouver le courage de lui parler. Ou était occupé à autre chose.

— Commissaire Melzig. Bonjour, madame Thalheim.

Ce fut un choc d'entendre sa voix. Tout remonta aussitôt à la surface. Même la peur.

— Comment allez-vous ?

Elle savait que ce n'était pas une question en l'air. Pas le genre à s'embarrasser de formules de politesse…

— J'ai des problèmes, répondit-elle avec honnêteté. Comme autrefois.

Autrefois… Ce n'était pas si loin, pourtant.

— À cause de votre fille.

— Oui. J'ai l'impression qu'elle recommence à jouer avec le feu.

Cela lui faisait du bien de parler avec lui. Comme dans son enfance, quand elle revenait de l'école avec une chaussette en sale état et qu'elle la confiait à sa mère pour qu'elle la répare. À présent, elle confiait ses soucis à Bert Melzig.

— J'ai sonné les cloches à Jette et à Mike, reprit-il. Mais je doute que ça serve à grand-chose.

Ses mots contribuaient à remettre le monde d'aplomb. Elle sentit qu'elle reprenait un peu confiance.

— Du nouveau ? demanda-t-elle.

— Nous suivons toutes les pistes imaginables, déclara-t-il, hésitant. Une photo d'Ilka est parue aujourd'hui dans les deux quotidiens. Nous espérons que ça nous permettra d'avancer.

— Que pensez-vous de la théorie de l'enlèvement ?

— Il n'y a pas encore d'indice concret allant dans ce sens.

Il marqua une pause et Imke se rendit compte avec étonnement qu'elle ne voulait pas qu'il arrête de parler. Elle aimait sa voix, ses manières posées. Et le fait qu'il n'ait pas réponse à tout.

— Pas le moindre témoignage ?

— Non. Personne n'a rien remarqué. D'un autre côté, certains détails permettent de soupçonner des problèmes psychiques.

— Vous pensez au suicide ?

— Pas obligatoirement. Elle peut juste être déphasée, désorientée.

C'était plus qu'il n'avait le droit de lui en dire. Imke appréciait le geste.

— J'aurai bientôt terminé mon nouveau roman. Il paraîtra cet automne. Voulez-vous que je vous en envoie un exemplaire ?

— Le livre pour lequel vous faisiez des recherches lors de notre première rencontre ?

— Exactement.

— Alors, ça me ferait très plaisir.

Elle s'enquit de l'avancée de l'enquête sur la série de cambriolages, qui n'avait encore rien donné, puis ils raccrochèrent. Imke se mit à la fenêtre. L'hiver faisait une pause et les rayons du soleil réchauffaient les pâturages. La buse, qui se nettoyait les plumes avec application, déploya les ailes et s'éleva lentement et puissamment dans les airs. Imke y vit un signe. Comme l'injonction de laisser sa fille voler de ses propres ailes. Elle se promit de ne pas l'appeler à nouveau, alors qu'elle en mourait d'envie.

*
* *

La lumière était idéale. Le soleil éclairait une partie du visage d'Ilka, l'autre restant dans l'ombre. On aurait dit que ses cheveux rougeoyaient. Ruben avait l'impression que leur roux avait encore gagné en profondeur, ces dernières années. Il pouvait luire comme le cuivre ou le vermeil, se parait du ton de l'argile rouge ou de l'éclat du feu.

Ruben devait rencontrer Bert Melzig l'après-midi même. Il repoussa cette pensée. Il voulait se concentrer sur Ilka. Elle portait une longue jupe noire étroite et un pull noir moulant, dégageant le cou et les épaules. Elle avait d'abord refusé de les enfiler, mais Ruben l'avait menacée de la laisser dans la cave.

Depuis, elle n'avait plus prononcé un seul mot, se contentant de changer de position quand il le lui demandait. Elle était pâle et des cernes soulignaient ses yeux, mais cela ne faisait qu'accentuer son aura. Cela lui conférait quelque chose d'éthéré, un contraste plein de charme avec la jeunesse de son visage.

Les doigts de Ruben, sans hésiter, faisaient glisser la

313

craie sur le papier. Il songeait que ces dessins pourraient donner naissance à une série. Une série qu'il ne vendrait jamais. Parce qu'elle ne regardait qu'Ilka et lui.

— Dis quelque chose ! Ne reste pas assise là, comme ça.

Au lieu de répondre, elle se mit à pleurer. Les larmes coulaient en silence sur ses joues. Stupéfait, il posa sa craie, alla s'accroupir près d'elle et la prit doucement dans ses bras.

Cette fois, elle ne le repoussa pas. Mais elle ne répondit pas non plus à son étreinte. Elle resta assise, droite et raide, et continua de pleurer.

Ruben pressa les lèvres contre ses cheveux. Il respira leur parfum, embrassa ses yeux, son menton. Ses larmes avaient le goût du sel. Une fois, une fois seulement, il l'avait vue aussi figée et inconsolable.

Leurs parents ne sont pas à la maison. Ce soir-là, une exposition photo est inaugurée à la banque. Le vernissage sera suivi d'une grande réception. Leur père a dépensé une petite fortune pour sa nomination en tant que directeur. Milan Jirgij, le photographe, est arrivé en ville la veille. Leurs parents l'accompagnent pour lui présenter les gens que leur père qualifie d'importants.

Ruben et Ilka ont toute la journée devant eux. Et toute la soirée. Ils s'aiment comme n'importe quel autre couple. Sans craindre d'être surpris. Ensuite, ils s'endorment, serrés l'un contre l'autre.

Lorsqu'ils se réveillent, c'est l'après-midi.

— Je veux te dessiner, chuchote Ruben à l'oreille d'Ilka.

Leurs corps sont gorgés de chaleur. Ce n'est que l'après-midi. Il leur reste tellement de temps !

Ilka s'étire, soupire de bien-être, hoche la tête.

— Pas ici, dit Ruben. Montons.

Les premiers beaux jours ont réchauffé le grenier. Ruben étend une couverture sur le plancher et Ilka retire son peignoir. L'ombre et la lumière jouent sur sa peau pâle. Éclairée par les rayons du soleil, on dirait une sainte.

Ruben dessine son corps étendu lascivement, ses cheveux, sa bouche. Ilka le regarde, les yeux à demi fermés. Et il a de nouveau envie d'elle.

Ses mains barbouillées de craie laissent des traces sur sa peau. Ses lèvres suivent ces traces. Il murmure son nom comme une prière.

Ils n'entendent pas les pas dans l'escalier. Juste le grincement de la porte. Puis un cri étouffé. Leur mère les fixe, raidie, la main devant la bouche.

Ilka attrape son peignoir. Ruben bondit et enfile son caleçon. Leur mère est toujours plantée là. Ils entendent leur père l'appeler d'en bas.

En trois, quatre pas, Ruben est près d'elle, la prend par l'épaule.

— Maman, s'il te plaît !

Elle recule devant lui, comme si c'était le diable en personne, et murmure :

— Non… Non. Oh non !

Leur père surgit à son côté et saisit immédiatement la situation. Son visage devient gris, puis blême. Il se précipite sur Ruben et se met à le frapper.

Ruben ne se défend pas. Il lève juste les bras pour protéger sa tête. Pas un seul mot n'est échangé. On n'entend que le bruit sourd des coups et le martèlement des chaussures de leur père sur le plancher.

Ilka se jette entre eux.

— Arrête ! Arrête ! Tu vas le tuer !

Ses mots n'atteignent pas leur père. Il cogne, encore et encore. Puis il s'arrête brusquement. S'éloigne à pas lourds. Ils entendent la clé tourner dans la serrure.

Ilka examine Ruben. Avec la manche de son peignoir, elle éponge le sang qui coule de ses lèvres et de son nez. Alors seulement, elle se met à pleurer. Figée. En silence.

Un violent coup d'épaule, et la porte avait cédé. La voiture des parents n'était ni dans le garage, ni devant la maison. Ilka et Ruben s'étaient rhabillés et avaient passé la soirée dans un effroi silencieux.

Ruben était taraudé de questions sans fin. Qu'allait faire leur père ? Envoyer Ilka dans un internat ? Porter plainte contre lui ? Il était déjà majeur, finalement. Et après ? De quelle peine écopait-on pour inceste ? Relations sexuelles avec une mineure ? Parce que c'est ainsi qu'ils appelleraient leur relation.

La soirée passa sans que leurs parents reviennent. Peut-être ne savaient-ils pas eux-mêmes comment se comporter. Peut-être avaient-ils besoin de temps pour réfléchir. C'était bon signe.

Ruben emmena Ilka dans sa chambre. Lorsqu'il voulut l'embrasser, elle se tourna vers le mur.

Il avait fini par aller se coucher.

Dans la nuit, ils apprirent que leur père était mort. Et que leur mère, sous le choc, ne réagissait plus à rien.

Ilka se détourna de Ruben. D'un jour à l'autre, elle ne lui adressa plus la parole. Et elle emménagea chez leur tante Marei.

Cette nuit-là, il l'avait perdue.

— Pourquoi ? lui demandait-il à présent. Pourquoi m'avoir abandonné, à l'époque ?

Elle sortit de sa torpeur et écarta ses mains.

— Tu n'as toujours pas compris ?

Elle se leva et se plaça derrière la table, comme pour prendre du recul.

— On a tué papa. Et maman végète dans ce centre. Juste parce que…

— Parce que nous nous sommes aimés ?

Ruben était toujours accroupi par terre. Il sentait la chaleur du corps d'Ilka sur la chaise.

— Tu es mon frère, Ruben !

À l'époque déjà, elle était tenaillée par ce stupide sentiment de culpabilité. Elle avait même allumé des cierges à l'église pour que Dieu leur pardonne.

Ruben se releva avec lassitude.

— L'amour ne peut pas être quelque chose de mauvais.

— Tu es sûr de savoir ce dont tu parles ?

Les larmes se remirent à couler sur ses joues.

— J'étais une enfant, Ruben !

Il s'approcha et lui prit la main.

— Tu le voulais ! Tout comme moi !

— Tu ne m'as jamais donné la chance de le découvrir ! cria-t-elle en se dégageant d'une secousse.

Elle traversa l'atelier en courant et dévala l'escalier.

Ruben courut derrière elle. Il la surprit devant la porte d'entrée. Elle secouait la poignée, désespérée.

— Tu perds ton temps, dit-il en haletant.

Elle se retourna en sursautant.

Et lui cracha au visage.

*
* *

Ilka s'effraya de son propre geste. Mais elle eut encore plus peur lorsque Ruben la plaqua contre la porte et l'embrassa. Elle s'arc-bouta pour le repousser. Le frappa à coups de poing. Lui donna des coups de pied, le griffa.

Il rit. Pressa fermement son corps contre le sien. Maintint sa tête en l'entourant de ses deux mains et se mit à embrasser son cou, ses yeux, sa bouche.

Alors, Ilka le mordit.

Il recula en chancelant. Il la fixait, incrédule. Du sang coulait de sa lèvre inférieure et venait goutter sur son pull, sur le carrelage blanc.

Cette fois, Ilka fut heureuse qu'il la ramène dans la cave. Il la poussa à l'intérieur et referma la porte.

C'était une journée claire et pimpante, mais en bas, on le remarquait à peine. Ilka alluma dans toutes les pièces. Dans la salle de bains, elle se figea devant le miroir. Son visage, pâle et fatigué, aurait mérité un peu de maquillage.

Elle tenta de sourire. Contempla les fossettes que Mike aimait tant.

— Mike…

Elle ferma les yeux pour se rappeler son visage. Mais elle n'y parvint pas.

Ruben l'avait aussi trompée sur ses sentiments pour les autres. Elle n'avait jamais pu avoir d'amis. Un constat auquel elle serait peut-être arrivée avec Lara Engler, si seulement Ruben ne l'avait pas privée de cette possibilité.

Son regard tomba sur ses cheveux. Ruben les aimait par-dessus tout. Elle n'avait jamais pu les attacher comme les autres filles. Il ne lui avait jamais permis de porter un bonnet. Et elle ne s'était pas révoltée.

Parce qu'elle ne voulait pas perdre son amour.

Un calme étrange s'installa en elle. Elle se rendit lentement dans la chambre, sortit la paire de ciseaux de sous le matelas et revint dans la salle de bains.

— Mes cheveux te plaisent, hein ?

Les ciseaux étaient parfaitement aiguisés. Une à une, les mèches de cheveux glissaient comme une caresse sur la nuque et les épaules d'Ilka avant de tomber sur le sol. On aurait dit un monticule de varech rouge.

Lorsqu'elle eut fini, Ilka laissa tomber la paire de ciseaux dans le lavabo. Elle se regarda. Impassible. Enjamba le tas de cheveux morts et se plaça tout habillée sous la douche.

Elle avait l'impression d'accomplir une sorte de rituel. Et cela lui fit du bien.

*
* *

L'infirmière n'avait pas quitté la chambre. Nous ne devions pas lui inspirer une grande confiance, Mike et moi. Elle nous avait bombardés de questions avant de nous permettre de rendre visite à Anne Helmbach.

— Finalement, expliquai-je, elle ne s'est laissé attendrir que parce qu'elle aime bien Ilka.

— Est-ce qu'Ilka ressemble à sa mère ? demanda Merle, qui nous avait patiemment écoutés.

— Aucune idée, fit Mike qui avait encore du mal à surmonter sa déception. On n'a pas vu grand-chose, elle restait là, à fixer ses mains. Je crois qu'elle n'était même pas consciente de notre présence.

C'était idiot de notre part d'espérer ramener à la réalité une femme qui l'avait peut-être oubliée depuis longtemps.

— Moi, par contre, j'ai eu un peu plus de chance que

vous ! déclara Merle en brandissant un bout de papier. L'adresse de Ruben Helmbach.

Je sentis un picotement dans mon ventre, comme si j'étais au bord d'un précipice et que je regardais en bas. Curieuse, je pris le papier. Togstadt. Pas la porte d'à côté. Un peu risqué pour ma vieille Renault.

— Et son numéro de téléphone…, annonça Merle en sortant un deuxième bout de papier de la poche de son pantalon. Malheureusement, on tombe toujours sur le répondeur et je ne savais pas quel message laisser.

Un troisième papier apparut dans sa main.

— Je me suis aussi intéressée à son calendrier d'expositions. Il a vraiment l'air très demandé. On pourra peut-être en savoir plus grâce à ses galeristes.

Mike se demandait probablement, comme moi, à quoi cela avait servi que nous fassions toute cette route.

— Au fait ! lança Merle avant de se pencher vers nous. Ce Ruben n'a pas peint que des jeunes femmes. Au début, il semble qu'il ait exploré différentes directions. Mais ce sont ces portraits qui l'ont fait connaître. Une vraie traînée de poudre. Il a récolté toutes sortes de prix.

— Je doute que ça puisse nous aider, lâcha Mike. Ilka et lui n'ont plus aucun contact depuis des années.

— C'est peut-être ça, la clé, hasardai-je. Pourquoi Ilka a-t-elle exclu son frère de sa vie ? Sa disparition a peut-être un rapport avec un secret de famille peu recommandable ?

— C'est une supposition plutôt vague…

Merle disparut dans sa chambre et en revint avec un agrandissement couleur. Un portrait de Ruben Helmbach.

— … Le revoilà. Adonis en personne.

Même en photo, il avait un regard si insistant qu'on se sentait percé à jour.

— Bon, récapitulai-je. Ilka a coupé les ponts avec son frère. Elle a perdu son père et sa mère vit dans un centre. Un peu beaucoup d'un coup, vous ne trouvez pas ? Il pourrait y avoir un lien.

— Tu veux dire qu'elle a rompu tout contact avec son frère, et qu'ensuite l'accident a eu lieu ? demanda Mike en me regardant d'un air sceptique.

— Ou l'inverse. Les parents ont eu un accident et ensuite, Ilka a rompu tout contact avec son frère.

— Son frère l'a peut-être bien enlevée, réfléchit tout haut Merle. Par esprit de vengeance. Ou par haine. Vous ne pouvez pas savoir ce dont les hommes sont capables…

Dans les laboratoires d'expérimentation animale, elle était souvent confrontée à des actes de cruauté.

— Ça n'a aucun sens, fit Mike en secouant la tête. Ce serait plus logique qu'il ait prévu de la…

Aucun de nous ne le disait à voix haute. Mais nous pensions tous la même chose. Ce secret de famille était-il assez terrible pour justifier un meurtre ?

*
* *

On aurait dit que l'air autour de Ruben Helmbach vibrait, tant il émanait de lui une impression de vitalité. Fasciné, Bert le regarda entrer dans son bureau et s'avancer vers lui. Il avait rarement connu quelqu'un possédant une aura aussi intense.

— Asseyez-vous, je vous en prie.

Ruben Helmbach en vint aussitôt aux faits.

— Ma sœur a disparu ?

— C'est exact.

Bert étudia le visage de son interlocuteur à la recherche d'une émotion, mais son expression était d'une neutralité et d'une froideur dérangeantes.

— Vous savez probablement déjà que nous n'avons plus aucun contact depuis des années ?

Bert hocha la tête mais s'abstint de tout commentaire. C'est toujours de cette manière qu'il en apprenait le plus.

— Dans ce cas, je ne sais pas comment je peux vous aider.

Sa tactique avait échoué. Ruben Helmbach se redressa sur sa chaise et attendit, visiblement décontracté. Il portait un jean et un pull noirs, mais ni veste, ni manteau. Le printemps s'annonçait.

— Pour quelle raison n'avez-vous plus de contact avec votre sœur ? s'enquit Bert.

— Ça s'est trouvé comme ça.

Ruben Helmbach paraissait un peu ennuyé. Mais peut-être était-il seulement arrogant.

— Votre tante, Marei Täschner, m'a confié que votre sœur avait coupé les ponts, tiré un trait définitif sur vous.

— Ma tante n'a jamais eu la moindre idée de notre situation familiale. Elle ne peut pas la juger.

— Toujours est-il que votre sœur a vécu plusieurs années chez elle. Ne pensez-vous pas que cela suffise pour apprendre à connaître une personne ?

— Ilka n'appréciait pas particulièrement notre tante. Je ne peux pas m'imaginer que ça ait changé.

— Vous voulez dire que votre sœur ne lui aurait jamais fait part de ce qu'elle ressentait ?

Ruben Helmbach croisa les jambes sans répondre à Bert. Il avait une apparence très soignée et semblait plus âgé qu'il ne l'était en réalité. Vingt-trois ans. Bert s'était renseigné. À peine croyable.

Les gens qui exercent un métier public connaissent vraisemblablement un processus de maturation nettement plus rapide, songea-t-il.

— Comment décririez-vous votre sœur ? l'interrogea-t-il.

Ruben Helmbach réfléchit en fixant un point sur le sol. Puis il releva la tête et regarda Bert dans les yeux.

— Avant, c'était une jeune fille gaie et extravertie. Intelligente et sans complexes, toujours en train d'exprimer son point de vue. Même vis-à-vis de notre père, pourtant irascible et imprévisible.

— Votre tante affirme qu'Ilka n'a pas surmonté la mort de votre père.

— Ça l'a profondément touchée.

— Pas vous ?

— J'ai la peinture.

— Cela aide à supporter les chocs psychologiques ?

— Absolument.

Glissant comme une anguille… Chacune de ses phrases résonnait d'histoires non dites. Des histoires que Bert aurait tout donné pour entendre.

— Votre sœur suit une psychothérapie.

Ruben Helmbach eut l'air surpris. Mais Bert ne put s'empêcher de soupçonner que cette émotion soit feinte. Il savait qu'il était assis en face d'un homme qui avait appris à se mettre en scène.

— On dirait bien que ma tante a mis son grain de sel là-dedans. Elle a toujours été du genre à creuser assidûment dans l'âme des autres et à interpréter les résultats à sa façon.

— Nous n'excluons aucune hypothèse à ce stade de l'enquête, reprit Bert. Dans le cas d'une personne psychiquement fragile, nous devons prendre en compte la possibilité d'un coup de tête.

— Possible qu'Ilka ait changé au cours des années passées chez notre tante.

Très intelligent, pensa Bert. *Et d'une rancune absolue.* La froideur du neveu pour sa tante était palpable. Il sortit de son tiroir le numéro d'*Art et Artisanat* que Jette lui avait laissé, l'ouvrit et le poussa en direction de Ruben Helmbach.

Qui n'y jeta qu'un regard fugitif.

— Une illustration du fait qu'on ne doit jamais faire confiance aux journalistes.

À qui le disait-il ! Pour Bert, les journalistes étaient une calamité. Surtout quand on avait un patron qui lisait religieusement le journal tous les matins, et se laissait aller à des accès de colère à la moindre occasion.

— Qui est cette jeune femme ? demanda Bert en indiquant les reproductions de tableaux.

Un voile d'ennui glissa à nouveau sur le visage de Ruben Helmbach.

— Ce n'est pas une jeune femme en particulier. C'est la jeune femme… par excellence. Pour ainsi dire la somme de toutes les jeunes femmes en une, vous comprenez ?

Bert trouva l'explication satisfaisante. Il s'était fait à peu près la même réflexion. Mais il ne le dit pas.

— Vous voyez, fit Ruben Helmbach en se penchant en avant et en soulignant ses propos avec ses mains, un artiste qui se retrouve sous les feux de la rampe doit s'attendre à ce qu'on tente de faire intrusion dans sa vie privée. On veut le connaître sous toutes les coutures, on n'accepte pas le plus petit secret.

Bert avait enfin l'impression d'avoir devant lui Ruben Helmbach, et plus le rôle qu'il jouait.

— Une fois qu'on l'a rendu totalement transparent, ce petit jeu devient ennuyeux. Alors, on se désintéresse de lui et on se tourne vers le suivant. Voilà comment fonctionne l'industrie de la culture. Aujourd'hui, on apporte des offrandes aux personnes en vue, et demain, ce sont elles qu'on sacrifie sur l'autel. Et tout en les adorant, on les hait, parce qu'en réalité, on ne tolère aucun dieu.

— Et la jeune femme…

— J'en ai fait mon secret. Et tout le monde essaie de le percer.

— Avec un peu d'imagination, on peut y reconnaître votre sœur.

Ruben Helmbach eut un geste de mépris.

— Vous pouvez aussi y retrouver les traits de votre voisine, de Cléopâtre ou de mon assistante, Judith. C'est une question de perspective. On y reconnaît qui on veut.

Ce qu'il disait là tenait debout. Bert décida de changer de sujet.

— Vous n'avez pas de nouvelles de votre sœur ?

— Non. Et je ne tiens pas à ce que ça change.

— Pour quelle raison ?

— Juste avant l'accident, j'ai eu une violente dispute avec mon père. Pour être honnête, je ne sais plus de quoi il était question. En tout cas, Ilka m'a rendu responsable de la mort de notre père et de l'état de notre mère.

Pour être honnête. D'après l'expérience de Bert, on n'employait pas cette formule quand on était sincère.

— Parce que vous vous êtes querellé avec votre père ?

— Oui. Mon père est parti très énervé et, peu après, leur voiture sortait de la départementale.

Et il prétendait avoir oublié le motif de leur dispute ? *Pour être honnête.* Une expression que son patron utilisait aussi volontiers. Bert résolut de rester méfiant.

— Cela doit vous avoir beaucoup impressionné.

— Au début, oui. Je me sentais coupable. Aujourd'hui, je vois les choses autrement. Il serait extrêmement discutable d'éviter les différends, juste parce qu'il est dangereux de circuler sur la route.

Bert aurait aimé avoir plus souvent affaire à des gens en mesure de considérer la vie de façon aussi nuancée.

— Et cet événement a entraîné la rupture de tout contact entre votre sœur et vous ?

— *Grosso modo.*

Des mots une fois encore vides de sens. Bert sentit qu'il valait mieux ne pas insister. Il n'obtiendrait aucune réponse franche.

— Avez-vous des questions, de votre côté ?

— J'aimerais savoir comment avance votre enquête.

— Nous en sommes encore au début, répondit Bert. Une photo de votre sœur est parue aujourd'hui dans les deux quotidiens locaux, ainsi qu'un appel à la population. Depuis, nos lignes sont submergées. À présent, il ne reste plus qu'à attendre. Et espérer.

Bert raccompagna Ruben Helmbach à la porte et se rassit à son bureau. Il posa les pieds dessus et croisa les mains derrière la tête. En temps normal, il était capable de se faire rapidement une idée de quelqu'un. Mais cet homme était différent. Helmbach lui faisait l'effet d'un caméléon.

Bert alla se chercher un café. L'air était encore chargé

de la présence du peintre. Comment Ilka avait-elle pu
s'affirmer à côté de ce frère ?

*
* *

Ilka avait dormi profondément. Lorsqu'elle se réveilla,
la journée était déjà bien entamée. Encore engourdie de
sommeil, elle se dirigea vers la salle de bains.

La vue de ses cheveux coupés lui causa un choc. En
sanglotant, elle ramassa les mèches éparses et les déposa
dans le tiroir du secrétaire. Elle ne pouvait se résoudre à
les jeter dans la poubelle. Son front était brûlant. Elle alla
dans la cuisine mettre de l'eau à chauffer pour un thé. Elle
eut un frisson en ouvrant le robinet.

Elle avait remis la paire de ciseaux dans sa cachette,
sous le matelas.

Ruben saurait qu'elle avait des ciseaux. Dès qu'il verrait
ses cheveux. Mais elle ne les lui remettrait pas de son plein
gré. Il n'avait qu'à les chercher.

Elle rassembla son courage, retourna dans la salle de
bains et se regarda dans le miroir. Ses cheveux se dressaient
sur son crâne en touffes irrégulières. Elle ne s'était pas
donné la peine de les mettre en forme, et elle ne comptait
pas davantage le faire aujourd'hui.

Elle avait vu un jour un film dans lequel une jeune
femme du Moyen Âge était jugée pour sorcellerie. On lui
avait aussi coupé les cheveux. Exactement comme elle.

Le visage dans le miroir était celui d'une étrangère. Elle
avait un peu peur de cette jeune femme aux yeux tristes
et sérieux. Et elle l'enviait. Car cette inconnue était en
sécurité dans son monde, de l'autre côté du miroir.

23

Il ne fallait pas sous-estimer ce commissaire. Il n'accomplissait pas simplement son travail – il était doué. Ruben avait perçu son intelligence et sa sensibilité. Il avait observé l'adresse avec laquelle il avait conduit leur entretien. Sous son regard perçant, il avait failli se sentir mal à l'aise.

Mais il était satisfait de lui-même. Il avait fait preuve d'une grande maîtrise de soi et n'était tombé dans aucun des pièges que le commissaire, volontairement ou non, lui avait tendus. Il ignorait s'il y aurait d'autres entrevues, mais il devait parer à toute éventualité.

Judith l'attendait. Elle avait organisé deux interviews téléphoniques, ce jour-là. Ensuite, ils devaient discuter de deux ou trois choses. Peut-être ne repartirait-il que le lendemain.

Ilka survivrait. On ne mourait pas de faim en une journée. Le jeûne ne permettait-il pas de s'éclaircir les idées ? Elle ne mettrait plus très longtemps sa patience à l'épreuve. À partir de maintenant, il allait hausser le ton.

Il aperçut une brasserie de l'autre côté de la rue et

décida de boire un café et de manger un morceau avant d'aller voir Judith. Il avait bien mérité de souffler.

*
* *

Ma mère s'interrogeait mais, étonnamment, elle ne posa aucune question. Elle me donna ses clés de voiture et les papiers, et prit les miennes en échange.

— Quand est-ce que tu me la rapportes ?

— Demain ? fis-je en l'embrassant sur la joue. Après-demain ?

— Au plus tard.

Elle me regarda m'éloigner dans l'allée.

— Et conduis prudemment !

L'Audi ronronnait paisiblement tandis que le paysage défilait à droite et à gauche. Grâce à elle, il me faudrait seulement deux bonnes heures pour rejoindre Togstadt. Mon intuition me disait que je ne devais pas me contenter d'une simple conversation téléphonique. Je voulais affronter Ruben Helmbach les yeux dans les yeux quand je l'interrogerais au sujet d'Ilka. Et le plus tôt serait le mieux.

Je parviendrais peut-être à convaincre Mike de m'accompagner. Nous devrions malheureusement renoncer à la présence de Merle. Son groupe de protection des animaux devait mettre sur pied de nouvelles actions. Cela lui prendrait toute la soirée, et sûrement une bonne partie de la nuit.

À la maison, un petit mot m'attendait sur la table de la cuisine :

Suis parti à Glogau. Ai décroché un rendez-vous avec Hartmut Schatzer (galeriste). Rentrerai peut-être tard. T'appellerai en chemin.

Mike.

Je me préparai un café en me demandant ce que je devais faire. Lorsque le téléphone sonna, je ne doutai pas un seul instant que ce soit Mike.

— Alors, espèce d'hyperactif ?

Je lui en voulais un peu de ne pas m'avoir attendue. Nous aurions pu nous mettre d'accord. Et puis, je me rendis compte que j'avais pris seule la décision d'emprunter la voiture de ma mère. Nous étions donc quittes.

— Et ma femme qui répète à qui veut l'entendre que je suis lent et pépère !

Je reconnus immédiatement sa voix. J'étais terriblement gênée.

— Pardon… Je pensais que c'était Mike.

Le commissaire rit de bon cœur.

— Cela signifie que Mike n'est pas là, actuellement ?

— Non. Il est sorti.

— Et Merle ?

— Non plus.

— Dommage. J'aurais bien aimé vous parler. À tous les trois.

— Il y a du nouveau ?

Mon pouls s'accéléra. Caro aussi avait été portée disparue. Avant qu'on la retrouve. Morte.

— Malheureusement pas. Pas les nouvelles que vous espérez. Mais je viens d'avoir la visite de Ruben Helmbach.

Le frère d'Ilka était ici ? Dans ce cas, nous ne le trouverions pas chez lui.

— Et c'est ce dont vous vouliez nous parler ?

— Entre autres.

— Tout de suite ?

— De préférence.

— Mais Merle et Mike…

— Venez seule. Je vous attends.

Il avait déjà raccroché.

Plutôt avare en paroles… Je l'aimais bien, d'une certaine façon. L'idée d'un policier sympathique ne collait pas avec ma vision du monde, mais il n'avait vraiment rien à voir avec les flics auxquels Merle se heurtait régulièrement.

Je finis mon café, attrapai ma veste et mon sac. Toute information que nous pourrions recueillir était bonne à prendre.

*
* *

Le vieil homme assis dans le train en face de Mike était plongé dans la lecture du *Bröhler Stadtanzeiger*. Il avait la manie de lisser longuement son journal après avoir tourné chaque page, si bien que Mike pouvait lire tous les titres en gros caractères. Un peu fatigué de regarder par la fenêtre, il essaya de deviner le contenu des articles à partir des gros titres. Après avoir mis de côté les pages politiques, le vieil homme s'attaqua à la rubrique locale.

Brusquement, Mike vit les yeux d'Ilka.

Ce fut un tel choc qu'il en oublia un instant de respirer. Au-dessus de sa photo, de la taille d'une demi-carte postale, on pouvait lire cette courte information : *Disparition d'une lycéenne.*

Il dut faire appel à toute sa volonté pour ne pas arracher le journal des mains de son voisin. *Qui a vu cette jeune femme ?* indiquait le sous-titre.

Mike voulait se pencher en avant pour lire l'avis de disparition, lorsque le vieil homme tourna la page. Il n'avait pas regardé la photo très longtemps. Sans doute parce qu'il ne connaissait pas Ilka. Mais des milliers de personnes tomberaient dessus, ce jour-là. Si, parmi elles, une seule pouvait fournir à la police une indication qui la conduise à Ilka, l'effort en vaudrait la peine.

Mike essaya de joindre Jette et Merle, mais elles avaient toutes les deux éteint leur portable. En soupirant, il sortit son petit bloc-notes et son stylo à bille.

Il s'était présenté au téléphone comme un journaliste free-lance de la *Rundschau*, tant il était certain de ne pas obtenir de renseignements en tant que particulier. Pour apparaître crédible dans ce rôle, il devait préparer quelques questions sur les tableaux de Ruben Helmbach.

Dès que la conversation serait engagée, il comptait dévier discrètement sur la personne du peintre. Un bon plan, en théorie. Mais fonctionnerait-il dans la pratique ?

*
* *

Le commissaire voulait probablement nous donner des bribes d'informations soigneusement choisies. Rien d'important, un os à ronger pour nous faire oublier nos propres investigations.

Je trouvai une place de stationnement sur le bas-côté et me demandai si, après être allée voir le commissaire, je n'irais pas boire un chocolat dans la brasserie, de l'autre côté de la rue. C'est alors que j'aperçus un type qui en sortait. Je le remarquai parce qu'il ne portait ni manteau, ni blouson. Il faisait relativement doux, mais pas assez chaud pour se balader dehors avec un simple pull-over.

Je ne le reconnus qu'au second coup d'œil. Il était plus beau encore que sur les photos et il en était visiblement conscient. Ses mouvements étaient fiers et nonchalants.

Je décidai de lui adresser la parole. Une aussi belle occasion ne se représenterait pas de sitôt. D'autant plus que cela m'éviterait le trajet jusque chez lui.

Il y avait pas mal de circulation et Ruben Helmbach ouvrait déjà sa voiture, garée à quelques pas de la brasserie.

Mon cœur s'arrêta net. C'était une Mercedes gris foncé aux vitres teintées. J'entendais les paroles de Leo résonner dans ma tête. « Classe S »… « Des jantes de folie »…

Sans réfléchir, je fis demi-tour et entrepris de le suivre.

*
* *

Ilka avait le corps brûlant de fièvre, parcouru de frissons. Elle avait dû enlever rapidement ses vêtements trempés. À présent, elle portait un pantalon ample en laine et un pull épais à col roulé. Accroupie sur le canapé, les bras serrés autour du corps, elle regardait fixement devant elle. Elle aurait donné n'importe quoi pour avoir sa mère à ses côtés. Elle avait déjà traversé tant d'épreuves… Seule. Ce qu'elle vivait là dépassait ses forces.

Elle se força à se lever pour se préparer un autre thé. La boisson la réchaufferait de l'intérieur. Elle apaiserait sa sensation de faim et lui apporterait un peu de réconfort. Elle le boirait et se remettrait au lit. Ses paupières étaient si lourdes qu'elle avait du mal à garder les yeux ouverts.

— Ne pleure pas, murmura-t-elle. Ne pleure pas.

Déjà, les larmes roulaient sur ses joues.

*
* *

J'avais toujours rêvé de sauter dans un taxi et de lancer au chauffeur :

— Suivez cette voiture !

Dans les films, c'était le début d'une course-poursuite effrénée.

La réalité était tout autre. Nous traversions la ville engorgée au pas. J'eus tout loisir de me demander comment je devais procéder, maintenant. Je n'avais pas le moindre plan et j'étais seule. Il valait mieux prévenir Mike.

De la main droite, je tirai sur la fermeture Éclair de mon sac à main et tâtonnai à la recherche de mon portable. Introuvable. Merde ! Je l'avais mis à charger ce matin et j'avais oublié de le retirer de la prise.

Il fallait que j'appelle Mike d'une cabine. Mais j'ignorais s'il existait encore des téléphones publics. En tout cas, je n'avais plus de carte depuis belle lurette. Et de la monnaie ? Je fouillai de nouveau dans mon sac. Pour me rendre compte que j'avais aussi oublié mon porte-monnaie.

Super. J'avais vraiment l'étoffe d'un détective. Est-ce qu'il fallait que je rebrousse chemin ? Que je mette le commissaire dans la confidence ? Il ne nous croyait pas, de toute façon. Il avait à peine jeté un coup d'œil à l'article d'*Art et Artisanat*.

Non. Ça n'avait aucun sens de confier nos soupçons au commissaire. Pas avant d'avoir une piste digne de ce nom.

Je n'étais pas obligée de me mettre en danger. Je pouvais simplement regarder où vivait Ruben Helmbach, fouiner un peu… Il serait toujours temps de décider jusqu'où je laissais cette histoire m'entraîner.

La Mercedes tourna en direction de l'autoroute. Je me félicitai de conduire la voiture de ma mère. Il ne me sèmerait pas aussi facilement que ça.

*
* *

Hartmut Schatzer était un homme lourd, de taille moyenne, la soixantaine, aux longs cheveux gris noués sur la nuque. Il reçut Mike dans son bureau, une petite pièce claire.

Mike n'avait encore jamais vu un espace aussi surchargé. Il se demandait comment on pouvait s'y retrouver, au milieu de ces piles de livres et de ces tas de papiers, sans sombrer dans la dépression.

Par une porte ouverte, il apercevait la pièce voisine. Des toiles et des cadres étaient appuyés contre le mur. Sur une longue table en bois, on découpait apparemment des passe-partout. Des bandes de carton jonchaient le sol.

— Café ?

— Merci, c'est gentil. J'en ai déjà bu un à la gare, mentit Mike.

— Alors, envoyez !

Mike posa les questions qu'il avait préparées dans le train, et nota les réponses. Durant les premières minutes, il craignait que Schatzer n'avale pas son rôle de journaliste indépendant. Ensuite, il y crut presque lui-même.

Vint un moment où il cessa de tressaillir à l'évocation de concepts tels qu'*immédiateté des couleurs* ou *contrainte de la forme*. Il parvint même à encaisser celui de *vérité du mensonge*.

Il avait le sentiment d'avoir atteint sa vitesse de croisière, lorsque Schatzer se renversa en arrière et croisa les bras devant la poitrine.

— Et quelle est la véritable raison de votre venue, mon garçon ?

Il n'avait rien gobé. Mike eut vraiment l'impression d'être le dernier des crétins.

— Qu'est-ce qui m'a trahi ?

Schatzer éclata de rire.

— Votre sérieux. Ça faisait longtemps que je n'avais plus eu un représentant de la presse qui se préoccupe autant de la chose. Et vous êtes si jeune… Bon. Qu'est-ce qui se passe ?

Mike ressentit spontanément le besoin d'être honnête. Puis il changea d'avis. Il se présenta comme un admirateur de Ruben Helmbach qui désirait obtenir des informations et, peut-être, une toile.

Cette fois, Schatzer le crut. Il avait envie de raconter des histoires. Il alluma un cigarillo, s'installa confortablement sur sa chaise et commença à parler.

*
* *

Il s'acquitterait des deux interviews téléphoniques, et basta ! Faire le point avec Judith pouvait attendre. L'agitation le gagnait. Les heures sans Ilka lui semblaient longues.

— Bureau de Ruben Helmbach ?

Il sourit. Typique de Judith. Elle le protégeait de l'extérieur en lui offrant une façade parfaitement stylée. Elle affirmait que c'était nécessaire, de nos jours. Que ce n'était pas l'art, mais sa commercialisation qui était le point de mire.

Tant qu'il ne devait pas s'abaisser à des compromis avec sa peinture, cela lui était égal. Le sens des affaires de Judith se révélait extrêmement positif. Lui-même n'aurait jamais eu l'énergie de mener sa barque avec autant de discipline.

— Bonjour, Judith.

Il la sentit presque rougir, à l'autre bout du fil. Elle avait la respiration courte.

— Salut, Ruben.

— Je suis en route. Écoute, Judith... Je suis obligé de bousculer mes projets. Je boucle ces deux interviews, et je me sauve. On remet notre point à la semaine prochaine. D'accord ?

Elle ne répondit pas.

— Judith ?

— Comme tu veux.

Elle ne se donna pas la peine de masquer sa froideur. Elle n'essaya pas non plus de le faire changer d'avis. Cette fameuse nuit avait davantage altéré leur relation qu'il ne le pensait.

— Tu es fâchée ? demanda-t-il.

— Pourquoi, je devrais ? C'est toi le patron.

Elle répartissait clairement les rôles. Ruben poussa un soupir. Les choses n'avaient jamais été ainsi entre eux. Ils formaient une équipe soudée et travaillaient en toute amitié. Il ne voulait pas tout gâcher. Et il avait besoin d'elle plus que jamais. Il était nécessaire qu'elle fasse front avec lui. Tout au moins quelques jours encore, le temps qu'Ilka retrouve le chemin de son cœur.

— Est-ce que j'ai déjà joué au petit chef ?

Il savait quelles inflexions donner à sa voix pour attendrir Judith.

— Ruben…

— Est-ce que je t'ai déjà traitée comme une employée, Judith ?

— Non…

— Alors, fais-moi confiance et crois-moi, ce n'est pas volontairement que je bouleverse mon programme.

— …

— Judith ?

— Tu as raison. Excuse-moi, s'il te plaît.

Il éteignit son portable. Puis il appuya sur l'accélérateur. Il avait déjà trop traîné.

*
* *

Il venait d'accélérer. J'essayai de ne pas me laisser distancer, mais je fus ralentie par une Fiesta qui bloqua si longtemps la voie de gauche que, lorsque je la doublai enfin, la voiture de Ruben Helmbach avait disparu.

Je l'avais perdu. La Classe S était plus rapide que l'Audi de ma mère et l'écart était trop important.

Heureusement, j'avais retenu son adresse à Togstadt. 37, Rotdornweg. Je trouverais la maison de Ruben Helmbach seule. Il y aurait bien une station-service où je pourrais demander mon chemin. Je ralentis un peu l'allure et me détendis.

*
* *

Bert regarda sa montre. Deux heures s'étaient écoulées depuis qu'il avait appelé Jette. Il rappela chez elle, mais personne ne décrocha. Peut-être avait-elle eu un imprévu. Les jeunes vivaient à un rythme différent.

Il décida d'anesthésier son inquiétude naissante avec un café. Devant la machine, il croisa une collègue qui n'était dans la maison que depuis quelques semaines. Elle était encore assez jeune, bien que plus âgée que Jette. Elle partageait sa dépendance à la caféine et ils en discutèrent un moment. Lorsqu'il retourna dans son bureau, il avait le désagréable sentiment de faire partie des dinosaures du métier. Jamais de sa vie il ne s'était senti aussi vieux.

Margot l'appela pour lui rappeler qu'ils devaient sortir avec des amis, ce soir-là. Ils avaient prévu de dîner au restaurant, avant d'aller au cinéma.

Sa voix reprenait les accents d'autrefois. Bert en eut mauvaise conscience. Il lui en fallait peu pour être heureuse, finalement. Pourquoi n'était-il pas en mesure de lui donner ce peu ?

Pour se débarrasser de son sentiment de culpabilité et ne pas se mettre en retard, il rassembla ses affaires et prit aussitôt le chemin du retour. Une sage décision, car l'autoroute était une fois de plus encombrée. Les voitures avançaient, pare-chocs contre pare-chocs. Le regard de Bert croisait des visages épuisés, stressés, frustrés.

Il alluma la radio. Même en plein trafic aux heures de pointe, la musique réussissait parfois à lui remonter le moral.

Demain, il appellerait Jette dès son arrivée au bureau. Il n'avait rien d'important à lui communiquer. Il voulait simplement garder le contact avec les trois jeunes. Pour qu'ils ne recommencent pas à lui mettre des bâtons dans les roues. Il monta le son, se carra dans son siège et se mit à chanter à gorge déployée.

*
* *

Elle vit Mike en rêve. Il traversait une large rue très fréquentée. Les conducteurs l'évitaient, klaxonnaient. Mike continuait d'avancer, imperturbable. Sans regarder à gauche, ni à droite. Il évoluait au beau milieu du chaos avec l'assurance d'un somnambule.

La rue se transforma en fleuve. Mike pataugeait dans l'eau, sans paraître remarquer les crocodiles qui l'entouraient. Semblables à des troncs d'arbres, ils le fixaient de leurs yeux voilés. L'eau atteignait déjà son torse.

Mike ne progressait que lentement.

— Mais nage ! lui cria Ilka depuis la berge. Nage !

Il s'avançait vers elle. Et elle ne pouvait pas l'aider. Cela faisait si longtemps qu'elle n'avait pas nagé. N'allait-elle pas couler comme une pierre ?

Quelqu'un cria.

Ilka sursauta. Son propre cri l'avait réveillée. Le souffle court, elle s'adossa au mur. Sa gorge brûlait, son crâne menaçait d'éclater.

Elle se traîna jusqu'à la cuisine et but directement au robinet. Puis elle retourna se coucher. Elle avait peur de

340

se rendormir, mais elle ne parvint pas à rester éveillée. Ses paupières étaient trop lourdes.

*
* *

Judith n'était plus là. En temps normal, sa Smart noire était rangée dans l'appentis. Ruben se gara dans la rue. Il n'était pas déçu. Plutôt soulagé, au contraire. Il aurait eu du mal à lui parler avec naturel. Elle le connaissait trop bien. Elle aurait remarqué sa nervosité.

Il y avait un petit papier près du téléphone.

Salut, Ruben, si tu n'as plus besoin de moi aujourd'hui, je prends ma soirée. Appelle-moi quand tu auras le temps.
Je t'embrasse,
Judith.

Il se rendit dans son ancien atelier. Rien n'avait changé, car il n'avait emporté aucun meuble dans sa nouvelle maison. Il avait même laissé une partie de ses toiles. Pourtant, tout était différent. L'odeur de peinture s'était altérée, le désordre était devenu statique.

Ruben déplaça quelques bocaux, poussa des crayons d'un bout à l'autre de la table, feuilleta les dessins qu'il avait réunis en préparation d'un livre. Brusquement, il fut envahi par le sentiment de se trouver au mauvais endroit. Il dut se dominer pour ne pas quitter précipitamment les lieux.

Il retraversa le jardin froid et humide. Le téléphone sonna alors qu'il entrait dans le salon. C'était le rédacteur en chef d'*Art de vivre*.

— Heureux que nous ayons enfin pu convenir d'un rendez-vous. Je sais que vous êtes un homme très occupé.

Ruben se laissa tomber dans un fauteuil et se concentra sur son interview. Il fallait de temps en temps jeter un morceau de viande à la meute. Pour la caresser dans le sens du poil et s'assurer le champ nécessaire.

Il se sentait parfois aussi puissant qu'un dieu. Alors, il n'avait peur de rien. Tout au plus de lui-même.

24

Imke avait passé la journée à son bureau. En réalité, elle avait besoin de repos, mais elle n'avait pas la tête à cela. Tilo lui avait proposé de prendre quelques jours de vacances.

— Allez… On laisse l'hiver derrière nous et on part là où il fait chaud.

C'était très tentant, mais Imke ne pouvait s'y résoudre. Quelque chose la retenait.

— Tu sais ce que c'est, avait dit Tilo en la regardant, comme si c'était la chose la plus simple au monde de percer à jour quelqu'un comme elle.

Bien sûr qu'elle le savait.

— Il faudra absolument te pencher un jour sur la cause véritable de ta peur.

Brusquement, Tilo lui était apparu étranger. Comme si elle venait de le rencontrer.

— Si j'ai besoin d'un psychologue, avait-elle rétorqué, j'irai consulter.

Depuis, ils évitaient le sujet. Même Tilo, qui jugeait ce

type de comportement autodestructeur, s'était abstenu de tout commentaire.

Le nouveau roman d'Imke mettait en scène une comédienne et son fils, qui faisait de mauvaises rencontres. Elle imprima le chapitre qu'elle venait de terminer et le parcourut une nouvelle fois. C'est alors que l'évidence lui sauta aux yeux.

En réalité, elle avait écrit sur Imke Thalheim. Et sur Jette. D'autres qu'elle s'y laisseraient tromper, mais elle ne pouvait pas se raconter des histoires. Dégoûtée, elle repoussa son manuscrit. Jette avait-elle raison d'affirmer qu'elle exploitait tout ce qui l'entourait jusqu'à la moelle, pour y puiser la matière nécessaire à ses livres ?

Elle acheva son travail, enfila une veste épaisse et alla se promener dans le jardin. Les perce-neige se détachaient en touffes blanches sur l'herbe sombre. Imke fut incapable de s'en réjouir. Ce dangereux hiver était encore loin d'être fini.

*
* *

Hartmut Schatzer avait manifestement découvert Ruben Helmbach et il n'en était pas peu fier.

— C'est ici, dans ma galerie, que tout a commencé. Et cet homme ira loin. Retenez bien ce que je vous dis.

Il aimait s'écouter parler. Au bout d'une heure environ, Mike l'interrompit.

— Cette jeune femme qu'il peint encore et encore, savez-vous qui c'est ?

— Elle est tout, expliqua Schatzer avec un geste théâtral. Ou rien.

— Ce qui veut dire ?

Cette fois, Mike n'était pas disposé à se laisser endormir avec des paroles creuses.

— Qu'il réunit en elle toutes les jeunes femmes du monde. Et qu'il réinvente chaque fois, à travers elle, le seul amour véritable.

— Réinventer ? Cet amour pourrait exister dans la réalité, non ?

Schatzer secoua vigoureusement la tête.

— Ruben Helmbach vit exclusivement pour son art. C'est précisément la raison pour laquelle il a l'étoffe d'un très, très grand artiste. Il a ses affaires, c'est tout. S'il y avait quelqu'un dans sa vie, je le saurais.

— Et si elle avait existé dans le passé ? S'il l'avait perdue et qu'il cherchait à l'évoquer sans cesse dans ses tableaux ?

— Tout est possible. En théorie, fit Schatzer en se grattant pensivement le menton. Mais je ne le tiens pas pour vraisemblable. Je suis son mentor. Je le connais par cœur. Je ne peux pas m'imaginer qu'il ait pu me cacher une telle... obsession.

Mike se demanda si les autres galeristes de sa liste n'avanceraient pas le même argument. Combien étaient persuadés d'être le mentor de Ruben Helmbach, ainsi que son meilleur ami ?

Toutes les jeunes femmes en une. L'amour véritable. Mais pourquoi lui donner les traits d'Ilka ? Cela n'avait aucun sens.

Hartmut Schatzer s'était remis à parler. Mike n'écoutait plus que d'une oreille. Au fond, la ressemblance n'était pas si frappante... Jette l'avait démesurément influencé. Il aurait souhaité qu'elle soit à ses côtés. Il n'aurait pas dû faire cavalier seul dans cette entreprise.

*
* *

Je me garai à vingt mètres de la maison. C'était une rue latérale calme, sans commerces. Aucun passant, pas la moindre voiture.

La maison, qui datait un peu mais restait moderne, n'était pas mon genre. J'imaginais sans peine le style des habitants du quartier. Des férus de culture. Il suffisait de voir les jardins, avec leurs pots en terre cuite et leurs sculptures en pierre.

Avant d'entreprendre quoi que ce soit, je mis sens dessus dessous la boîte à gants de l'Audi. Ma mère avait toujours eu un besoin de sécurité excessif. Elle avait dû cacher un billet quelque part pour ne pas rester en rade.

Des factures d'essence, une petite lampe de poche, un calepin, un stylo-bille, une barre de muesli, un paquet de mouchoirs en papier, un rouge à lèvres et trois euros… Rien d'autre.

Je refermai la boîte à gants, déçue. Me serais-je trompée sur ma mère ? Ce n'était peut-être pas avec elle que j'avais des problèmes, mais avec mes préjugés…

Ma montre indiquait dix-sept heures trente. La nuit tombait déjà. Pourtant, j'avais la désagréable sensation d'être exposée à tous les regards. Je baissai le pare-soleil, au cas où Ruben Helmbach jetterait un coup d'œil par la fenêtre, et c'est là que je découvris le billet de cinquante euros. Coincé derrière le miroir de courtoisie.

Mon humeur s'améliora aussitôt. Je n'étais plus coupée

de tout. Je pouvais prendre de l'essence, téléphoner, m'acheter à manger. Je retrouvai aussi mon esprit d'entreprise. J'attendrais qu'il fasse totalement sombre, et j'irais observer cette maison de plus près.

*
* *

Ils s'étaient décidés pour un restaurant grec. Bert savourait la nourriture, l'atmosphère et la présence de ses amis. Ils avaient le même âge que Margot et lui, et s'étaient mariés la même année. Depuis, ils avaient fait l'expérience de deux aventures pour lui, une longue liaison pour elle, et une thérapie de couple qu'ils suivaient toujours. Bert appréciait particulièrement leur ouverture d'esprit. Et leur capacité à dépasser leurs problèmes. À les regarder manger, parler, rire et écouter, ils lui apparaissaient étonnamment vivants, plus vivants que la plupart des gens qu'il connaissait.

Détendue et de bonne humeur, Margot s'était soigneusement préparée. Elle avait embelli et rajeuni. De temps en temps, elle se penchait vers lui, pressait sa main, lui souriait. Pourquoi n'était-ce pas ainsi tous les jours ?

Bert espérait que cette soirée ne serait pas perturbée par un appel. Ce soir, il ne voulait pas entendre parler de crimes. Ce soir, il voulait juste être Bert.

*
* *

Ilka frissonnait de fièvre. Ses dents claquaient. Toujours vêtue du pantalon en laine et du pull épais, elle s'était enroulée étroitement dans la couverture. Quand cesserait-elle d'avoir froid à ce point ?

Elle se sentait faible, ses jambes la portaient à peine. Chaque trajet jusqu'aux toilettes était une épreuve. Elle aurait donné n'importe quoi pour boire un bouillon de légumes. Son estomac criait famine.

Où était Ruben ? Pourquoi ne lui apportait-il pas à manger ?

Son imagination lui adressait des images affreuses. Ruben inconscient dans un fossé… Ruben dans le coma… Ou mort. Elle se recroquevilla dans le lit, redoutant le sommeil et ses cauchemars.

Ce n'était pas la pensée qu'il puisse être arrivé quelque chose à Ruben qui la remplissait de terreur, mais la certitude d'être perdue sans lui, dans cette cave.

*
* *

Après la seconde interview, Ruben rassembla ses affaires et laissa à Judith un court message, qu'elle trouverait le lendemain. Son agitation grandissait de minute en minute. Une seule pensée occupait son esprit : Ilka.

Comment avait-il pu la laisser ainsi ? Sans nourriture. Sans un mot. On ne traitait pas un chien de la sorte. Il se dégoûtait.

Mais avant de partir, il devait aller chercher dans l'atelier les dessins destinés à son projet de livre. Il les avait promis à l'éditeur et il avait l'intention d'y travailler encore un peu.

En traversant le jardin, il lui sembla remarquer un mouvement près de la haie. Il s'arrêta net et ses yeux fouillèrent l'obscurité. Rien. Il secoua la tête. Mais qu'est-ce qu'il lui prenait ? Il commençait à dérailler.

*
* *

Mon cœur battait à tout rompre. Un peu plus, et il me repérait. Je m'étais baissée juste à temps. Et maintenant ? Que faire ? M'introduire dans la maison ? Fouiller les pièces une à une ? En espérant quoi… Trouver Ilka ? N'était-ce pas un peu trop facile ? Et si je faisais fausse route depuis le début…

Une Mercedes grise. Classe S. Vitres teintées. Des jantes de folie.

Non. Ce genre de coïncidence ne devait rien au hasard.

Je pouvais aborder Ruben Helmbach en me faisant passer pour une admiratrice. Me montrer insistante. Ne pas me laisser éconduire. Mais où cela me mènerait-il ? Dans le meilleur des cas, il m'offrirait un verre de jus d'orange et m'enverrait gentiment balader après deux ou trois compliments. Dans le pire des cas, il appellerait la police et me ferait raccompagner.

Tremblante de froid, je longeai le mur de la propriété voisine, cachée derrière la haie de thuyas, en espérant ardemment que personne ne me voie. J'avais de la chance, elle était plongée dans l'obscurité.

Alors que je me demandais quelle décision prendre au juste, j'entendis un bruit. Je jetai un coup d'œil à travers la haie et je sursautai. Ruben Helmbach, à cinq mètres de moi tout au plus, regardait droit dans ma direction. Mais ce n'était peut-être qu'une impression. Il portait un dossier sous le bras.

Merde ! Qu'est-ce qu'il m'avait pris de m'aventurer aussi loin ? Je reculai prudemment.

Sous mon pied gauche, une branche craqua.

Je m'immobilisai. Retins mon souffle. Et je fermai les yeux. Comme quand j'étais enfant et que ma cachette n'était plus sûre.

— Qu'est-ce que...

Il m'attrapa brutalement par l'épaule. J'ouvris les yeux et fixai son visage.

*
* *

Assis dans le train, Mike rentrait chez lui, ruminant colère et déception. Hartmut Schatzer avait palabré sur Dieu et le monde, raconté des anecdotes, comme si dix caméras étaient braquées sur lui. Mais il n'avait pas révélé l'ombre d'une information valable.

Mike voyait son reflet dans la vitre. Le paysage surgissait de l'obscurité pour disparaître tout aussi rapidement. Brusquement, il fut envahi par la tristesse en pensant à Ilka. Un sentiment si douloureux qu'il en eut le souffle coupé.

Alors, il releva courageusement la tête pour affronter cette tristesse. Tant qu'il resterait une lueur d'espoir, il ne se laisserait pas décourager.

*
* *

Ilka était accroupie sur le lit. Elle avait terriblement peur de s'endormir pour toujours. Une petite voix au plus profond d'elle-même lui disait bien que c'était absurde, mais la peur couvrait cette voix. Elle drapa la couverture autour d'elle comme une tente. Remonta les jambes et les entoura de ses bras. Posa la tête sur ses genoux. *Et maintenant, pense à quelque chose de beau*, s'ordonna-t-elle.

Mike.

Ses yeux se remplirent de larmes. Fallait-il qu'elle vive un tel drame pour comprendre à quel point il était important ?

— Si je dois un jour sortir d'ici, murmura-t-elle, alors…

Le reste de sa phrase s'acheva sur un sanglot. Elle tira la couverture sur sa tête.

*
* *

— Pourquoi tu m'observais ?

Il m'avait poussée dans la maison, avant de claquer la porte donnant sur la terrasse. Il m'avait fait asseoir dans un fauteuil et se dressait devant moi. S'il voulait m'impressionner, c'était réussi.

— J'aime… tes tableaux, bégayai-je.

— Ton sac, ordonna-t-il en avançant la main.

Je le lui tendis. Pendant qu'il examinait son contenu, je l'observai. En d'autres circonstances, je l'aurais peut-être trouvé sympathique. Et peut-être pas. La colère que je décelais dans ses yeux semblait imprévisible.

Il sortit les clés de l'Audi et ma carte d'identité.

— Bröhl, lut-il à voix haute. Qu'est-ce que tu me veux ?

Ça n'avait aucun sens de réclamer un autographe. Il

savait maintenant que j'habitais à Bröhl. Le lien avec Ilka était évident. Autant dire la vérité.

— Je suis à la recherche de mon amie.

— Où est ta voiture ?

Je lui indiquai où je m'étais garée. J'avais terriblement froid, tout à coup.

*
* *

Jette n'était pas à la maison. Elle n'avait laissé aucun message et ne l'avait pas appelé. Mike ne comprenait pas pourquoi. Il jeta un coup d'œil dans sa chambre. Son portable était encore branché à la prise. Elle devait l'avoir oublié.

Merle ne rentrerait que tard dans la nuit de sa réunion. Si elle rentrait… Il lui arrivait de dormir chez Claudio. Ces derniers temps, les choses allaient vraiment bien entre eux.

Il entra dans sa chambre et s'arrêta devant la fresque qu'Ilka avait peinte pour lui. Une maison de campagne et un champ de tournesols. Ilka avait matérialisé son rêve d'un avenir avec elle. Nourrissait-elle le même rêve ? Il ne lui avait pas posé la question.

Il glissa un CD dans le lecteur et s'allongea sur son lit, son portable à portée de main. Il voulait se reposer un peu, mais il ne fallait pas qu'il s'endorme. Il allait attendre le retour de Jette. Il y avait beaucoup de choses dont ils devaient discuter.

*
* *

La fille était assise au volant. De cette façon, il pouvait mieux la surveiller. Elle n'avait pas fait d'histoires en se rendant à sa voiture, elle était montée sans résister et conduisait de manière très acceptable. Il reprenait peu à peu le contrôle de la situation.

Il avait pris un coup dans l'estomac en la découvrant derrière la haie. Il avait dû réfléchir à toute vitesse, réagir à toute vitesse. Il n'avait vu que cette possibilité : l'emmener avec lui. Toute autre décision aurait été de la folie. Même si ce qu'il faisait en ce moment n'était pas loin de la folie.

Auparavant, il l'avait enfermée dans la salle de bains, avait casé ses affaires dans le coffre, rentré son Audi dans le garage et refermé le portail. Attendant calmement son retour, elle lui avait posé une seule question :

— Tu m'emmènes voir Ilka ?

Il n'avait pas répondu. Il voulait éviter de lui parler. S'il la connaissait plus personnellement, elle exercerait un certain pouvoir sur lui. Il ne voulait pas la comprendre, ni avoir pitié d'elle. En fait, il voulait juste s'en débarrasser. Simplement, il ne savait pas comment.

*
* *

Ilka se leva lentement. Se dirigea lentement vers l'armoire pour choisir ce qu'elle allait mettre. Alla lentement dans la salle de bains et fit couler de l'eau dans la baignoire.

Chaque pas la faisait souffrir. Elle avait la gorge qui brûlait.

Elle se traîna jusqu'au lit et souleva le matelas à grand-peine. Puis, la paire de ciseaux en main, elle fit le tour de l'appartement en regardant autour d'elle. Il y avait des barreaux à toutes les fenêtres. Même si elle parvenait à forcer les volets roulants, elle se retrouverait face à un nouveau problème, insoluble.

Elle tomba en arrêt devant la porte d'entrée. Sa seule chance. Elle se mit au travail. Mais les ciseaux étaient trop gros pour la serrure, d'une grande finesse. Elle tenta d'introduire une des lames entre la porte et le chambranle. Mais elle ne réussit qu'à érafler la surface. Il fallait sans doute de la dynamite pour s'attaquer à une porte en acier.

À quoi d'autre pouvait bien servir la paire de ciseaux ? Ilka la remit sous le matelas. Épuisée, elle retourna en chancelant dans la salle de bains, se déshabilla et se laissa glisser dans l'eau chaude.

Et se noyer ?

Était-ce une mort douloureuse ?

*
* *

Mike décida d'aller courir. Il y avait si longtemps qu'il n'avait plus fait de jogging qu'il doutait de tenir plus d'un quart d'heure. Puis il se rendit compte du bien que cela faisait à son corps.

Il courait dans les rues désertes. Une lueur bleuâtre vacillait derrière la plupart des fenêtres. Assis devant leur téléviseur, les gens regardaient un film ou un divertissement à la noix. Comme si la vie n'était pas sens dessus dessous depuis la disparition d'Ilka.

Mike courait, encore et encore. Sentait la sueur couler sur son corps. Le moindre de ses muscles. Il aurait voulu

354

continuer à courir sans fin. Jusqu'au bout du monde. À quoi bon rester, quand Ilka n'était pas près de lui ?

*
* *

Il parlait à peine. Il ne m'avait pas davantage révélé où nous allions. Il m'ordonna seulement de changer d'auto-route à deux reprises.

Il était minuit passé. Il n'y avait plus grand monde sur les routes. Je me demandais ce que Ruben prévoyait de faire de moi. J'étais un poids pour lui. Allait-il s'en débarrasser à la première occasion ?

Il ne me permettait pas de ralentir l'allure. Vraisemblablement pour éviter que j'agisse sur un coup de tête. Dès que le compteur indiquait moins de 140 kilomètres à l'heure, il exigeait que je roule plus vite.

Parfaitement réveillée et concentrée, je passais les moindres possibilités en revue. Il gardait Ilka prisonnière, c'était maintenant évident. M'emmenait-il vraiment là-bas ? Allait-il me séquestrer avec elle ?

Tu es un poids pour lui, résonnait une petite voix dans ma tête. *Un poids. Un poids.*

Mais pourquoi me faire rouler pendant des heures, s'il finissait par m'assassiner quelque part ? Pour brouiller les pistes ?

Peut-être n'allions-nous pas voir Ilka. Peut-être n'était-elle plus en vie depuis longtemps. J'accélérai.

— Pas si vite, dit-il.

Sa voix me fit peur.

25

Ruben la força à descendre côté passager en la tenant par le bras. On ne savait jamais. Tout le long du trajet, il s'était demandé ce qu'il allait faire d'elle. L'emmener avec lui était un moindre mal et lui permettait de gagner du temps. Il devait avoir les idées claires pour mettre un plan sur pied.

Il ouvrit la porte de la maison, poussa la fille à l'intérieur sans la lâcher et referma la porte derrière lui. Il devait l'enfermer dans la cave. Il n'avait pas d'autre choix.

La lumière était allumée dans chaque pièce. Toutes les portes étaient ouvertes.

La baignoire était remplie d'eau. Ruben eut l'impression que son cœur s'arrêtait de battre. En ne trouvant pas Ilka dans la baignoire, il sentit ses jambes se dérober sous lui, de soulagement.

Un seul moment de faiblesse, et la fille lui avait faussé compagnie. Elle courut dans le couloir, repéra rapidement les lieux puis resta figée devant la chambre, les yeux écarquillés.

En trois pas, Ruben fut près d'elle. Mais au lieu de la maîtriser, il resta lui aussi figé. Ilka était debout dans l'encadrement. Toute de noir vêtue. Et ses cheveux... ses cheveux...

Son visage était blanc comme la craie. Elle avait des cernes sombres sous les yeux. Et ses cheveux...

Quelque part, dans cette jeune femme, se cachait celle qu'il aimait. Mais il ne la retrouvait pas.

Il leva le bras et frappa.

*
* *

Ilka ne chercha pas à se protéger. Ne cria pas. Elle tomba à terre, sans un bruit.

J'essayai d'immobiliser Ruben Helmbach avec mes deux bras.

Il se dégagea, se passa la main dans les cheveux et marcha à reculons jusqu'à la porte. Sans quitter un instant Ilka des yeux. Sur son visage, une expression de dégoût.

La porte claqua. Nous étions seules.

Je me penchai et touchai doucement le front d'Ilka. Il était brûlant.

— Jette..., murmura-t-elle. Tu n'aurais pas dû venir.

— Je pouvais difficilement te laisser seule, dis-je à voix basse.

Je tentai de sourire mais échouai lamentablement. Puis je l'aidai à se relever avec précaution et la soutins jusqu'au lit.

Elle secoua la tête, angoissée.

— Je ne veux pas dormir.

— Rien ne t'y oblige. Allonge-toi juste un peu.

Sa lèvre inférieure avait éclaté et saignait. Je voulais aller chercher un gant ou une serviette dans la salle de bains, mais elle me retint, les yeux remplis de panique.

— Ne me laisse pas seule, Jette !

Je la couvris, m'agenouillai et lui caressai la joue. Son visage me semblait nu sans ses magnifiques cheveux longs.

— Qu'est-ce qu'il t'a fait, Ilka ?

— C'est... mon frère.

Elle avait du mal à respirer, le souffle bruyant.

— Je sais.

— Avant... on était... Tous les deux, on a...

N'était-ce pas ce que je pressentais confusément en voyant les tableaux de Ruben Helmbach ? Voilà la seule explication sensée au fait qu'il donne à chaque jeune femme le visage d'Ilka. C'était monstrueux.

— Et c'est pour ça qu'il te hait, maintenant ?

Elle secoua prudemment la tête.

— Il vient seulement de comprendre qu'il m'a définitivement perdue.

C'était tout aussi terrible.

— On doit sortir d'ici, déclarai-je en regardant autour de moi.

— Aucune chance ! répondit Ilka qui tâta sa lèvre en grimaçant. Il y a des barreaux aux fenêtres, la porte d'entrée est en acier et le seul outil qu'on ait, c'est une paire de ciseaux.

— Ça peut aussi servir d'arme. Tu les as cachés où ?

— Sous le matelas...

Elle luttait courageusement contre le sommeil. Ses yeux se fermaient malgré elle.

— ... Mais Ruben sait qu'on les a, maintenant. Ils ne nous sont plus d'aucune utilité.

Lentement, sa tête bascula sur le côté.

— Ilka ! Ne t'endors pas ! Il faut qu'on réfléchisse à la façon de sortir d'ici.

Je la secouai doucement par l'épaule. Elle se remit péniblement d'aplomb, s'assit et s'adossa au mur.

— C'est une véritable prison, Jette. L'appartement est insonorisé, les fenêtres en verre de sécurité. Il a pensé à tout.

— Sauf qu'on serait deux. Ce n'était pas prévu dans son plan. Et c'est une chance. On doit l'attaquer par surprise.

Elle me regarda. Ses yeux brillaient de fièvre.

— Tu as quelque chose à manger ?

— Juste quelques Fisherman's Friend.

Je sortis le paquet écrasé de la poche de mon pantalon et le lui tendis. Elle mit une pastille dans sa bouche et commença à la sucer presque religieusement.

— Comment va Mike ?

Elle attendait ma réponse avec anxiété.

— Il se fait énormément de souci pour toi.

— Est-ce qu'il a cru que je m'étais…

Je secouai la tête.

— Il n'a pas douté un seul instant qu'on t'ait enlevée.

Un sourire s'installa sur son visage. Elle agrippa ses cheveux.

— Il s'habituera, la rassurai-je.

Ses yeux se révulsaient de fatigue. Je ne pouvais pas la garder éveillée plus longtemps. Je ne savais pas ce qui nous attendait, mais elle aurait besoin de forces.

*
* *

Debout dans son atelier, Ruben observait les toiles tout autour de lui. Elles ne voulaient plus rien dire. La jeune femme qu'il n'avait cessé de peindre était morte.

Le tableau sur lequel Ilka portait la robe rouge... Du passé. Venait-il vraiment de le peindre ? Et là... Les dessins. Les épaules blanches d'Ilka. Son visage pâle et étroit. Et ses cheveux. Ses merveilleux cheveux longs. Fini ! Des barbouillages sans valeur.

Ruben s'empara d'un couteau et lacéra le visage d'Ilka. La peinture s'émiettait sur le sol. Puis il fendit la robe rouge, de l'encolure jusqu'à l'ourlet. Taillada le corps d'Ilka. La vue de ses pieds blancs lui fit presque perdre la raison.

Il détruisit un tableau après l'autre. Monta sur les lambeaux de toile et les cadres brisés. Dérapa et tomba. Se releva. La sueur lui coulait dans les yeux. Brûlante comme le feu.

Tout en laissant sa rage s'exprimer, il se regardait faire, comme détaché de lui-même. Quelque part dans sa tête, il gardait les idées claires. Et froides. Ne laissait pas cette fureur l'épuiser. Quelque chose lui disait qu'il aurait encore besoin de cette colère.

*
* *

J'avais à peine fermé l'œil. Allongée à côté d'Ilka, j'avais veillé sur son sommeil. Elle avait beaucoup remué, se réveillant en sursaut, en proie à la panique. Chaque fois, elle s'était rappelé qu'elle n'était plus seule. Chaque fois, elle avait poussé un soupir de soulagement.

J'avais piqué du nez, mais jamais pour très longtemps.

Je n'osais pas céder à la fatigue. Ruben n'attendait peut-être que ça. Dans ces conditions, il aurait beau jeu avec nous. L'une malade et affaiblie, l'autre engourdie de sommeil... Je ne comptais pas lui rendre la tâche aussi facile.

Je gambergeais. Réfléchir m'aidait à rester éveillée. À l'aube, parvenue à une décision, je réveillai Ilka.

Elle n'allait pas mieux, au contraire. Ruben l'avait drôlement arrangée. Sa lèvre inférieure était enflée et elle avait une croûte de sang séché sur le sourcil gauche. Ses yeux étaient profondément enfoncés dans leur orbite, ses cheveux trempés de sueur aux tempes.

— Salut..., dit-elle en me souriant.

Sa voix était si enrouée que j'eus du mal à la comprendre.

Je lui apportai un thé, l'aidai à se redresser et gardai la tasse pendant qu'elle buvait, tant ses mains tremblaient.

— Il faut qu'on parle. Personne ne sait qu'on est ici. On ne peut compter que sur nous-mêmes.

— D'accord...

Sa voix n'était plus qu'un croassement. Elle pouvait à peine tenir assise.

*
* *

Mike avait réglé son réveil sur six heures. Ils n'avaient plus de temps à perdre. Ilka était entre les mains de son ravisseur depuis quatre longs jours.

Le lit de Jette n'était pas défait. Celui de Merle non plus.

Il se doucha et essaya de petit-déjeuner, mais il avait la gorge nouée. Jette avait oublié son portable. Cela lui arri-

vait souvent après l'avoir rechargé. Mais il y avait des téléphones partout. Pourquoi ne donnait-elle pas de ses nouvelles ?

Après sa seconde tasse de café, il fut persuadé qu'il lui
était arrivé quelque chose. Il composa le numéro de Merle.

— Allô ?

Elle avait la voix encore endormie mais fut tout ouïe
lorsqu'il lui expliqua la raison de son appel.

— Je suis là dans dix minutes.

En réalité, il ne lui fallut même pas huit minutes. Elle
monta l'escalier en courant et descendit d'un trait
l'espresso qu'il lui avait préparé.

— Bon. Maintenant, mes petites cellules grises sont en
état de marche. Annonce la couleur !

Mike lui raconta son entrevue à Glogau.

— Et aucun appel, aucune nouvelle, rien. Ça ne lui
ressemble pas, conclut-il.

Merle secoua la tête.

— Absolument pas.

— Son auto n'est pas là, reprit Mike. Je suis parti courir
hier soir et je ne l'ai aperçue nulle part.

Merle le regarda, alarmée.

— Tu crois qu'elle aurait décidé de faire cavalier seul ?

— Merde ! lâcha Mike en tapant du poing contre le
mur. Ça ne suffisait pas qu'Ilka ait disparu ?

*
* *

Bert avait accroché son manteau dans l'armoire et pris
un premier café. À présent, assis à son bureau, il étudiait
le dossier Ilka Helmbach.

La publication de sa photo avait, comme attendu, déclenché un flot de réactions. Un médium des Pays-Bas affirmait avoir vu Ilka dans l'au-delà. Un retraité de Niederstett prétendait qu'elle avait volé son vélo. Une serveuse de Reichenbad avait reconnu en elle une nièce portée disparue depuis longtemps. Il avait fallu un moment pour faire le tri et ne garder que les renseignements crédibles.

Bert fit une nouvelle fois le point. Il avait désormais une image assez précise de la jeune femme. Ce n'était pas le genre à se suicider. Il fallait aussi exclure l'accident. Dans les deux cas, on aurait retrouvé son corps, depuis le temps.

Il ne l'imaginait pas non plus errant, déphasée. Dans cet état, quelqu'un l'aurait remarquée. Les gens paumés ne pouvaient jamais se cacher bien longtemps.

Il jugeait également improbable qu'Ilka ait brusquement disparu pour commencer une nouvelle vie, ou simplement faire la bringue. Elle lui donnait l'impression d'être une jeune femme pleine d'assurance, aux idées claires.

Restaient deux possibilités : elle pouvait avoir été assassinée, ou enlevée. Le fait qu'on n'ait pas retrouvé son cadavre ne signifiait pas nécessairement qu'elle n'avait pas été victime d'un meurtre. Quant à la thèse de l'enlèvement, elle était défendue en premier lieu par la conviction inébranlable de ses amis.

Au cours de ses enquêtes, Bert prenait très au sérieux les peurs et les craintes de l'entourage. Elles lui indiquaient souvent la voie à suivre. Mike, Jette et Merle étaient des intimes. Ils connaissaient Ilka et savaient comment elle réagissait, selon les situations.

Il y avait la voiture inconnue, garée dans la rue où habitait Ilka. On l'avait aperçue deux fois au moins, que ce soit cette voisine ou Leo, le cousin d'Ilka.

Et puis, la revue que les jeunes lui avaient apportée. Impossible de repousser les remarques de Jette. La teneur de l'article allait dans son sens. Ruben Helmbach peignait sans cesse la même femme. Une femme qui l'obsédait, et qui ressemblait beaucoup à Ilka.

Bert se renversa dans son fauteuil et regarda par la fenêtre, sans voir quoi que ce soit. Pourquoi diable Ruben donnait-il à son grand amour le visage de sa sœur ?

Qu'il tente de représenter dans ses tableaux l'archétype de la féminité, quelqu'un qui avait la fibre artistique, comme Margot, pouvait le comprendre. Bert feuilleta son carnet. Comment Ruben Helmbach l'avait-il appelée ? *La jeune femme par excellence. La somme de toutes les jeunes femmes en une.* Un argument qui avait des accents de vérité, mais était-il sincère ?

Quand bien même cela serait exact, restait à savoir pourquoi il donnait à cette jeune femme les traits de sa sœur. Une sœur avec qui il n'avait plus aucun contact depuis des années.

Bert allait et venait dans son bureau, tel un ours en cage. Il avait laissé repartir Ruben Helmbach trop vite. Pour quelle raison ? Avait-il été aveuglé par son art, son succès ?

Il retourna à son bureau, déterminé. Il appellerait d'abord Jette, comme prévu. Ensuite, il s'occuperait à nouveau de Ruben Helmbach.

*
* *

Imke se mit tôt au travail, ce matin-là. Elle avait mal dormi et abandonné vers cinq heures tout espoir de retrouver le sommeil. Quand elle restait éveillée au lit, ses pensées dansaient dans sa tête une ronde incessante. Alors, elle avait besoin de la chaleur du corps de Tilo, ou il lui fallait se lever pour ne pas devenir folle.

Lorsque le téléphone sonna, au beau milieu d'une scène importante de son roman, elle décrocha à regret.

— C'est moi, Merle.

Le cœur d'Imke se mit à battre plus vite.

— Bonjour, Merle.

— Comment allez-vous ?

Toutes les alarmes se mirent à retentir dans la tête d'Imke.

— Qu'est-ce qui se passe, Merle ?

— Je... je voulais juste vous demander si Jette est chez vous.

Imke reçut cette phrase de plein fouet. Son estomac n'était plus qu'une boule de douleur.

— Tu veux dire que vous ne savez pas où elle est ?

Imke entendait la respiration de Merle, à l'autre bout du fil. Pourquoi ne répondait-elle pas ?

— Elle est venue hier m'emprunter ma voiture. Elle ne m'a pas dit pourquoi elle en avait besoin. Oh, mon Dieu ! Est-ce que Jette a des problèmes ?

— Elle n'est pas rentrée à la maison hier soir.

Cela ne voulait rien dire. Jette était adulte. Elle avait très bien pu... Imke interrompit brutalement le cours de ses pensées. Non. Ce n'était pas du tout dans les habitudes de sa fille de découcher sans prévenir. Encore moins depuis la mort de Caro.

— On appelle le commissaire, annonça Merle. Je vous tiens au courant.

Imke éteignit son ordinateur et regarda fixement l'écran noir. Jette. Le commissaire.

Tout recommençait.

Ruben ouvrit prudemment la porte. Elles avaient une paire de ciseaux. Il devait rester sur ses gardes.

Elles étaient assises dans la cuisine. Ilka arrivait à peine à se tenir droite. Elle s'appuyait des deux mains à la table. Sa lèvre était enflée et elle avait une plaie au sourcil gauche.

Cela ne lui fit pas de peine. Il avait le droit de la punir.

Il regarda ses cheveux, dégoûté. Elle s'était enlaidie pour lui faire du mal. Et elle y était parvenue. Autant lui planter un couteau en plein cœur.

— Les ciseaux, fit-il en tendant la main.

La fille se leva, alla chercher la paire de ciseaux dans la chambre et la lui remit.

— Ilka a besoin de médicaments. Elle a beaucoup de fièvre. Et il faut qu'elle mange.

Ruben alla tâter le front d'Ilka. Ce simple contact déclencha un sentiment de tendresse face auquel il était impuissant. Même la vue de son crâne ravagé ne lui était d'aucun secours.

Il entendit un léger bruit et perçut un mouvement derrière lui. Au même instant, il sentit le coup et tomba au sol.

*
* *

— Jette a disparu.

La voix de Mike était essoufflée. Et étonnée. Comme s'il avait du mal à croire ses propres mots.

— Qu'entendez-vous par là ?

Mais Bert connaissait la réponse. Il aurait pu se gifler.
Ce n'était pas le genre de Jette d'ignorer un rendez-vous.
La veille déjà, il aurait dû se douter qu'elle était dans le
pétrin.

Mike lui révéla ce qu'il savait. Bert écouta sans l'interrompre.

— Et elle n'a pas fait la moindre allusion à ses projets ?

— Je suppose qu'elle a emprunté la voiture de sa mère
pour aller à Togstadt, répondit Mike sur un ton penaud.

— À Togstadt ? Nom de Dieu !

— On a le sentiment que la disparition d'Ilka a un
rapport avec un secret de famille.

— Un secret de famille ? De quoi parlez-vous ?

— Il doit s'être passé quelque chose entre Ilka et son
frère. On ne rompt pas les ponts à la légère. Ilka ne le
ferait pas, en tout cas. Et quand on vient de perdre son
père et sa mère... est-ce qu'on ne tient pas encore plus à
son frère ?

Il avait touché un point sensible. Précisément celui sur
lequel Bert aurait dû insister, lors de son entretien avec
Ruben Helmbach.

— Et c'est ce dont Jette voulait parler avec le frère
d'Ilka ?

— Probablement. Nous ne le savons pas nous-mêmes.

— Écoutez-moi bien, maintenant, Mike. Vous n'inter-
venez plus, Merle et vous. Vous m'avez bien compris ?

— Oui, mais...

— Il n'y a pas de mais ! Fini de marcher sur mes plates-bandes ! C'est clair ?

— Oui.

— Restez près du téléphone, poursuivit Bert dont le ton s'était radouci. J'aurai peut-être d'autres questions.

Mike le promit. Bert espérait que les deux jeunes respecteraient leur engagement.

*
* *

Ilka m'avait passé le bras autour du cou. Je devais presque la porter. L'escalier montant de la cave ne comptait que dix marches, mais il semblait infranchissable.

— Ilka ! Allez ! Tu vas y arriver !

Sa respiration se faisait lourde. Pourvu qu'elle n'ait pas de pneumonie… J'avais lu que le surmenage pouvait entraîner des complications.

La porte d'entrée… Où menait-elle ?

Ilka m'avait raconté que la maison était très isolée. À quelle distance pouvait bien se trouver la prochaine habitation ? Ilka tiendrait-elle le coup jusque-là ?

Nous n'aurions pas l'occasion de le découvrir… La porte était verrouillée. Et nous entendions déjà les pas de Ruben. Il n'avait pas les clés en main et je n'avais pas pu me résoudre à le fouiller. Je regardai autour de moi à la hâte. Où nous cacher ?

— La cuisine, haleta Ilka en m'indiquant la deuxième porte.

Elle se mit à marcher aussi vite qu'elle put. Elle se précipita à l'intérieur, je la suivis, claquai le battant et tournai la clé dans la serrure.

Juste à temps. Ruben secouait déjà la poignée. Ilka recula en tremblant. Je m'emparai d'une chaise et coinçai le haut du dossier sous la poignée. Puis j'examinai attentivement la pièce. Il n'y avait pas d'autre entrée et la porte de la terrasse était fermée. Nous étions en sécurité. Pour le moment.

*
* *

Imke ne tenait pas en place au Moulin. Elle avait attrapé son sac et laissé un message à Tilo sur la table de la cuisine, avant de monter dans la voiture de Jette pour se rendre à Bröhl. La Renault grinçait, le chauffage ne fonctionnait pas et le pare-brise, abîmé par un impact, menaçait de se briser à tout instant.

Imke se promit d'offrir une nouvelle auto à Jette. Contre sa volonté, s'il le fallait. Pouvait-on réellement tenir à un tel tas de ferraille ?

Il y avait des affaires partout. Une écharpe, un livre, de vieilles lunettes de soleil, un paquet de Fisherman's Friend, un baume pour les lèvres, un papier de bonbon, des mouchoirs en papier usagés. Cette voiture était une vraie poubelle sur roues. Une couche de poussière grise recouvrait les sièges.

Et pourtant… Imke étouffa un sanglot. La présence de sa fille était si forte ! C'était difficilement supportable.

Lorsque Mike lui ouvrit la porte, elle tomba dans ses bras. Alors qu'elle s'était juré de ne pas perdre contenance.

— Je voudrais attendre avec vous. Chez moi, je deviens folle.

26

Elles s'étaient retranchées dans la cuisine. Mais il les en délogerait. Elles n'avaient aucune chance. C'était vraiment stupide de leur part de le provoquer.

Ruben n'en attendait pas moins de cette fille. Mais cela le bouleversait qu'Ilka ait changé de camp aussi facilement. En réalité, elle l'avait fait depuis longtemps. Il ne le comprenait que maintenant.

Son rêve venait de se briser. Toutes ces années de préparation, d'espoir et d'attente – en vain.

C'était la faute de tante Marei. Parce qu'elle avait monté Ilka contre lui. C'était la faute de la psychothérapeute. Parce qu'elle avait sans aucun doute renforcé les craintes d'Ilka selon lesquelles leur amour était un péché. Et c'était la faute de ce Mike. De lui surtout. Parce qu'il avait tourné la tête à Ilka.

Ruben alla chercher des outils dans l'appentis. Il allait d'abord défoncer la porte de la cuisine et punir Ilka et la fille. Ensuite, il partirait et se vengerait de ceux qui lui avaient pris Ilka.

Debout près de la fenêtre, je le vis traverser le jardin. Il fallait qu'on sorte d'ici. J'ouvris doucement la porte de la cuisine.

La porte d'entrée était ouverte, mais cela n'avait aucun sens de nous ruer à l'extérieur. Ilka était trop faible. Elle ne pourrait pas courir assez vite, et elle était brûlante de fièvre. Sans veste, elle allait attraper la crève. Les arbres et les buissons étaient encore nus. Nous ne pouvions nous cacher nulle part. Il ne restait que la maison. Ruben nous chercherait d'abord dehors.

Et après ? Je ne voulais pas y penser pour le moment.

— On va où ? demandai-je à Ilka.

— En haut.

Sa voix n'était plus qu'un murmure. Il fallait d'urgence qu'elle voie un médecin. Et qu'elle dorme.

Je soutins Ilka du côté gauche, tandis qu'elle s'agrippait de la main droite à la rampe. Elle haletait et suffoquait, mais elle parvint à se hisser, marche après marche.

Nous étions enfin arrivées tout en haut. J'ouvris la porte.

— Son atelier, annonça Ilka.

Elles se retrouvèrent face à un vrai chaos. Toutes les toiles traînaient sur le sol, en pièces. De la peinture avait jailli de tubes écrasés. Les murs étaient barbouillés de couleurs. Et partout, l'odeur forte de la térébenthine.

Ilka, la main plaquée contre la bouche, tremblait de tout son corps.

Ruben ne s'était pas contenté de détruire ses tableaux. Ce qu'il avait fait était bien plus atroce. Il avait lacéré son visage, crevé ses yeux, déchiqueté sa bouche.

Que lui ferait-il lorsqu'il la trouverait ?

Jette se tenait près d'elle, pétrifiée. Elle ne sortit de sa stupeur que lorsqu'elles entendirent la porte d'entrée claquer, en bas.

Ilka montra du doigt le placard encastré et Jette l'ouvrit avec précaution. Deux blouses blanches éclaboussées de peinture y étaient accrochées. Elles se glissèrent à l'intérieur et refermèrent la porte.

*
* *

Bert avait téléphoné à ses collègues de Togstadt pour les informer. Ils s'étaient rendus chez Ruben Helmbach, et entretenus avec Judith Kranz. Pour commencer, elle avait formellement refusé de donner la seconde adresse de Ruben. Puis la découverte de l'Audi dans le garage avait eu raison de sa résistance.

Ensuite, Bert s'était mis en rapport avec ses collègues de la circonscription administrative de Wallstadt, où Ruben Helmbach possédait apparemment une villa. Cette information avait causé un choc à Bert.

Au cours de leur premier entretien, Judith Kranz avait évoqué un endroit tranquille où travailler. Un euphémisme de taille ! Il aurait dû creuser la question. Il aurait compris plus tôt que Ruben Helmbach s'était en réalité installé ailleurs.

Bert avait appelé son vieil ami Dieter Kortes, qui dirigeait une école d'aviation en périphérie de Bröhl et lui était redevable d'un service. S'il avait commis une erreur, il voulait au moins faire tout son possible pour éviter le pire.

*
* *

Ruben avait commencé par les chercher dehors. Mais il avait rapidement saisi qu'elles avaient dû rester dans la maison.

Elles voulaient jouer au chat et à la souris ?

Ruben esquissa une grimace. Il allait leur montrer qui était le chat.

Il inspecta chaque pièce. Souleva chaque rideau. Elles étaient piégées. Ce n'était plus qu'une question de temps.

Tandis qu'il les cherchait, sa colère grandissait. Une colère terrible, comme il n'en avait encore jamais ressenti.

*
* *

Le front d'Ilka était trempé de sueur. Elle était au bord de l'évanouissement. Il faisait noir comme dans un four. Autour de nous, un silence de mort. Nous tendions l'oreille, tétanisées.

Nous n'échangions pas un seul mot. C'était horrible de ne pas savoir ce qui se passait dehors.

Ruben était peut-être posté depuis longtemps devant le placard, seulement séparé de nous par une porte. Savourant notre peur…

Ilka posa sa tête contre la mienne. Elle avait la respiration légèrement sifflante. Je lui mis la main devant la bouche.

À cet instant, la porte s'ouvrit lentement.

*
* *

Elles étaient étroitement serrées l'une contre l'autre. Ruben eut presque envie de peindre leur peur.

La fille fut la première à se ressaisir. Elle sortit de l'armoire et tendit la main à Ilka qui titubait. On aurait dit son propre fantôme.

Ruben savait maintenant ce qu'il devait faire. Il allait se débarrasser de la fille. Puis peindre Ilka.

La peindre telle qu'elle était.

Tremblante. Apeurée. Étrangère.

Et se libérer grâce à ce dernier tableau.

Se libérer d'un amour trop grand pour ce monde étriqué.

Il se baissa pour ramasser ses tubes de peinture, chercha sa palette, redressa le chevalet. Les deux jeunes femmes le regardaient faire en ouvrant de grands yeux. Naturellement, il ne lui échappa pas qu'elles reculaient prudemment en direction de la porte. Il les laissa faire. Elles n'avaient aucune chance. Elles étaient les souris. Il les débusquerait, où qu'elles soient.

*
* *

Il était dingue. Fouillait dans les affaires qui traînaient par terre. Sans arrêter de me jeter des coups d'œil. Il avait décidé de se débarrasser du poids que je représentais. Il semblait seulement se demander comment.

Brusquement, je me souvins.

La peur m'étreignant le cœur était proche de la peur que j'avais éprouvée autrefois. Sauf que cette fois, j'étais enfermée à double tour dans une maison. Je n'avais aucune chance. Surtout pas avec Ilka, qui tenait à peine debout.

Ruben leva un couteau sans me quitter des yeux.

Dans un dernier sursaut, Ilka s'interposa entre lui et moi.

Ruben s'avançait vers nous. Je tentai d'écarter Ilka, mais elle résistait. Je l'entendis pleurer doucement.

— Rub, dit-elle.

Il n'était plus qu'à trois, quatre pas de nous. Je poussai Ilka sur le côté et courus droit sur lui.

*
* *

Ilka vit la baie vitrée voler en éclats. On aurait dit qu'il pleuvait des diamants.

Jette était accroupie sur le sol. Des larmes coulaient sur son visage. Ilka se traîna jusqu'à elle et se laissa tomber à son côté. Des débris de verre s'enfoncèrent dans sa chair. La douleur fit tressaillir tout son corps et s'y enfouit profondément.

Elle entendit soudain des voix et sut qu'elle ne divaguait pas.

Près d'elle, Jette leva la tête et sourit.

Dans l'embrasure de la porte, un homme en manteau gris lui rendait son sourire.

Bert aida les deux jeunes femmes à se relever et les confia aux secouristes du SAMU. Ruben Helmbach était déjà en route pour l'hôpital. Il s'était grièvement blessé en basculant par la fenêtre. Ses chances de survie étaient faibles.

Bert prit son portable et composa le numéro d'Imke Thalheim. Jette aurait besoin d'un avocat. Et d'un bon psy. Ce ne serait pas facile pour elle de venir à bout de tout ça.

*
* *

Mike tenait la main d'Ilka comme s'il avait peur de la briser. Il détestait les hôpitaux. Ils sentaient la mort.

Une nuit en observation, avait dit le médecin. Il avait renvoyé Jette, Merle et Imke Thalheim chez eux, mais autorisé Mike à rester.

— L'amour est le meilleur remède, avait ajouté le médecin.

Mike caressait doucement les cheveux d'Ilka.

— Je les ai coupés… C'est moche ?

Il secoua la tête. Ce qui était moche, c'était sa lèvre enflée. Ce qui était moche, c'était sa fièvre. Et le fait qu'elle soit si affaiblie qu'elle puisse à peine soulever la tête.

— Ils vont repousser, assura-t-elle.

Il se mit à pleurer. Et il n'en eut pas honte.

✴

CE ROMAN
VOUS A PLU ?

Donnez votre avis
et retrouvez l'agenda Black Moon
sur le site

www.Lecture-Academy.com

☆☆★★★